1

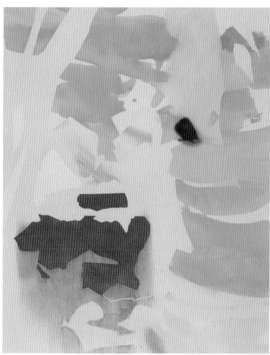

2   3

1　竹川宣彰　《猫オリンピック》　2019 年　作家蔵　（ギリシャ Byzantine and Christian Museum 展示風景）（第 5 章）
2　山本晶　《渓谷》　2018 年（oil on canvas）個人蔵　撮影：野口浩史（第 6 章）
3　篠原猛史　《月の臨界角 no.1》　2022 年（oil on canvas）作家蔵　撮影：篠原芳子（第 7 章）

4

5

4　伊藤公象《アルミナのエロス（白い固形は…）》　1984-2015 年　東京都現代美術館所蔵　撮影：椎木静寧（第 12 章）
5　宮島達男《それは変化し続ける　それはあらゆるものと関係を結ぶ　それは永遠に続く》　1998 年　東京都現代美術館所蔵
　　撮影：上野則宏（第 12 章）

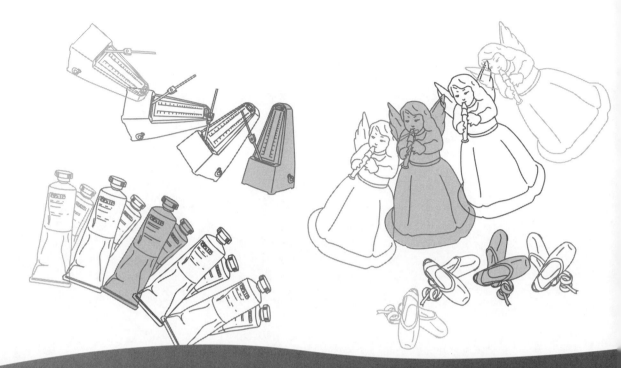

触発するアート・コミュニケーション
創造のための鑑賞ワークショップのデザイン

石黒千晶　横地早和子　岡田 猛　編著

あいり出版

はじめに

　編者の一人の体験談から話を始めよう。もう 20 年ほど前のことになるが、スイスの研究者を訪ねてベルンを訪問したとき、時間が余ったので美術館を訪れた。平日の昼間で、来館者はほとんどいなかった。どんな作品があるのかも知らないで、館内をぶらぶらと歩いていると、一つの作品の前で足が止まった。パウル・クレーの《パルナッソス山へ》(1932) である。ポスターほどの大きさであるが、一筆毎に色の異なる短い筆跡の集積でできたその山の絵を見て、感動のあまりその場から動けなくなった。一つ一つの色の筆跡がそこにしかあり得ない場所に神業のように置かれていて、絶妙な美の世界が描き出されている。20 分程経ってふと我に返った私は、「自分もこんな仕事をしたい」と、切実に思った。その作品に触発されたのだ。

　他の編者も何らかの形で、美術作品との感動的な出会いを経験している。本書の構想には、編者らのそのような触発体験がきっかけとなっている。

　本書は、2016 年に出版された『触発するミュージアム：文化的公共空間の新たな可能性を求めて』(中小路・新藤・山本・岡田編) に触発されて企画されたものである。『触発するミュージアム』では美術館や博物館の展示や教育実践を紹介しながら、触発するアート・コミュニケーションの場づくりに関する提案がなされている。本書は、その視点を発展させて、アート・コミュニケーションにおける芸術作品からの触発プロセスに不可欠な、「鑑賞と表現の接続」に焦点を当てたワークショップの事例やその理論的考察を紹介している。鑑賞のワークショップとしては、対話型鑑賞など様々な実践が行われているが、本書の特徴は、鑑賞から表現へ、表現から鑑賞への繋がりを意識している点にある。そして、学校での実践も含まれるが、多くは美術館などのインフォーマルな学習環境での実践を取り上げている。さらに、ワークショップ開発の背景やデザイン、実践後の取り組みについても、実践者の思いをコラムという形で紹介している。本書で取り上げたワークショップの実施者のコラムがほとんどであるが、他にも本書の目的に合致して優れた実践を行っている人たちのコラムも含めた。

　本書が成立した背景には、公益財団法人石橋財団からの第三編者へ助成プロジェクトがある。公益財団法人石橋財団からは、2011 年から 2021 年まで 10 年間にわたって、芸術創造の実践研究への支援をいただいた。特に 2018 年度からの 3 年間は、「触発と創造のための鑑賞」の方法論の提案を目的とした社会実践を実施させていただいた。本書は、そのプロジェクトで実施した数々の実践の成果発表の役割も担っている。その意味で、公益財団法人石橋財団の支援なくしては、本書は世に出なかったであろう。また、理論的、実証的な研究に関しては、各編者への文科省科学研究費の補助も受けている（第一編者：19K14246、22H01056、第三編者：20243032、23653181、

24243062)。ここに併せて謝意を表したい。

　本書は、芸術の心理学や教育学、アート・コミュニケーション、美術館の来館者研究、アート・ワークショップの実践などに携わる人々やそれを学ぶ学生、あるいはワークショップの参加者や実践に興味のある全ての人を読者として想定している。本書は、芸術鑑賞ワークショップの正しい形を主張するものではなく、あくまでも我々が現在考えている一つのあり方を提案するものである。本書の中に少しでも読者の皆さんの考えや実践を触発するものが含まれていれば幸いである。

2022年11月吉日　　編者一同

目　次

Part 1
鑑賞と表現をつなぐ触発
——理論的背景——

Part 2

鑑賞と表現をつなぐアート・ワークショップ
——実践報告——

表現を誘発する鑑賞ワークショップ

現代アートを体験するワークショップ

感覚や分野を融合するワークショップ

Part 1

鑑賞と表現をつなぐ触発
——理論的背景——

第1章

市民を触発するアート・コミュニケーション

1　触発するアート・コミュニケーション

　美術館や市民教室、NPO団体、企業など様々な場所でアートのワークショップが盛んに行われている（佐藤・増山、1995）。そこには、アートに興味がある人や、誰かに誘われた人、たまたま通りかかった親子など、様々な人が参加する。2020年から執筆時現在までは、新型コロナウィルスの感染拡大によって対面でのワークショップは激減したものの、オンラインを活用することで場所を超えたイベント開催が可能になった。それによって、これまで様々な事情でワークショップに行けなかった人にも参加の可能性が広がった（小室ら、2021）。

　ワークショップの実践はアーティストやファシリテーターが担うが、彼らは必ずしもアートについての知識やスキルを参加者に教えることを目的にはしていない。むしろ、参加者がアートを通じたコミュニケーション、すなわち、アート・コミュニケーションを楽しむ場を作ることを目的としていることが多いだろう。私たちはこれまで、アーティストやファシリテーターや参加者の間で「触発するアート・コミュニケーション」が生まれることを目指してアート・ワークショップをデザインし、実践を行ってきた。

　触発するアート・コミュニケーションのイメージは、「すべての人たちは何らかの表現者である」（岡田、2016、p.6）との前提から生まれた、アートに関わる様々なステークホルダー（市民、芸術家、学芸員、評論家など）の相互作用の様子に表されている（図1-1、岡田、2013、2016；岡田・縣、2012、2020なども参照）。触発するアート・コミュニケーションの具体的な過程について、岡田（2013）は次のように説明している。

　　「作品を評価する役割を持っていた評論家や美術館の学芸員は（中略）芸術家の
　　芸術作品に触発されて評論や展示という表現行為を行う人々であり、市民も芸術
　　家の作品に触発されて自らパーソナルな、あるいは芸術的な表現行為を行う人々
　　である（中略）。評論家や学芸員や一般市民においても、芸術家の作品に触れる
　　ことによって、いろいろなアイデアやイメージが触発され、新しい学習が行われ
　　る」
　　　　　　　　　　　　　　　　　　　　　　　　（岡田、2013、p.16、中略は筆者らによる）

図 1-1　触発するアート・コミュニケーション（岡田・縣、2012；岡田、2013、2016 をもとに作成）

　また、岡田・縣（2020）は、こうした一連のアート・コミュニケーションにおいて重要なことは、「自由な解釈を許容し、新しい創造を喚起するような『触発』という概念である」（同、p.147）と述べている（他にも、石橋・岡田、2010；石黒・岡田、2017、2019；Ishiguro & Okada, 2018; 岡田、2013、2016；Okada & Ishibashi, 2017；岡田・縣、2012）。触発とは、他者や外界の事物に刺激されて、新しいイメージやアイデアが喚起されたり、感情が動いたり動機づけが高まることを意味する（岡田、2013；岡田・縣、2012、2020）。そもそも触発は、創造性や宗教、スピリチュアリティに関わる現象として扱われてきた（Thrash & Elliot, 2003; Oleynick et al., 2014 参照）。近年では、触発を外界からの刺激で生まれたアイデアを実際の創造活動に移す際の媒介（Oleynick et al., 2014）と捉え、対象の価値を認めそれに刺激を受けるだけで終わらず、触発された事柄を出発点として何かをしようと活動を導く「動機づけ」としての機能（例えば、Thrash & Elliot, 2003；石黒・岡田、2017、2019）に焦点をあてた研究が行われている。

　次節で詳しく紹介するが、心理学の研究から得た知見を踏まえて美術鑑賞で得る触発を積極的に利用し、様々な創造活動を促すアート・ワークショップも実践されている。まさに本書は、「人々の表現は触発の連鎖を通じてつながっていく」（岡田、2016, p.6）ことを中心に置きつつ、アート・コミュニケーションが活発に行われることを目指して実施された一連の「表現を触発する」アート・ワークショップの実践とその効果についてまとめて紹介するものである。

② 触発過程におけるデュアル・フォーカス：鑑賞による表現の触発

　本書で提案する「触発するアート・コミュニケーション」には、アート作品を鑑賞することで生まれる触発を表現へと繋げる上で重要だと思われるポイントがある。それは触発から表現につなぐための「デュアル・フォーカス（Dual Focus）」である（Ishiguro & Okada, 2018, 2020）。デュアル・フォーカスは、社会的比較において自分と他者の両方に注意が向くことを意味するが（Smith, 2000）、私たちがアート作品を見るときにも同じようなことが起きている。例えば、ゴッホの《ひまわり》を鑑賞して純粋に感動することもあれば、「自分だったらこの描き方は思いつかない」、「この表現は自分の表現と違って面白い」、「生きた花と枯れた花が両方描かれていて、生き物の生と死を感じる」など、作品の制作者と自分の考え方を比較しながらいろいろと思いを巡らすだろう。作品を鑑賞する時には、こうしたデュアル・フォーカスが随所で起きており、そこには表現を促す触発の種が隠れている。

　実際、アート鑑賞はアイデア生成や表現の触発を促すことが複数の研究で明らかにされている（例えば、An & Youn, 2018；石黒・岡田、2019）。石黒と岡田（Ishiguro & Okada, 2018, 2020）は、スラッシュとエリオット（Thrash & Elliot, 2004）の触発のプロセスとスミス（Smith, 2000）の社会的比較のモデルをアート・コミュニケーションに統合・拡張し、鑑賞から表現が触発される過程を説明している（図1-2）。《ひまわり》を鑑賞した時の例で考えると、他者作品に関するイマジネーション（例えば、生きた花と枯れた花が両方描かれ生と死を感じるなど）と、自分の表現に関するイマジネーション（例えば、自分もポジティブなものとネガティブなものの両方を組み合わせて表現してみようなど）の両方に注意を向けるような活動が行われると想定される。

　さらに、「この作者の表現は自分と違っていて面白い」といった作品に対する評価や、「自分だったらこの発想は思いつかない」といった自分の表現についての省察も生じる。他者作品を見て制作者の意図を推察することで、他者のアイデアのユニークさや、自分の表現スタイルとの違いに気づいたり、さらには今まで自分が思いつかなかった「新

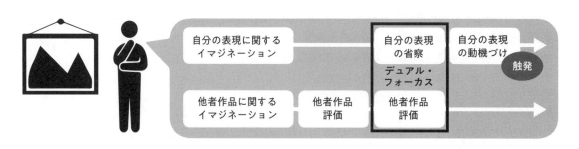

図 1-2　鑑賞による表現の触発プロセス（Ishiguro & Okada, 2018, 2020 をもとに作成）

たな着眼点」も生まれてきたりするだろう（石橋・岡田、2010；Okada & Ishibashi, 2017）。この点に関して、石黒と岡田（Ishiguro & Okada, 2018, 2020）は、成人を対象とした実験的調査で、絵画を鑑賞するときに自他の創作に関するデュアル・フォーカスを行った人ほど表現の触発を経験することを示している（石黒・岡田、2019）。

　では、鑑賞の際にデュアル・フォーカスが効果的に行われ、さらにそれが表現の触発を促すためには何が大切であろうか？

❸　鑑賞によって触発が生まれ、創造につながるには

3-1　表現者でないと触発されない？

デュアル・フォーカスはそもそも表現者でないと経験できないのではないかと思われるかもしれない。確かに、日常的に表現や創造活動を行っている人ほど触発を経験しやすいと考えられる。実際、創造活動の経験や実績がある人ほど頻繁、かつ、強い触発を経験することが示されており（Thrash & Elliot, 2004）、芸術領域でも専門学生のほうが非専門学生よりも頻繁、かつ強い触発を経験する（石黒・岡田、2017）。子どもの触発はどうだろうか。小学生児童を対象にした研究では、児童も触発を体験するものの、年齢が進むにつれてその経験頻度や強度は少なくなる傾向が報告されている（Ishiguro, 2022）。これは学年が進むにつれて学校で過ごす時間や家庭学習の時間が増えて、絵を描いたり踊ったりする表現の時間が少なくなることが関係しているかもしれない。この傾向は中高生や大学生にも当てはまるだろう。表現や創造を専攻したり仕事にしたりしない限りは、学業や仕事の時間で表現・創造する時間は少なくなってしまう。結果としてデュアル・フォーカスが起きにくくなり、触発の頻度や強度が少なくなるのである。

　しかし、そうはいっても、ほとんどの人は日常的に何らかの意味で表現を行っている。趣味で写真を撮って SNS（ソーシャル・ネットワーキング・サービス）に上げることも表現であるし、仕事で報告書や発表資料を作成し、プレゼンテーションすることも表現である。SNS に好きな作品の感想を投稿することも表現の一つである。そう考えると、表現を全く行っていない人は稀だろう。また、表現・創造活動の経験の多寡だけが触発に影響するわけではない。石黒と岡田（2019）は、美術を鑑賞した際の表現の触発は、美術活動経験によってダイレクトに引き起こされるわけではなく、表現への自己評価を介した影響が大きいことを示している。つまり、表現・創造経験が多いかどうかよりも、少ない経験でも自分の表現に自信を持てるかどうかが重要である。自分の表現に自信を持っていれば、アート作品を鑑賞した時も「自分には関係のないこと」と思わずに「自分だったらこうしたい」、「自分の表現の考え方とは違う」といった、自分の表現と結び付けたデュアル・フォーカスがしやすくなるのである。

3-2　どんな作品でも触発される？

　何に触発されるかは人それぞれである。もともと芸術活動を行っている人ならば、どんな作品を見ても触発を受けるかもしれないが、芸術表現の経験が少ない人には触発はあまり起きないだろう。しかし、アートにあまり馴染みがなくても、誰かの作品と深く関わることで自分の創作についての新しい発想が生まれ、自分で作る芸術作品も創造的になることが心理実験で示されている（例えば、石橋・岡田、2010；Okada & Ishibashi, 2017）。石橋と岡田が行った実験では、芸術創作の経験がない一般の大学生に「独創的な絵」を描くことを求めた。1日目の描画では、学生達は用意されたモチーフを写実的に描くことしかしなかったが、2日目で抽象画を模写させると、3日目の描画では写実画でも模写画でもない、独自の絵を描く傾向が高まり、作品の創造性も高まることがわかった。さらに実験では、模写する絵の抽象度（抽象画、半具象画、具象画）を変えて検討をしており、抽象画を模写したグループの創造性が最も高くなることを示している。つまり、抽象画のように馴染みの薄い作品を模写したり制作者の意図を推測したりするような活動が新たな発想を生む（つまり触発を生む）と考えられる。

　これとは反対に、馴染みのある作品の方が触発を促しやすいという結果も得られている。石黒と岡田（2019）は、一般成人に絵画を1分間見る鑑賞の調査実験を行った。そこでは、参加者にとって馴染みのある具象画のほうが触発されやすいことが示された。鑑賞時間が短く、作品と深く関わるような活動をしない場合には、馴染みのある作品のほうが触発を引き起こしやすいのかもしれない。児童を対象にした研究では、石黒（Ishiguro, 2022）が小学生を対象にオンライン調査を行い、絵画の表現形式（具象画・抽象画）で絵画鑑賞から得る表現の触発がどのように異なるかを検討した。その結果、児童は抽象画のほうを見た場合に、より触発を受けやすいことが明らかになった。さらに児童は、大人が制作した絵画よりも、同年代の子どもが制作した絵画のほうに触発を受けやすかった。子どもは丸や線などに様々な見立てをして、イメージを膨らませるため抽象的な絵画のほうが馴染みやすいのだろう。そのため、抽象画や同じ子どもが描いた抽象的な表現に触発されやすいと考えられる。

　これらのことを踏まえると、長い時間をかけてじっくりと鑑賞に向き合い自らの表現に活かしていくようなワークショップの場合は、参加者にとって馴染みのない作品を鑑賞の素材に選ぶことで、表現の触発を促すことができるだろう。一方、ワークの一部に鑑賞があるのみで、じっくり時間をかけることが難しいワークショップでは、比較的よく知られた作品や、親しみの持てる作品を鑑賞の素材に用いて触発のきっかけにすることも一つの方法だろう。デュアル・フォーカスで他者と自己を比較するような活動が生じるためには、比較のための「手がかり」の発見が必要だと思われるが、既によく知っている（あるいは想像しやすい）対象であればその必要性も低くなると考えられ、ワークショップの形式や内容に照らして、鑑賞素材をどう選択するのかが大切なポイントになるだろう。

3-3　デュアル・フォーカスのネガティブな影響は？

　素晴らしい絵を見たときに、自分も絵描きだとしたら素直に「すごい」と思うと同時に、嫉妬や羨望といったネガティブな感情も体験するかもしれない。果ては、自分の表現に自信を失い、創作を諦めてしまうかもしれない。

　触発に伴う感情はポジティブなものとされているが（Thrash & Elliot, 2003, 2004）、自己と他者を比較する「社会的比較」では、様々な感情が生まれることが知られている。例えば Smith（2000）は、優れた他者と自己を比較したときには、触発などのポジティブな感情の他に、嫉妬などのネガティブな感情も生まれると述べている。この 2 つの違いには、比較する他者を自分と同じカテゴリーに所属するものとみなす（同化）か、他者を違うカテゴリーに所属するものとみなす（対比）かが関係する。例えば、同じ学校の生徒が競技会などで素晴らしい成績を収めると、同胞として誇らしく思い、自分も頑張ろうと触発される。しかし、ライバル校の生徒が勝つと嫉妬心や怒りの感情が湧いてきたり、逆にその競技に対する興味を失ってしまったりすることもあるだろう。

　デュアル・フォーカスの過程でも、触発に限らずポジティブ、ネガティブ、様々な感情や思いが複雑に絡み合うと思われる。作品に感動しつつも自分は同じことはできないと思ったり、作品から着想を得ても自分の技術ではそれは実現できないと制作をためらう気持ちになることもあるだろう。そういった感情がわき上がるのはとても自然なことであり、それを否定したり無理に押さえつけたりする必要はない。むしろ、アート・ワークショップのプログラムの中に、ポジティブな感情もネガティブな感情も受け止められるようなアクティビティを取り入れることで、自他の比較で生じる多様な感情を参加者と共有し、自分自身の感情を相対化しながら表現へと昇華できるような工夫をするとよいだろう。実際に、触発するアート・ワークショップで用いた鑑賞作品は本格的な美術作品がほとんどであり、参加者の表現を萎縮させてしまう可能性もあった。しかし、Part 2 で紹介する複数の実践報告から、そうした懸念を乗り越える具体的な工夫やヒントを得ることができるだろう。

3-4　デュアル・フォーカスが自分らしい発想につながるには？

　何かの作品を見て、「これと同じものを作ってみたい」、「色や形をまねしてみよう」と思い、実際に自分で作ってみることも触発である。しかし、折角なら何か少しでも違うことをしてみたい、あるいは自分らしい何かを加えて表現してみたいと思うこともあるだろう。先に紹介した石橋と岡田（石橋・岡田、2010；Okada & Ishibashi, 2017）の模写と創造の関係を調べた心理実験は、模写をする過程で学生達に様々な着眼点の変化が生じていることを示している。具体的には、絵のモチーフに対する印象や好みを判断したり、モチーフの特徴に注意を向けたりするだけではなく、その絵を描いた画家の着眼点を推測したり（例えば、「生き生きした様子を描きたかったのかな」）、絵について自由に解釈したり（例えば、「絵の中の貝は捨てられてしまった感じがする」）と、絵の表面的特徴だけではなくその絵を制作した画家の意図や心理を考え、そこからさらに自由に「自分なりの着眼点」を構築していた。

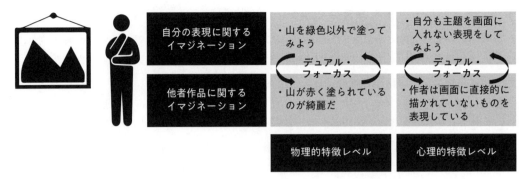

図1-3 物理的特徴・心理的特徴レベルのデュアル・フォーカス（Ishiguro & Okada, 2020 をもとに作成）

　こうした過程を踏まえつつ、石黒と岡田（Ishiguro & Okada, 2020）は、デュアル・フォーカスにおいて鑑賞者が自分と他者の表現を比較するときの観点を、物理的レベルと心理的レベルに分けている（図1-3）。物理的レベルのデュアル・フォーカスでは、作品の色や形などの物理的特徴に着目して自己と他者の表現の違いや特長を考えたり新たな色や形などの利用を発想したりする。一方、心理的レベルのデュアル・フォーカスでは、作者の創作過程や作品のテーマなどを想像しながら、自分自身の創作過程やテーマなどについて対比的に捉えることで自らの表現にも変化が生じると考えられる。それぞれのレベルへのフォーカスは別々に生じる場合もあれば同時に起きる場合もあり、どのレベルへのフォーカスが起きるかによって、新しい表現において表面的な変化（色や形などの変化）だけがおきることもあれば、内面的（作品テーマや表現への向き合い方など）な側面にも変化が生じることがあると考えられる。

　こうした考え方を参照すると、触発するアート・ワークショップにおいて、「自分らしい表現」、「今まではしなかった発想」、「他の誰とも似ていない表現」といった、参加者一人ひとりのオリジナルな表現の可能性に出会い、それを形にして行く活動を支える工夫のヒントを見出すことができる。例えば、作品の物理的特徴に焦点を当てた鑑賞から、作品に込められた作者の心理やテーマ性へと焦点を徐々に移していき、参加者一人ひとりが作品と深く関わるように導くといった工夫が、その一つである。あるいは、参加者が相互に意見を交換したり、作品の制作者自身と一緒に作品を見ながら話をしたりすることも、様々なレベルでのデュアル・フォーカスが生じると期待できる。

4 本書の目的：触発するアート・コミュニケーションを促す実践方法の提案

　本書は、『触発するミュージアム：文化的公共空間の新たな可能性を求めて』（中小路・新藤・山本・岡田、2016）のある意味での姉妹本と位置づけることができる。『触

発するミュージアム』では美術館や博物館の展示や教育実践を紹介しながら、触発するアート・コミュニケーションの場づくりに関する提案がなされている。本書は、『触発するミュージアム』の内容をさらに発展させるため、アート・コミュニケーションにおける触発プロセスに不可欠な「鑑賞と表現の接続」にフォーカスする。そして、鑑賞と表現をつなぐ触発という現象に関する心理学や認知科学の知見を基にしながら、「実践デザインのための方法論と評価方法」を提案する。

　さらに、触発に関する心理学や認知科学の知見に基づき、人々の表現や創造を刺激するような実践のデザインと方法を提案する。鑑賞や表現といったアート活動は感情や認知、イマジネーションが複雑に絡み合うプロセスであり、これまで芸術学や教育学領域に加えて、心理学・認知科学領域においても研究が積み重ねられてきた。そうした知見がアートに関わる学びの現場でも使われている。例えば、ヴィジュアル・シンキング・ストラテジー（Visual Thinking Strategies: VTS）は、認知科学者のアビゲイル・ハウゼン（Abigail Housen）がニューヨーク近代美術館（MoMA）と協同開発した鑑賞教育の手法としてよく知られている（Housen, 2002; Yanawine, 2013; 上野、2011 参照）。本書で提案する実践方法やその実践例は、鑑賞による表現の触発に関するこれまでの心理学の理論的・実証的研究を参考にしながらデザインされている。VTS をはじめ、本書とは別の目的を持った鑑賞教育やアート・ワークショップが多数あり、それぞれが異なるデザイン原則や理論的背景を有している。本書の目的は、心理学・認知科学研究の知見を踏まえて、触発するアート・コミュニケーションの一部として鑑賞の役割を捉え直し、作品の自由な解釈から新たな表現の発想やアイデアを生み出すワークショップ実践の方法論と評価の在り方を提案することである。

　具体的には、この章を含む Part 1 では、第 2 章で鑑賞による表現の触発という現象に焦点を当て、その体験が生まれる過程や関連する要因を整理しながら、教育実践の中で鑑賞による表現の触発を引き起こす教育デザインの方法を提案する。第 3 章ではその教育実践で触発が効果的に支援できたかを評価するための理論的枠組みを紹介する。第 4 章では具体的な効果測定の設計から調査実施後の考察について紹介する。また第 5 章では、アート事業の評価について社会的インパクト評価やピアレビューなどの事例を紹介する。つづく Part 2 では、教育デザインの方法と評価方法を踏まえて、鑑賞と触発や表現に関わる多様な教育実践を紹介する。これらの教育実践は、単に鑑賞と表現をつなぐ支援をするだけではなく、参加者の個性を引き出し、それを多様に表現するための鑑賞の仕方を提案するものである。これらの実践は学校などのフォーマルな教育の場でアート・コミュニケーションの場を作る、あるいは、美術館やワークショップなどのインフォーマルな教育の場で市民の創造性を開花させるための実践の具体例として参考になるだろう。また Column では、本書で取り上げた各実践の実施者のみならず、優れたワークショップを行う実践者たちが、どのような背景から自分のワークショップを生み出したのか、試行錯誤の中でどのように実践デザインを決めていったのか、そして実践をその後どのように発展させたのかなどが述べられている。実践者の言葉から触発するアート・コミュニケーションの場が生まれ、発展して

いく過程を感じてもらいたい。

（石黒千晶・横地早和子・岡田猛）

【引用文献】

An, D., & Youn, N. (2018). The inspirational power of arts on creativity. *Journal of Business Research*, **85**, 467-475.

Housen, A. C. (2002). Aesthetic thought, critical thinking and transfer. *Arts and Learning Research*, **18**, 2001-2002.

石黒千晶・岡田 猛 (2017). 芸術学習と外界や他者による触発：美術専攻・非専攻学生の比較. 心理学研究, **88**(5), 442-451.

Ishiguro, C., & Okada, T. (2018). How can inspiration be encouraged in art learning? In T. Chemi, & X. Du(Eds.) *Arts-based methods and organizational learning: Higher education around the world* (pp. 205-230). River publisher.

Ishiguro, C., & Okada, T. (2020). How Does Art Viewing Inspires Creativity?. *The Journal of Creative Behavior*, **55**(2), 489-500. doi: 10.1002/jocb.469

石黒千晶・岡田 猛 (2019). 絵画鑑賞はどのように表現への触発を促進するのか？ 心理学研究, **90**(1), 21-31.

Ishiguro, C. (2022). What Kind of Paintings Inspire Children when Viewing Art?. *Japanese Psychological Research*. Advance online publication.　https://doi.org/10.1111/jpr.12404

石橋健太郎・岡田 猛 (2010). 他者作品の模写による描画創造の促進　認知科学, **17**, 196-223.

小室明久・竹 美咲・笠原広一・細野泰久・筋野友佳理・武田紗希・下地華菜恵・真中和恵・芹澤美咲・今村稀美 (2021). コロナ時代の地域でのワークショップ・イベントの実践　東京学芸大学紀要芸術・スポーツ科学系, **73**, 95-110.

中小路久美代・新藤浩伸・山本恭裕・岡田 猛（編）(2016). 触発するミュージアム：文化的公共空間の新たな可能性を求めて　あいり出版

Okada, T., & Ishibashi, K. (2017). Imitation, inspiration, and creation: Cognitive process of creative drawing by copying others' artworks. *Cognitive Science*, **41**(7), 1804-1837.

岡田 猛 (2013). 芸術表現の捉え方についての一考察：「芸術の認知科学」特集号の序に代えて　認知科学, **20**(1), 10-18.

岡田 猛 (2016). 触発するコミュニケーションとミュージアム　中小路久美代・新藤浩伸・山本恭裕・岡田 猛（編）触発するミュージアム：文化的公共空間の新たな可能性を求めて (pp.2-10)　あいり出版

岡田 猛・縣 拓充 (2012). 芸術表現を促すということ：アート・ワークショップによる創造的教養人の育成の試み　KEIO SFC JOURNAL, **12**(2), 61-73.

岡田 猛・縣 拓充 (2020). 芸術表現の創造と鑑賞、およびその学びの支援　教育心理学年報, **59**, 144-169.

Oleynick, V. C., Thrash, T. M., LeFew, M. C., Moldovan, E. G., & Kieffaber, P. D. (2014). The scientific study of inspiration in the creative process: Challenges and opportunities. *Frontiers in Human Neuroscience*, **8**, 436.

佐藤一子・増山 均 (1995). 子どもの文化権と文化的参加　第一書林

Smith, R. H. (2000). Assimilative and contrastive emotional reactions to upward and downward social comparisons. In J. Suls & L. Wheeler(Eds.), *Handbook of social comparison*(pp.173-200). The Springer Series in Social Clinical Psychology. Springer.

Thrash, T. M., & Elliot, A. J. (2003). Inspiration as a psychological construct. *Journal of Personality and Social Psychology*, **84**, 871-889.

Thrash, T. M., & Elliot, A. J. (2004). Inspiration: Core characteristics, component processes, antecedents, and function. *Journal of Personality and Social Psychology, 87,* 957-973.

上野行一 (2011). 私の中の自由な美術：鑑賞教育で育む力　光村図書出版

Yenawine, P. (2013). *Visual thinking strategies: Using art to deepen learning across school disciplines.* Harvard University Press.

第 **2** 章

実践デザインの方法論

　本章では、鑑賞と表現をつなぐアート・ワークショップを実践する上での方法論について述べる。鑑賞による表現の触発を促すには、ワークショップの中でどのような活動を行えばいいのだろうか。私たちは触発に関する心理学研究をもとにして、鑑賞による表現の触発が起きるための重要な要素を理論的に整理し、実証研究でその要素の重要性を確認した。そうした一連の研究を踏まえて、本章では鑑賞による表現の触発を促す支援のデザイン原則として、(1) 表現や創作への抵抗を和らげる準備、(2) 鑑賞のデュアル・フォーカスを促す工夫、(3) 多様で豊かな表現につなげる支援の 3 つを提案する。

1 表現や創作への抵抗を和らげる準備

　本書の読者が触発するアート・コミュニケーションの場を作ろうと考えている場合、日本人の表現や創作への苦手意識の強さを理解しておくことは重要である。例えば、Adobe (2017) が行った国際調査では、日本は他国から創造的だとみなされているにもかかわらず、日本人の中高生は他国よりも自分を創造的だと考えておらず、将来創造性を発揮するような仕事に就こうと思っていないことが示されている。またベネッセ・コーポレーション (2012) が行った調査によると、小学生の児童は低学年時、9割近くが美術や図工などの科目に好意的であるが、学年が進むにつれて苦手意識が強まり、中学生時には 3 割の生徒が美術・図工にネガティブな反応を見せるという。同様に、降旗 (2016) が行った調査でも、美術・図工への苦手意識は小学校中学年から中学生にかけて徐々に高まり、大学生では 6 割が苦手意識を示すことを明らかにしている。

　表現や創作へのネガティブな印象は、自らが表現することへの苦手意識のみにとどまらない。そもそも表現や創作に対して「自分とは関係がない」、「特別な才能をもつ人のみができること」といったステレオタイプがあること (例えば、縣・岡田、2010) や、自らの創造性に関する信念 (創造的自己) や、自らが創造的に考えたり行動したりする力についての信念 (創造的自己効力感) が西洋人よりもネガティブであることが示唆されている (Ishiguro, Matsumoto, Agata, & Okada, 2022)。

　自らの創造性に関する信念は創造的自己と呼ばれており、近年、創造性教育に関わる分野で、自らが創造的に考えたり行動したりする能力についての信念、すなわち創造的自己効力感の役割が注目されている（例えば、石黒・清水・清河、2022; Karwowski & Kaufman, 2017）。そこでは、日々のちょっとした工夫次第で創造的自己効力感を高めたり、創造性を生得的な特性とみなすのではなく教育や努力によって伸ばすことができるという信念を培ったりするなど、創造的自己を育む取組も進められている（例えば、Karwowski et al., 2019; Zielinska et al., in press）。アート・ワークショップもそうした創造的自己を育む良い機会を提供すると思われるが、参加者たちが創造活動に対してどのようなイメージを抱いているのかや、創造性や創造活動に対する自信をどの程度持っているのかをある程度想定してワークショップのデザインを考える必要がある。特に、参加者の多くが創造に対する苦手意識を抱いている可能性があるため、触発するアート・コミュニケーションの場を作る上では自らの表現や創作に対する苦手意識を和らげたり、自信を持てるような働きかけが不可欠である。

　表現や創作への苦手意識を和らげる準備には、何か特別な活動が必要というわけではない。以下に述べるような環境や場づくり、導入、アイスブレイクなどの活動がワークショップの序盤に役立つ（表2-1）。こうした支援は、これまでも様々なワークショップで提案・実施されているが（例えば、山内他、2021）、触発するアート・ワークショップでは、特に鑑賞から得た触発を具体的な表現へとスムーズにつなぐための導入が必要である。

　そこで第一に、自由な表現や創作を奨励する環境・場づくりが必要である。触発するアート・コミュニケーションで行う表現や創作では、技術的な巧拙や発想の斬新さは必ずしも重要ではない。むしろ、参加者各自が自由に個性を発揮して、他者の多様な表現に触発を受けることが大切であるため、参加者に触発するアート・コミュニケーションの理念がわかるような環境・場づくりが必要である。おそらく、表現や創作に苦手意識を持つ人は、失敗したり、自分の発想や表現を否定されたりすることを恐れるだろう。こうした不安を和らげるために、失敗や新しい発想を否定せずに、肯定的に発展させる雰囲気を作ることが欠かせない。そのため、ワークショップの冒頭で「上手下手は考えずに作ってみよう」「あなたらしさを少しずつ見せてください」など、自由な表現や創作を許容する言葉がけや教示を意識的に行うこともよい方法だろう。あるいは、ファシリテーターや実践者が自由な発想や表現を自身の言葉や態度、行動

表 2-1　表現や創作への苦手意識を和らげる支援とその具体例

表現や創作への苦手意識を和らげる支援	具体的な支援の例
（1）自由な表現・創作を奨励する環境・場づくり	「上手下手は考えずに作ってみよう」などの教示。失敗や新しい発想を否定せず、肯定的に発展させる雰囲気。技術的に難しい表現の支援など
（2）芸術領域の初歩的知識や技能を伝えること	領域の初心者でも多様な表現が楽しめるように初歩的な知識や技能のレクチャーや実演など
（3）表現や創作に関する思い込みを覆す活動	芸術家の実際の創作過程のエッセンスを体験してみるなどの活動

で示していくこともよい方法だろう。例えば、本書 Part 2 第 1 章のワークショップでは、アイデアが生まれるプロセスやコツ（「アイデアは自然発生的なものである」「失敗・評価などへの恐れはアイデア阻害になることもある」など）を伝えたり、ワークショップでの共通ルール（「自分の創造に責任を持たない」「勝とうとしない」「賢くなろうとしない」など）を示したりして、自由な発想やアイデアを許容する場が醸成されるように支援を行っている。さらには、実践者も参加者もニックネームを付けて呼び合うことで、誰もが表現者同士として対等に関わり合えるような工夫もなされている（Part 2 第 9 章参照）。

　第二に、表現や創作のための初歩的な知識や技能を伝えることが挙げられる。アート・ワークショップでは、参加者がはじめて触れる道具や素材を扱うこともある。例えば、「Makey Makey」を使った楽器制作（Part 2 第 13 章を参照）は、ほとんどの参加者にとってはじめて出会うツールである。そうした場合には、初心者でも多様な表現が楽しめるように簡単なレクチャーやアクティビティを準備する必要がある。もちろん、ワークショップで行う活動によっては、技術的なレベルが高かったり、参加者が思った通りに表現できない活動もあるかもしれない。そうした場合には、参加者のそばで技術的なサポートをしてくれるスタッフを配置するなどの工夫が必要である。一例として、実践者以外にも技術的な支援ができる人として芸術系大学の学生を配置することも考えられる。

　最後に、表現や創作に関する思い込みを覆す活動も重要である。「創造は一部の優れた天才しかできない」といったステレオタイプ的な思い込みを崩すには、創作活動や芸術家の意外な側面を知ったり、実際に体験したりすることが効果的かもしれない。例えば、会話の時の声の抑揚が音楽になることを体験したり（Part 2 第 11 章参照）、家の中にある何でもないもの（ドアノブなど）に美を見出したり（Part 2 第 4 章参照）、変な形や奇妙な色の組合せを街の中で探したり（Part 2 第 6 章参照）と、自分の身のまわりに様々な芸術的表現の種が隠れていることを体感するのである。ワークショップのメインパートに入る前にこうした活動を行うことで、表現に対する思い込みや苦手意識が取り払われ、表現への動機づけも促進されるだろう。このように、触発するアート・ワークショップの導入のデザインにおいては、参加者の表現への苦手意識を和らげる様々な工夫が必要である。

2 鑑賞のデュアル・フォーカスを促す工夫

　前章では、鑑賞から新しい表現や創造が触発されるために、デュアル・フォーカスが重要であることを説明した。アート・ワークショップの中でデュアル・フォーカスを支援する上で大切なことは、鑑賞する立場と表現する立場との往還を促すことである（表 2-2 参照）。そのためのワークショップのデザインとしては、まずは（1）鑑賞

表 2-2　デュアル・フォーカスを促す鑑賞と表現のデザインのパターン

デザイン	具体例
(1) 鑑賞から表現	鑑賞した後にそれを踏まえた表現活動をする
(2) 表現から鑑賞	何らかの表現を行った後で、関連するテーマや領域の作品を鑑賞する
(3) 鑑賞と表現を同時に、交互に繰り返す	作品の目の前で表現を行う
(4) 鑑賞と表現のジャンルや手段をずらす	絵画を鑑賞し音楽やダンスで表現する

した後に表現する、(2) 表現した後に鑑賞する、(3) 鑑賞と表現を同時にあるいは交互に行う、という 3 つのパターンが考えられる。学校の美術教育で鑑賞と表現は当たり前に行われているが、触発するアート・ワークショップにおいても鑑賞と表現を往還するデザインにすることで、作品鑑賞が単なる価値の受容に終わらず、参加者自らの考えやアイデア、感情を振り返り、それを表現するきっかけになるように働きかけることができるだろう。また、表現した後に鑑賞を行うデザインにすることで、作品解釈がより多様に発展していくことも期待される。実際に何らかの表現を行った後に関連する作品を鑑賞すれば、ただ観るだけよりも作品の多様な解釈や気づきが生まれるだろう。あるいは、表現に対する深い理解も促されたり、自らの表現の特徴や傾向などについても気づかされるかもしれない。この点について、例えば、松本と岡田（Matsumoto & Okada, 2019, 2021）は、美術作品の鑑賞に先だって自分でも創作を行ったり、鑑賞中に作品の創作プロセスを目でたどってみたりといった経験が、触発や感嘆を引き起こすことを心理実験によって実証的に示している。

　さらに、(4) 鑑賞と表現で用いるジャンルや手段を通常のやり方から変更することも工夫の一つに挙げられる。例えば、姉妹本の『触発するミュージアム』（中小路・新藤・山本・岡田、2016）では、展示品への新たなアクセス方法を促進するための方法として、演劇やダンスなど他ジャンルの方法を適用して鑑賞したり、身体の動きや五感の新たな利用を促したり、作品の創作プロセスへのアクセスを促したりするといった、通常とは異なる美術作品との関わり方を紹介している（表 2-3 参照）。このような通常のやり方とは異なる鑑賞方法を試してみることは、鑑賞活動における「ずらし」と呼ぶことができる。ずらし（process modification）とは、アーティストが作品制作を行う中で用いる認知的操作のことであり、モチーフを変更する（ずらす）ことで新しい作品を創造し、作品シリーズを展開したり、作品のコンセプトを変更して（ずらして）前作との繋がりがある別のコンセプトを生み出し、新たな作品シリーズを構築するといった創造活動のことである（例えば、岡田・横地・難波・石橋・植田、2007；Yokochi & Okada, 2021 参照）。また、アーティストは表現手段をずらすことも珍しくない。モンドリアンの絵画に触発されて、動く彫刻（モビール）を作ったカルダーのエピソードにも、素材や表現手段のずらしが含まれている。このような創造活動における「ずらし」だけでなく、鑑賞活動においても、通常の鑑賞方法の要素を変更するような「鑑賞のずらし」が可能である。それを組み込んだ鑑賞プログラムをデザインすることによって、「鑑賞のデフォルト・モード」を変更するような支援が可能となるだろう。

　では、どのように鑑賞時のデュアル・フォーカスの焦点をずらせばいいのだろうか。

表 2-3　触発を促すためのミュージアムの働きかけ
（『触発するミュージアム』中小路・新藤・山本・岡田、2016　1章の表1-1をもとに改変）

ミュージアムの働きかけ
●「異なるもの」と関わる
・鑑賞者の概念とは異なる展示品を提供
・展示品との新たな関わり方を促す展示方法を提供
効果的な対比を伴う展示（比較を促進）
魅力的なストーリーが存在する展示（物語スキーマの活性化）
知覚を刺激する展示（五感の活性化）
・展示品への新たなアクセス方法を促進
他のジャンルの方法を適用（演劇、ダンスなど）
五感の新たな使用（ダンス、ろうそく鑑賞など）
他領域の活動のための材料として利用（哲学対話など）
作品だけでは無く、作品の創作プロセスへのアクセス
●「深く」関わる＝時間をかけた能動的関与
・身体を動かして創造する（hands-on）鑑賞方法を提供
身体の動きを伴う鑑賞（ダンス、ろうそく鑑賞など）
創造の体験（表現ワークショップなど）
・思考を活性化させながら関わる鑑賞方法を提供
意味づけ（meaning making）（哲学対話など）
・他者と相互作用しながら関わる鑑賞方法を提供
社会的鑑賞（ダンスや演劇などのワークショップ、哲学対話）
web ディスカッション

実は、我々は当初から触発するアート・ワークショップのデザインに、鑑賞のずらしを意図的に組み込んでいた訳ではない。しかし、それぞれの実践の内容を詳しく見てみると、暗黙のうちにずらしの要素が随所で用いられていることが伺える。それらをまとめたのが表2-4である。例えば、Part 2第2章の散歩鑑賞は作品サイズをずらして、極端に大きくした作品を鑑賞している。普段は書籍やパソコンのモニター画面などの小さなサイズで見ていた作品が自分の背丈以上の大きさになると、今まで注意を向けていなかった作品の特徴に気づくようになり、作品の解釈も多様になることが期待される。あるいは普段はあまり鑑賞しないタイプの表現の作品を見るような鑑賞のずらしもある。例えば、Part 2第12章の児童を対象とした音楽づくりワークショップでは、デジタル・カウンターを用いた作品で有名な現代アーティストの宮島達夫氏の代表品を鑑賞している。児童にとってはおそらくこうした現代アートの作品を見る機会はほ

表 2-4　鑑賞のずらしの例

ずらしの対象	具体例
作品のサイズ	鑑賞する作品のサイズを大幅に変更する
作品の表現様式	鑑賞作品を馴染みのない表現様式のものに変更する
表現のジャンルや手段	鑑賞する作品とは別のジャンルや手段で表現する
芸術に対する既成概念	一般に芸術とは思わないもの（例えば、ドアノブ）を芸術作品として鑑賞する

とんどないだろう。しかし馴染みのない作品を様々な工夫を通じて鑑賞することで子どもたちに新鮮な気づきをもたらし、そこから得た発想を音楽に置き換える取組が試みられた。このように鑑賞時の焦点をデフォルトからずらすような工夫があることで、参加者それぞれに新しい視点が生まれ、デュアル・フォーカスが活性化するとともに、これまであまり接してこなかった対象に対する興味や関心が生まれたり、異質なものに対する開放性や理解度が高まる可能性もあるだろう。

③　多様で豊かな表現を促す支援へ

　ここまで述べてきた方法は参加者の多様で豊かな表現を促す支援になる。そもそも多様で豊かな表現とは何だろうか。それは、ワークショップの場で参加者一人ひとりが自己表現することであり、それぞれの表現を互いに受容し尊重し合うことで参加者の間での様々な表現が生み出されることであると、私たちは考える。参加者個人の表現の発信だけでも意義はあるが、参加者同士でお互いの価値を認め合わなければ、ワークショップ集団の中での触発、すなわち、触発するアート・コミュニケーションは生まれにくい。（a）参加者個人の自己表現と、（b）参加者同士の多様性の受容は互いに関わり合っている。ワークショップの中では参加者自身の個性やそれまでの人生経験を活かした「自分らしい」アイデアを生み出すことで、自己表現することができるだろう。そして、各参加者の表現をワークショップの中で発表したり共有したりすると、参加者同士でお互いの違いが見えてくる。それを嫌がったり無視したりせずに、

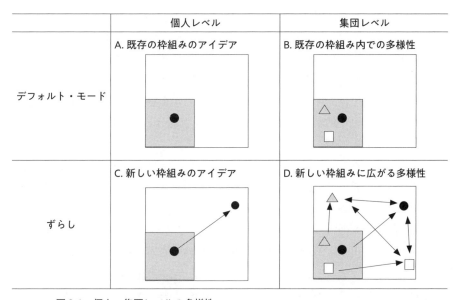

図2-1　個人・集団レベルの多様性
注）灰色の四角部分は既存の枠組み、白色の四角は新しい枠組みの範囲を示す。

受け入れて尊重する。あるいは、参加者が互いに発揮する多様な表現を受容することで、参加者それぞれがより自己表現しやすくなる。(a) と (b) の 2 つの要素がそろうとき、多様で豊かな表現が生まれ、触発するアート・コミュニケーションが成立すると、私たちは考えている。

　しかし、ワークショップの支援の仕方によっては、ワークショップ参加者の多様で豊かな表現にさらなる伸びしろが期待できる。参加者はワークショップの中で今まで見たことがなかった作品を鑑賞したり、有名な作品を新しい視点で鑑賞したりして、今までなかった視点を得ることができる。先述した「鑑賞のずらし」はデフォルト・モードの視点のから脱却することを助け、今までになかった視点を得る方法の一つと言える（図 2-1A から C）。例えば、ワークショップ参加者の多くはアート初心者であるが、初心者は具象画を鑑賞するとき、作品のモチーフとなる人物やオブジェクトばかり見て、その背景にはあまり注意を向けないことが知られている（例えば、Zangemeister, Sherman, & Stark, 1995; Vogt & Magnussen, 2005, 2007; Pihko et al., 2018）。このような既存の枠組みを脱するために、フェルメールの絵画作品のサイズを極端に大きくすることで、今まで気づかなかった絵の特徴に目を向けるように促した（Part 2 第 2 章及び Column 2 参照）。他にも、絵を見るという絵画鑑賞の枠組みをずらして、あえて目を閉じて絵画についての自分自身のイマジネーションの世界を広げて（Part 2 第 1 章及び Column 1 参照）、多様な作品解釈を促す工夫をした。

　デフォルト・モードからの脱却は絵画を見る視点だけにとどまらない。芸術が非日常であるという枠組みを広げるために、日常的な対象（例えばドアノブ）を美術作品に見立て、その魅力を文章に表すなどして「ものの見方」やアートに対する考え方を変えたり（Part 2 第 4 章参照）、声とその感情表現が音楽と地続きの関係にあることの発見を促したり（Part 2 第 11 章参照）と、普段の自分のものの見方やアート観・音楽観の変容をデザイン指針の中心に置いたものもある。また、「他者との関わり合い」に着目したワークショップ（Part 2 第 3 章）や、「赤ちゃんとびじゅつかんプロジェクト」における乳児のアート鑑賞（Column 3）では、他者との関わりや人生最初のアートとの出会いの在り方を提案している。さらには、ムーブメント（Movement）を探るワークショップでは、自分の身体がどう動きたいかを感じ、それについて考え、自らの持つ身体的・社会的制約を緩和させることを目的としている（Part 2 第 10 章及び Column 8 参照）。

　このようなワークショップの介入は参加者を鑑賞のデフォルト・モードから開放し、視点や観点を広げることを助ける。視点や観点が固定された鑑賞では、どれだけ参加者が独自の経験や知識を用いて自己表現しても、その解釈の幅は限定されてしまう（図 2-1B：集団レベルのデフォルト・モード）。しかし、デフォルト・モードから開放され、モノの見方が広がった状態では、何をどう解釈するかは参加者の自由である。そうした状態でデュアル・フォーカスが生まれれば、参加者自身が表現するときにも、広い視点から参加者それぞれの個性が際立つ表現が可能になる。その結果、参加者集団でより幅広い方向へ多様性が広がっていくことが期待できる（図 2-1D：集団レベ

ルのずらし）。こうした自己表現と多様性の受容が幅広い枠組みで実現すると、ワークショップにおける触発するアート・コミュニケーションがより活性化する。そこで受けた触発がワークショップに参加した人のそれぞれの生活の中で活かされ、豊かな表現にあふれる社会になる。このことこそが、私たちの究極の目標でもある（Knutson, Okada, & Crowley, 2020; Okada, Agata, Ishiguro, & Nakano, 2020 も参照）。

　本書で試みた多様で豊かな表現を支援するワークショップのデザイン指針には、多くのアーティストや創作経験のある専門家が様々な形で関わり、彼ら彼女らの知識や経験が大いに活かされた。例えば、ワークショップで鑑賞する作品を制作したアーティストや、シンガーソングライター自身がワークショップのファシリテーターとなり、自らがいつも行っている制作のエッセンスを、参加者の誰もが簡単に利用できる方法に置換えたり、制作に入る前に周囲の音や自分の気持ちに意識を集中させその感覚のまま表現できるよう促したりするなど、様々な工夫が凝らされている（Column 4 〜 6、8、9 参照）。音楽家やダンサーによるワークショップでは、アート作品の鑑賞を通じて得た触発を音楽で表現したり（Part 2 第 12、13 章参照）、ダンスで表現したり（Part 2 第 9 章及び Column 7 参照）、あるいは聴覚や視覚、運動感覚といった諸感覚を横断したり（Part 2 第 8 章参照）と、表現方法を横断させる鑑賞のずらしを用いたデザインが行われた。このように、アーティストなどの専門家のワークショップではどのように「ずらし」を引き起こすか、そして、なぜ彼ら彼女らが「ずらし」を行うかについても、芸術家の実際の創作過程に伴う様々な事柄を体験しながら理解できるように設計されていた。こうした体験はアーティストの考え方や制作の仕方、あるいはアートの営みに対する姿勢などを知る格好の機会でもある。

　それぞれのワークショップは、鑑賞する対象も、表現形式（文章、音楽、美術、ダンスなど）も、参加形態（現場対面と遠隔オンライン）も異なっているが、共通する主要な目的は、「触発によるデュアル・フォーカスを通じて、自己を振り返り、他者を受容する中で、新しい自己を発見すること」と言えるだろう。そこで発見した新しい自己は、参加者の日常生活に新たな彩りをもたらす。もちろん、一度かぎりのワークショップで経験したことを日常の中に取り入れていくことは容易ではないが、それが可能になるような工夫を凝らしながらワークショップがデザインされている。Part 2 で紹介する各ワークショップでは様々なデザイン指針が考案されており、具体的な方法や工夫については該当する章で詳しく述べられているので、ぜひ自分もそのワークショップに参加しているような気持ちで読んでみて欲しい。「触発するアート・コミュニケーション」に基づくワークショップは、本書で紹介するものが完成版ではない。ワークショップが一人ひとりの日常生活を豊かにし、その人たちが暮らす社会の場でも自己と他者の「表現」を尊重するきっかけになることを目指して、今後もデザインの可能性を探索していかなければならない。そのためにも、次章で述べる効果測定とその評価を、ワークショップの改善に繋げることが大切になってくる。

（石黒千晶・横地早和子・岡田猛）

【引用文献】

縣 拓充・岡田 猛（2010）.「創作の過程や方法を知る」美術展示及びワークショップの効果　美術教育学, **31**, 13-27.

Adobe（2017）. 教室でのZ世代：未来をつくる　http://www.adobeeducate.com/genz/creating-the-future-JAPAN（最終閲覧日2023年1月20日）

ベネッセコーポレーション（2012）.「図工」「美術」が苦手な理由は「上手に絵が描けない」「手先が不器用」　ベネッセ教育情報サイト　https://benesse.jp/kyouiku/201202/20120209-1.html（最終閲覧日2023年1月20日）

降簱 孝（2016）. 図画工作・美術への［苦手意識］の実態と解消のための要素　美術教育学研究, **48**(1), 369-376.

石黒千晶・清水大地・清河幸子（2022）. 誌上討論「『創造的自己』をめぐって」編集にあたって　認知科学, **29**(2), 266-269.

Ishiguro, C., Matsumoto, K., Agata, T., & Okada, T.（2022）. Development of the Japanese version of the short scale of creative self. *Japanese Psychological Research.*（Early View）

Karwowski, M., & Kaufman, J. C.(Eds.).（2017）. *The creative self: Effect of beliefs, self-efficacy, mindset, and identity.* Academic Press.

Karwowski, M., Lebuda, I., & Beghetto, R. A.（2019）. The creative self-beliefs. In J. C. Kaufman & R. J. Sternberg(Eds.), *The Cambridge handbook of creativity*（2nd ed.）(pp.396-418). Cambridge University Press.

Knutson, K., Okada, T., & Crowley, K.（2020）. *Multidisciplinary approaches to art learning and creativity.* Routledge.

Matsumoto, K., & Okada, T.（2019）. Viewers recognize the process of creating artworks with admiration: Evidence from experimental manipulation of prior experience. Psychology of Aesthetics, Creativity, and the Arts. Advance online publication.　http://dx.doi.org/10.1037/aca0000285

Matsumoto, K., & Okada, T.（2021）. Imagining how lines were drawn: The appreciation of calligraphy and the facilitative factor based on the viewer's rating and heart rate. *Frontiers in Human Neuroscience.* **15**, 654610.　http://dx.doi: 10.3389/fnhum.2021.654610

中小路久美代・新藤浩伸・山本恭裕・岡田 猛（編）（2016）. 触発するミュージアム：文化的公共空間の新たな可能性を求めて　あいり出版

Okada, T., Agata, T., Ishiguro, C., & Nakano, Y.（2020）. Art appreciation for inspiration and creation. In Knutson, T. Okada, & K. Crowley(Eds.) *Multidisciplinary approaches to art learning and creativity: Fostering artistic exploration in formal and informal settings*（pp.3-21）. Routledge.

岡田 猛・横地早和子・難波久美子・石橋健太郎・植田一博（2007）. 現代美術の創作における「ずらし」のプロセスと創作ビジョン　認知科学, **14**(3), 303-321.

Pihko, E., Virtanen, A., Saarinen, V. M., Pannasch, S., Hirvenkari, L., Tossavainen, T., Haapala, A. & Hari, R..（2011）. Experiencing art: the influence of expertise and painting abstraction level. *Frontiers in Human Neuroscience*, **5**, 94.

Vogt, S., & Magnussen, S.（2005）. Hemispheric specialization and recognition memory for abstract and realistic pictures: A comparison of painters and laymen. *Brain and Cognition*, **58**(3), 324-333.

Vogt, S., & Magnussen, S.（2007）. Expertise in pictorial perception: Eye-movement patterns and visual memory in artists and laymen. *Perception*, **36**(1), 91-100.

山内祐平・森 玲奈・安斎勇樹（2021）. ワークショップデザイン論：創ることで学ぶ（第2版）　慶應義塾大学出版会

Yokochi, S., & Okada, T.（2021）. The process of art-making and creative expertise: An analysis of artists' process modification. *The Journal of Creative Behavior*, **55**(2), 532-545.

Zangemeister, W. H., Sherman, K., & Stark, L.（1995）. Evidence for a global scanpath strategy in viewing abstract compared with realistic images. *Neuropsychologia*, **33**(8), 1009-1025.

Zielinska, A., Lebuda, I., & Karwowski, M. (in press). *Simple yet wise? Students' creative engagement benefits from a daily intervention.* Translational Issues in Psychological Science.

第**3**章

アート・ワークショップを評価する視座

　教育・学習場面では、その学びの目的や目標に従って教育・学習方法がデザインされ、実践後に目標が達成されたかが検討される。例えば、日本の学校教育では各教科についてどんな知識や技能を習得するべきかが決められている。教師はそれに応じて個々の授業を計画して、生徒学生の授業中の振舞やテストや課題の結果を見て教育目標が達成されたかどうかを評価する。こうした手続きは、教育・学習に関わるベーシックな評価と言える。

　一方、アートを含むワークショップ（以下、WS）については、こうした評価をそのまま当てはめるのは難しい。山内・森・安斎（2021）や文化庁×九州大学共同研究チーム（2021）は、アートなどのWSを評価するときには、目的に応じた評価をするだけではなく、現場で起きた予期せぬ出来事も含めて、そのWS全体の価値を理解する姿勢を重視している。つまり、WSの評価は、特定の観点から成功・不成功を決めるというよりも、WSの場で生まれた価値を認めていく過程と言える。触発するアート・コミュニケーションのWSに特徴的なのは、人によってWSに関わる目的が様々であることである。多層的に目的が重なる場で、一元的評価をしてしまうとそこで生まれる価値を狭めてしまうおそれがある。そのため、触発するアート・コミュニケーションの場の特徴を理解した上で、WSに関わる人それぞれの観点から「何が価値になりうるか」を考える必要がある。本章ではアートWSに関わる様々なステークホルダーの視点から、評価の視座を整理した。これらを踏まえて、個々のWSだけでなく複数の実践を俯瞰的に振り返ってみてほしい。そうすることで、実践者として、あるいはWS事業を運営する団体・機関として、自分たちがどのような価値を生み出しているかの理解が深まることを願う。

1 フォーマルなアート学習の場とその評価

　評価の具体的な話に入る前に、まず一般的に「評価」がどのような考え方に基づいて行われているのかを、学習とその評価を例に紹介する。アートは様々な場で学ぶことができる。アートを学ぶ場は、「フォーマル学習の場」と「インフォーマル学習の場」

図3-1　アートを学ぶフォーマル学習の場とインフォーマル学習の場

に大きく分けることができる（図3-1）。フォーマル学習の場は学校教育の図画工作や美術、音楽などの教科学習、あるいは専門学校や芸術大学などで行われる芸術の専門教育が挙げられる。フォーマル学習の教育目的や教育目標の大枠は文部科学省の指針に依るところが大きい。初等中等教育は教育指導要領に従って授業を実践し、高等教育でも文部科学省の定める目的・目標を参照しながら、各学校が具体的なカリキュラムを策定する。一方、インフォーマル学習の場は、美術館や市民教室などの場で生涯教育として行われるワークショップなどが挙げられる。インフォーマル学習の場では各機関・団体やワークショップの企画者が独自のビジョンに従って学習の方向性を検討する。

　アートに関わる学びの実践と評価もそれぞれの場によって異なる。フォーマル学習の実践は学習指導要領を基に策定されたカリキュラムに基づいて授業目的と計画が設計、実践される。学習評価も文部科学省の教育目的を参照しながらシステマチックに行われる（図3-2）。評価の観点も学習指導要領に基づいて行われる。例えば、学習者が教育目標に達したかという観点では、教師がカリキュラムに基づいて決定した単元目標に基づいて課題や活動を設定し、その成果を採点する。美術や音楽の評価は客観的な採点が難しそうだと思われがちだが、近年は課題や活動ごとに学習者の思考や活動の評価基準を定めたルーブリックを使って最大限客観的な採点が試みられている

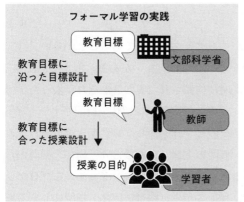
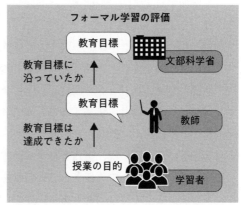

図3-2　フォーマル学習の場での実践とその評価

（国立教育政策研究所、2019）。学習者の評価だけではなく、教育者の実践も評価の対象になる。教師は定期的に授業研究を通じて、互いに教育実践を評価する。そうした活動を通じて、学びの実践が国や自治体の定めた教育目的に沿って、効果的に行われているかを多面的に確認している。

　ただし、こうしたシステマチックなフォーマル学習の実践と評価は、アートに関わる教科には必ずしもそぐわない部分もある。藤原（2019）は学習指導要領の図画工作と美術の記述を分析し、教育方法を細目化しすぎていること、授業時間削減の中で多様なアートやデザインに関わる機会が十分に確保できていないことなどを指摘している。実際、先進国の中ではアートも含む全教科を学習指導要領のもとで教科書検定をして、全国同一基準で教育を行っているのは日本以外には中国のみであり、多くの国は自治体や市民参加でカリキュラム策定を行う（藤原、2019）。こうした日本のアートに関わるフォーマル学習はデメリットもあるが、アートに関わる一定のクオリティの学びを多くの学習者に提供することを可能にしているという点では、それなりの意義があるとも言える。

❷　インフォーマルなアート学習の実践とその評価

　フォーマル学習と異なり、インフォーマル学習には統一的な実践目標や内容、および評価の基準は存在しない。そのため、インフォーマル学習の場を提供する団体・機関・実践者が持つ学びに関する思想や理念をもとに、実践・評価を行うことになる。ワークショップなどのインフォーマル学習のデザインについては山内・森・安斎（2021）が詳しいが、ここでは筆者らの経験をベースに、アートに関わるインフォーマル学習の実践と評価について述べる。

　ここではアートに関わるインフォーマル学習（以降アート WS とする）の場のステークホルダーを（1）参加者、（2）実践者、（3）団体・機関（図3-3）に大きく分ける。参加者はアートに関して何らかの学習目標を持ち、それを追求するためにアート WS に参加する。実践者や団体・機関は学びのビジョンをもとにして、個々の学習プログラムを企画・実践する。アート WS のようなインフォーマル学習は、フォーマル学習よりもステークホルダー同士の関係性がインタラクティブであることが多い。特に、団体・機関と実践者の関係性にはいくつかのバリエーションがある。例えば、団体・機関が学びのビジョンを設定し、団体・機関に依頼された実践者がそれに沿った学習プログラムを設計・実施することもある。しかし、実際には団体・機関がアート WS などの専門家（実践者）と議論しながら学びのビジョンからプログラム設計を行うことも多い。あるいは、実践者自身が団体・機関の主催者であったり、団体・機関からプログラムを完全に委任されていたりする場合には、実践者がビジョンからプログラムの設計を全て行う場合もある。さらに、参加者から実践者・団体・機関に与える影響も考えられる。例えば、参加者がアート WS の中で様々な反応を見せるとき、そ

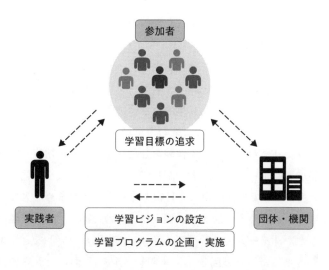

図3-3　アートに関わるインフォーマル学習のステークホルダー

の反応によって実践者や団体・機関は実践中に少しずつ活動内容を調整することがある。また、アートWSが継続して実施される場合は、参加者の反応に応じて後続のWSは少しずつ改善される。こうしたステークホルダー間の関係性は学びのビジョンや学習プログラムを柔軟に設計することを可能にし、多様で個性的なプログラムを作る上で役立つ。

　一方で、こうしたアートWSの質を保証するシステムは明確に確立されておらず（森、2015）、実際に評価を行っているかどうかも個々の団体や機関によって異なる。ただし、フォーマル学習と大きく異なるのは、学びのビジョンとそれに基づいた学習プログラム設計やその評価はステークホルダー間でインタラクティブに行われ、その中で各プログラムの価値が見出されていく点である。

③　触発するアート・コミュニケーションを目的としたアート・ワークショップの評価

　では、どのようにアートWSを評価すればいいだろうか。アートWSには、学習指導要領にあたるものは存在しないため、評価の観点や方法はそれぞれのアートWSの目的によって異なる。例えば、美術館で展示作品に関する美術史や時代背景を知るためのWSを企画したとする。この場合、アートWSの目的は美術史に関わる知識を獲得して鑑賞を豊かにすることであるため、WSではその知識を獲得したか、また、その知識を展覧会での作品鑑賞に活かせたかを評価することになる。こうしたアートWSは知識獲得や知識を他の場面に応用できるかといった学習に焦点を当てている。しかし、インフォーマルなアートWSは必ずしも知識獲得などの学習を目的とする

わけではなく、合意形成や癒しなど様々な目的のもとで実施される。

　本書が提案する触発するアート・コミュニケーションのWSにおいても、その目的に応じた評価の視座が存在する。触発を促すワークショップにおいては、ステークホルダーの目的は触発するアート・コミュニケーションを体験したい、提供したいという点では合致しているとしても、具体的な目標は各ステークホルダーによって異なる可能性があり、それによって評価も変わる。例えば、多くの参加者はWSの場から何か刺激を受けたり、わくわくする体験をしたりすることを期待しているかもしれない。また、参加者によっては実践者と話してみたいと思う人や、他の参加者と一緒に活動することや、WSでの活動から非日常を味わうことを求める人など、具体的な目標はそれぞれ異なるだろう（図3-4a：個人レベルの目標）。また、「触発し合うチームを作りたい」とか「チームでコンペティションに出場したい」など、集団としての目標がある場合もあるだろう（図3-4a：集団レベルの目標）。これらの目標達成がで

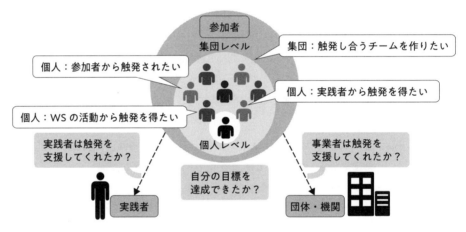

図3-4a　参加者による触発するアート・コミュニケーションWSの評価

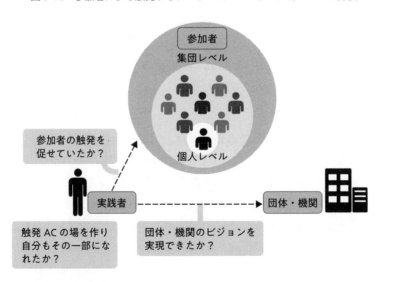

図3-4b　実践者による触発するアート・コミュニケーションWSの評価

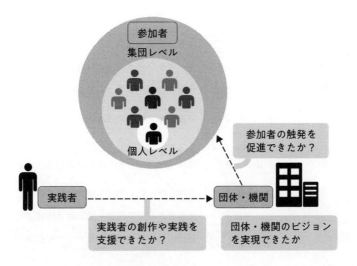

図3-4 c　団体・機関による触発するアート・コミュニケーション WS の評価

きたかどうかを評価することで、実践者や団体・機関がそうした目標達成を支援できていたかどうかを評価することになる。

　実践者も、参加者が何かに刺激を受けて触発されるようなアート・コミュニケーションの場を作ることを目指す。そして、実践者自身も WS の場から触発を得ることを期待している場合がある。アート WS の実践者は教育者として実践する人もいれば、その人自身が何らかの芸術領域の表現・創作者として実践する人もいる。実践者は触発の場を作るという支援者の役割を果たしながらも、実践者としても創作者としても触発を得るのである（図3-4b）（中野、2018; Nakano & Okada, 2022）。そのため、実践者としては参加者の触発を促せていたか、団体・機関のビジョンを実現できたかを確認することで、実践者としての役割が果たせたかどうかを評価することができる。

　団体・機関は、参加者や実践者それぞれの目的を支援する必要がある。実際、美術館などの社会教育施設の WS、あるいは、企業や NPO 団体などが提供する WS では芸術家を実践者として招くことがある。その背景には優れた芸術家に学びの場を作ってほしいという意図もあるが、WS の場を作る経験を通じて芸術家自身の表現や創作を発展させることを期待している場合もある。また、参加者にもアートを通して他者とつながりを作ったり、表現することを通じたウェルビーイング（well-being）を追求したり、芸術文化に親しみながらその刺激を様々な方向性に活かしたりするなど、様々な目的でアート WS の場を提供する（図3-4c）。団体・機関は、参加者の触発を促進できたか、実践者の創作や実践の支援ができたかを確認することで、団体・機関自身のビジョン実現についても確認することができる。

3-1　自己評価と他者評価

　では、触発するアート・コミュニケーションは誰がどのように評価すればいいのだろうか。まず、各ステークホルダーが目的を果たせたかを検討する上では、各々がアー

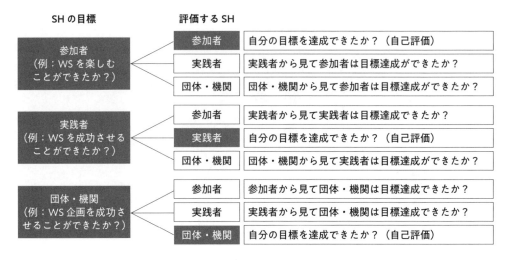

図 3-5　ステークホルダー（SH）同士の評価

ト WS に対する目的を果たせたかを自己評価することが第一歩となる（図 3-5）。例えば、参加者、実践者、団体・機関がそれぞれアート WS を通じて自分の目的を達成できたかを自己評価する。自己評価は主観的ではあるものの、実践者や団体・機関は毎回の WS についての自己評価を記録しておくことで、各実践のアーカイブを構築することができ、将来の実践改善の道標にすることができる。参加者にとっても自分の目的に従って各 WS での自己評価を記録することは意味があるだろう。例えば、学業や仕事などのヒントにしたくて WS に参加した場合には、そこでの体験が今後の学業や仕事に活かせるかどうかを考える機会になる。そうした自己評価は、WS で得た触発を学業や仕事の場で展開するための省察の機会になるだろう。一方で、参加者の中には友人に誘われて参加したなど、WS 参加に明確な目的がない場合もある。そうした場合にも、WS に参加して楽しかったか、満足したかを振り返れば、WS での体験が自分にとってどのような意味を持つかを考えることになる。こうした意味づけ（meaning-making）は、学業や仕事に必ずしも関わらないかもしれないが、それ以外の場だからこそ出せる自分の個性を発見したり、育てたりする機会になるかもしれない。表現や創造の場で自分の個性を発見する中で、創造性や創造活動に興味を持つことは、自分の創造的教養（縣・岡田、2013）や創造的自己を養うことにもつながる。

　第二に、自己評価だけでなく WS に関わった他のステークホルダーから他者評価を求めることも大切である。例えば、実践者は「WS を成功させることができたか」という目標達成の可否を参加者や団体・機関の視点から評価してもらうことができる。参加者は実践者が自分や他の参加者、参加者集団の目標達成を支援していたかを評価できる。また、団体・機関も実践者が自分たちのビジョンをもとにした WS を実現してくれたかを評価することができる。また、団体・機関も「WS 企画を成功させることができたか」を参加者や実践者の視点からの評価で確かめることができる。なお、参加者の目標達成を実践者や団体・機関の視点から評価する場合にも、他者評価が可

能になる。長年 WS の企画・実施経験がある実践者や団体・機関は参加者の表情や活動の様子を見るだけである程度、参加者の内面を推し量ることができると考えられる。しかし、実践者や団体・機関は参加者のために WS を企画・実施しているため、評価にバイアスがかかるおそれもある。そのため、参加者の目標達成の評価は実践者や団体・機関など単一の視点に偏らないことが重要である。いずれのステークホルダーの目標達成を評価する場合にも、複数のステークホルダーの視点を持つべきだろう。

　参加者の目的が実践者や団体・機関の目的から大きく外れていると、予想していた反応が返ってこないこともあるので注意してほしい。例えば、参加者はアート WS と聞いて高度な知識や技能を学べると思ったのに、WS でそうしたワークやレクチャーをしない場合にはお互いがっかりしてしまう。こうした事態を避けるためにも、団体・機関と実践家が想定外の事態にも対応できるように、事前にプランを十分に練っておくこと、また、参加者の募集において WS の目的や活動の内容を適切に伝えミスマッチを防ぐ配慮をすることが必要である。WS には様々な背景を持つ参加者が集まるため、参加者の中には極めてネガティブな反応をする人もいる。そうした場合には、それぞれの参加者の背景や目的を踏まえて、なぜそうした反応が生まれたのかを冷静に判断する必要がある。

3-2　外部評価

　触発するアート・コミュニケーションの場を作ることができたかという評価は事業自体の発展にも関わるため、団体・機関が主体的に取り組むことが理想的である。しかし、アート WS から生まれる人々の心理・行動、集団としての変化は非常に複雑で、複数の目標達成について複数視点で評価する必要があるため、実践者や団体・機関が独力で厳密な評価設計を一から十まで行うのは現実的には難しい場合もある。そうした状況から、団体・機関の評価に外部の専門家や専門機関の手を借りることも考えられる。第5章ではアート事業の評価事例として社会的インパクト評価、ピアレビューに加えて、心理学や医学の専門家が関わった事例が紹介されている。本書では触発という心理的な体験を捉えるために心理学の専門家が関わったが、様々な専門家に外部評価を求めることは実践や事業の価値を多面的に理解し、評価に客観性を持たせるという意味で有益である。ただし、外部の専門家に評価を全て任せるのではなく、実践者や団体・機関がその評価設計に主体的に関わることが大切である（文化庁×九州大学研究チーム、2021 参照）。評価の専門家は WS 中の参加者の心理・行動変化を測定する方法をデザインすることに長けているが、アート WS で参加者がどのような体験をするのかを最もよく理解しているのは団体・機関や実践者であろう。外部評価を求めるときには、そうした団体・機関や実践者と評価の専門家とが連携をしながら、アート WS の意義をより深く理解するための評価を設計することが望まれる。

　外部評価に関わる専門家や専門機関は、個々のアート WS の意義を多面的に捉えることはもちろんのこと、個々の実践を超えて触発するアート・コミュニケーションの場そのものが持つ効果をメタ的に分析して社会に発信することも望まれる。次章で紹介する評価の指標を利用して、多数の WS の効果をまとめていくことで、触発す

るアート・コミュニケーションの場が社会にとって確かに意味があることを示すことも可能になるだろう。

3-3　団体・機関にとっての評価の意義

　アートWSなどのインフォーマル学習の場を提供する団体・機関は、行政や自治体、資金提供者にそのWSの意義について説明責任を持つ（第5章、および、文化庁×九州大学研究チーム、2021参照）。WS参加者である市民のニーズを満たすことができたか、実践者の触発の場を作る支援ができたかなど、団体・機関の事業目的が達成できたかを示す必要がある。その際には、上述したような評価を行うことで、各実践が経験則や思い付きのみで行われてはいないことを他者に説明することができる。医療や教育など人に対して何らかの目的をもって支援する場では、個々の活動の効果を実証的な根拠をもとに示す「根拠に基づく医療・教育（evidence-based medicine / education; 岩崎、2017）」が重視されている。アートWSも同様の仕組みを取り入れてWSが目的を果たしていることを対外的に説明する必要がある。それは単なる資金提供者・機関への説明責任だけでなく、WS実践を改善・発展させることにもつながる。

　対外的な説明やWSの改善以外にも、アートWSを行う団体・機関自体のビジョンを発展させるという観点も重要である。上述したように今後、アートWSに関わる団体・機関は自らのWSの効果を自己評価や他者評価、外部の専門家からの外部評価をもとにして示していく必要がある。もちろん、日々の事業運営の中でこうした評価を十全に行うのは現実的には厳しいが、可能な範囲で自らのWS評価を積み重ねていくことは、個々のアートWSの改善だけではなく、WS事業そのものの強みを発見する機会にもなる。重要なのは、そうした改善と発展を積み重ねる中で団体・機関自体が自分たちのビジョンや理論を生み出すことであるだろう。

4　触発するアート・コミュニケーションを評価する視座

　団体・機関が触発するアート・コミュニケーションのWSを他者視点から評価する際、参加者と実践者の視点からの評価が考えられる。つまり、参加者が触発するアート・コミュニケーションを経験できたか、実践者が触発するアート・コミュニケーションの場を成立させられたかが重要になる。これらの観点を詳しく説明するため、ここでは参加者が学習者としてWSの中で何らかの知識やスキルを獲得するという「知識獲得の側面での変化」と、参加者が表現者としてWSの中で触発するアート・コミュニケーションを体験するという「触発の側面での変化」を挙げて、両者を比較する。

4-1　参加者は触発するアート・コミュニケーションを経験できたか？
■参加者の変化のフレームワーク：アートWSは多様な目的を持ち、参加者は知識獲得

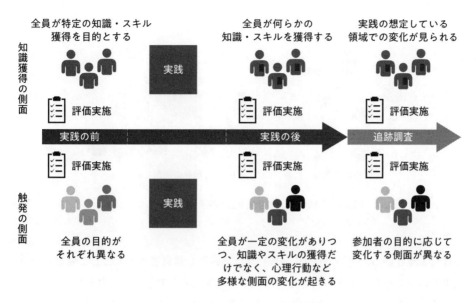

図 3-6　WS 参加者の変化の仕方の違い

だけでなく触発を経験することがある。アート WS の目的の一つに参加者が何等か
の知識を獲得することが見込まれるとき、参加者が実践前後である程度同じ知識・ス
キルを獲得するという変化が期待できる。つまり、全員が類似した変化を体験する。
一方、触発を目的とするアート WS では、参加者は友達作りや、レクリエーション、
教養など様々な目的で WS に参加する（図 3-6）。そのため、WS 前後の変化の仕方
も特徴的である。触発という側面から見たとき、WS 前から参加者それぞれが異なる
参加目的を持っている。そして、WS の中で様々な刺激を受けながら各自の目的は別々
の、時には全く新しいものに変化することが想定される。その結果、WS 後には参加
者の違いがさらに際立つ可能性があるが、各人がその変化を個性や多様性の現れとし
て肯定的に受容できることが期待される。そして、WS を離れて日常生活に戻ったあ
とも、それぞれの目的に応じて仕事や趣味など様々な場面で変化を経験すると考えら
れる。こうした変化は実践者や団体・機関が想像していなかった形で現れることも珍
しくないが、各々の自己表現が発展した結果として奨励すべきだろう。参加者の変化
を評価する具体的な手続きは次章で紹介する。

4-2　実践者は触発するアート・コミュニケーションを成立できたか？

■実践者の変化のフレームワーク：実践者の立ち位置も知識獲得の側面で見た場合と触
発の側面で見たときとでは異なる。知識獲得の側面では参加者と実践者が共通する学
びの目標を持ち、実践者は学習者がそこへ到達することを促す。一方で、触発の側面
では参加者の目的は必ずしも共通しておらず、その場から何を得て帰るかは様々で
ある。実践者はそうした個性あふれる参加者を一つの方向性に向けて制御することは
せず、触発するアート・コミュニケーションに参加できるように支援する（図 3-7）。

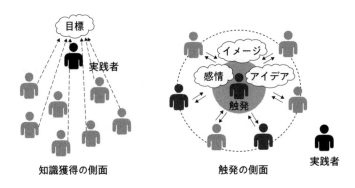

図 3-7　実践者や団体機関を含む変化のフレームワーク

鑑賞や表現といったアート活動においては、実践者も鑑賞者の一人として発言したり、表現者の一人として活動の例を見せたりして、参加者と対等にやりとりする。実践者自身の鑑賞を踏まえての感想や表現が参加者を触発することがあるのはもちろんのこと、実践者自身も参加者の発言や表現に触発されることがある（中野、2018; Nakano & Okada, 2022）。実践者自身が触発される場合には、WS 実践・開発者としての活動への触発と、実践者自身の表現活動への触発（特に実践者が表現・創作を行っている場合）とが考えられる。前者の場合には、WS で起きた出来事をもとにして新たに支援の方法を考え付いたり、あるいは、WS の最中に参加者の発言や行動から WS のデザインを大幅に変更したりする。一方、実践者自身の表現活動への触発は WS の場だけでなく、その実践者が表現者として関わる領域でのアート・コミュニケーションに発展する可能性も考えられる。

　こうした実践者の変化は本人が日記やポートフォリオのような形でナラティブとして記録することが中心になるだろう。実践者が特定の団体に所属している場合は、その団体のメンバーが実践者にインタビューを行うことも考えられる。こうした記録を重ねることで、実践者は WS 開発者としての成長を省察することができ（森、2015）、同時に表現者としての成長を振り返ることができる。実践者・表現者両方としての熟達を進めるためにも、このような実践と省察を重ねることが望まれる。

4-3　団体・機関は触発するアート・コミュニケーションの場を作ることができたか？

■団体・機関の変化のフレームワーク：団体・機関は、触発の側面から WS を評価するとき、WS を通じて自分たちがどのような触発するアート・コミュニケーションを生み出すことができたかを議論する必要がある。先述した参加者と実践者の変化を調べて、それらを俯瞰的な視点からとらえた時に、触発するアート・コミュニケーションが生みだされていたか、その WS がどのような価値を持っていたかを判断するのである。ただし、団体・機関には、実践者が所属していたり、実践者自身が団体・機関を運営していたりする場合もあれば、外部の実践者に単発的・定期的に実践を依頼

する場合もある。前者の場合には、WSごとに実践者にインタビューしたり、一緒に
WSの評価をまとめて振り返ったりすることで、団体・機関のビジョンが実現できて
いるかを検討する必要がある。一方、後者の場合には、実践者の過去の実践と比較
することはできないかもしれない。しかし、各WSについて評価をまとめて、団体・
機関のビジョンとの整合性を検討することができるだろう。団体・機関がWSにつ
いて議論することで、その団体・機関のWSの特徴が見えてくることもある。自分
たちが目指す触発するアート・コミュニケーションは何なのか。次に目指すべき指針
は何か。そのビジョンを更新していく作業こそが団体・機関がWS実践を重ねる中
で得る成長と言えるだろう。

　本章では、触発するアート・コミュニケーションのWSを評価する視座を、各ステー
クホルダーの視点からまとめてきた。こうした評価はWSの成果をわかりやすく他
者に伝えたり、WSの価値を判断したり、事業のビジョンをアップデートしたりする
上で有益である。次章では、こうした評価の具体的な手続きを詳しく紹介する。特に
実践者や団体・機関には自分たちの実践や事業を実際に評価するとしたらどうするか
という観点から読み進めてほしい。

　なお、本章ではステークホルダーごとの視点から実践を評価する必要性を述べてき
たが、これは評価を絶対視するものでも、強要するものではない。WSに秘められた
可能性や新たな展開の方向性、価値といったものを見つけ出すために評価を役立てて
ほしい。

（石黒千晶・横地早和子・岡田猛）

【引用文献】

縣 拓充・岡田 猛 (2013). 創造の主体者としての市民を育む：「創造的教養」を育成する意義とその
　　方法　認知科学, **20**(1), 27-45.
国立教育政策研究所 (2019). 学習評価の在り方ハンドブック　国立教育政策研究所　https://www.
　　nier.go.jp/kaihatsu/pdf/gakushuhyouka_R010613-01.pdf（最終閲覧日 2023 年 1 月 20 日）
岩崎久美子 (2017). エビデンスに基づく教育：研究の政策活用を考える　情報管理, **60**(1), 20-27.
中野優子 (2018). 創作に着目したコンテンポラリーダンス教育プログラムのデザイン指針の構築：ダ
　　ンスを専門としない大学生を対象として　東京大学大学院学際情報学府博士学位論文（未公刊）
Nakano, Y., & Okada, T. (2022). Constructing design guidelines for creation-focused contemporary
　　dance educational program for non-dance majors. In K. Komatsu, K. Takagi, H. Ishiguro & T.
　　Okada (Eds.), *Arts-based method in education research in Japan* (pp. 137-163). Brill
藤原智也 (2019). 学習指導要領と美術科教育の政治社会学的検討 憲法上の要請と補完性の原理　美
　　術教育学：美術科教育学会誌, **40**, 339-349.
文化庁×九州大学共同研究チーム (2021). 文化事業の評価ハンドブック：新たな価値を社会にひらく
　　水曜社
森 玲奈 (2015). ワークショップデザインにおける熟達と実践者の育成　ひつじ書房
山内祐平・森 玲奈・安斎勇樹 (2021). ワークショップデザイン論：創ることで学ぶ（第 2 版）　慶應
　　義塾大学出版会

第4章

触発するアート・ワークショップの効果測定の方法
具体的な効果測定の設計から調査実施後の考察まで

　本章では、触発するアート・コミュニケーションを生み出す WS の具体的な評価の手続きを説明する。学習論の考え方をもとにした WS の企画から評価の手続き（山内・森・安斎、2021）や文化事業の評価の具体的な手続き（文化庁×九州大学共同研究チーム、2021）など、インフォーマルな場面での WS の評価手続きはすでに提案されている。そのため、本章では前章で述べた触発するアート・コミュニケーション WS に焦点をあて、前章の評価視座をベースにアート WS の効果測定で留意すべきことを述べる。

　前章に述べた通り、触発するアート WS には様々なステークホルダーが関わるため、各ステークホルダーが自己評価・他者評価をもとに自分達の目標が達成されたかを評価することができる。特に、実践者や団体・機関は触発するアート WS の成果を対外的に説明したり、今後 WS を改善したりする上で、他のステークホルダーからの評価が重要である。このように多様なステークホルダーの視点を評価に取り入れることで、アート WS の価値をインタラクティブに構築することができるのである。そのため、本章では実践者や団体・機関が他のステークホルダーの視点を含めてアート WS を評価する方法を述べる。以降では、大きく、(1) 評価目的の設定、(2) WS の「ねらい」の設定、(3) 評価設計、(4) データ収集、(5) 評価目的に応じた議論、という流れで評価を行う手続きについて説明する（図 4-1）。

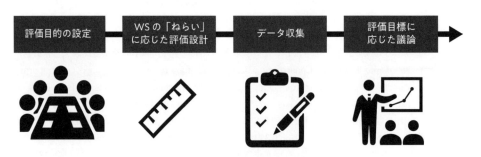

図 4-1　アート WS の効果測定の手続き

1　評価目的の設定

WSを評価する目的は（a）WSの目的が達成されたかを対外的に説明する説明責任としての評価と、（b）WSの価値を判断し、将来に向けて改善し発展させることの2つに大きく分かれる（山内・森・安斎、2021）。私たちはさらに（c）複数のWSを俯瞰的に評価し、事業そのもののビジョンを発展させることを付け加える。こうした評価目的によって評価手続きも変わる。（a）説明責任を果たすためには、WSの目的やねらいからある程度予想できる効果を確認する評価手続きが必要になる。例えば、触発するアート・コミュニケーションでは、参加者がWSの中で何らかの触発体験を経験することは予想できるため、触発体験は目的達成を確認するための一つの指標になる。一方、（b）価値判断や将来への改善・発展のためには、予想できない効果も含めて評価手続きのバリエーションを広げる必要がある。例えば、アートWSでは初対面の参加者たちがWSを通して仲良くなり、WS後にコミュニティを作ることも珍しくない。こうしたコミュニティ形成はWSの目的やねらいにはなかったかもしれないが、「社会的つながりの形成」というWSの価値に気づく機会になる。最後に、（c）団体・機関のビジョン発展のためには、複数のWSの実践と評価を積み重ねる必要がある。複数の実践の価値を議論する中で、実践者や団体・機関が目指すビジョンを見つめ直す機会にもなる。複数の実践を続けている場合は、こうした俯瞰的な評価も試みてほしい。

2　ワークショップの「ねらい」の設定

評価目的が明確になったら、「WSを通じてステークホルダーにどのような変化が生まれるか」という「ねらい」を設定する。ねらいの設定は学習目標に類似する概念ではあるが、教育・学習目標というほど厳密な基準や数値的目標は持たない。触発するアート・コミュニケーションWSでは参加者や実践者の「表現の提案と触発」のコミュニケーションが生まれ、多様で豊かな表現が生まれることを重視する。そのため、参加者が全員同じ知識や技能を高めるのではなく、触発し合って実践者すらも予期しない多様なイマジネーションやアイデアを表現することが期待される。ただし、実践者は参加者にWSを通して触発の強度や頻度が高まったり、表現への苦手意識から開放されてほしいといった「ねらい」を持った上で、WS中の個々の支援内容をデザインする。効果測定ではそうした心的変化がWSのどの時点で生まれるか、あるいはWS終了後にいつどのような変化が起きるのかについて予想を立てることが望ましい。そして、その変化を示すデータを測定・分析し、その変化のメカニズムを理解することを目指す。

　なお、前章で述べたように、WS開発者・創作者としての実践者の成長支援も重要なWS目的になる。しかし、実践者の成長はWS参加者の反応に応じて起きるものと考えられるため、以降の評価設計は「参加者がWSを通じてどのように変化したか」に焦点を当てる。

③　評価設計

　(1) 評価の目的や (2) WSのねらいに応じて、具体的な評価設計も異なる（図4-2)。まず、評価において予想できる範囲の効果のみを測定するか、予想できない範囲の効果も射程に入れるかを検討する。過去の実践経験やWSのねらいを踏まえて具体的な効果が予想できる場合（図4-2のAとB）はその予想に対応する指標を選ぶ（具体的な指標は後述）。予想できない効果も射程に入れる場合には（図4-2のCやD）、アンケートの自由記述や感想、参加者の言動を観察・評価するなど参加者の自由な反応を伺える方法を選ぶ。

　次に、それぞれの効果がWS中に表れるものか、WS後に時間をかけて醸成されるものかを検討する。WSの後に数分振り返りをしたり、数週間ほど時間をかけて意味付けすることで具体的な効果が生まれることが予想されるのであれば（図4-2B)、WS後に時間をおいてからアンケートに回答してもらったり、後日改めて追跡のアンケート調査をしたりすることも検討すべきである。具体的な効果を予想できない内容であれば（図4-2D)、追跡の半構造化インタビュー（質問の内容や順序に柔軟性を持つインタビューの形式）を行うことを考えてもいい。このように評価設計では、測定

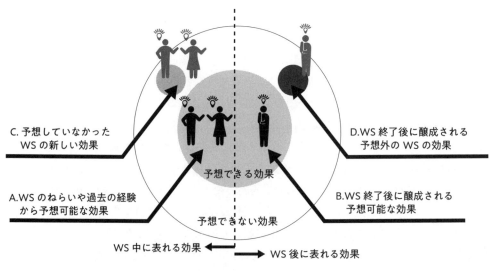

C. 予想していなかった
WS の新しい効果

D.WS 終了後に醸成される
予想外の WS の効果

予想できる効果

A.WS のねらいや過去の経験
から予想可能な効果

B.WS 終了後に醸成される
予想可能な効果

予想できない効果

WS 中に表れる効果　←　　→ WS 後に表れる効果

図 4-2　評価する効果のバリエーション

表 4-1　WS による参加者の変化を評価する指標とその測定・分析方法の例

測定時期		指標	測定するデータ
予想可能な効果を評価する場合	WS 中	**(1) 表現や創作への抵抗を和らげる**	
		・表情・振舞・言動など ・表現・創作への抵抗	・映像・音声記録 ・アンケート
		(2) 鑑賞のデュアル・フォーカスを促す	
		・鑑賞による作品解釈	・WS 中の音声・映像記録・ワークシート・アンケート
		(3) 多様で豊かな表現につなげる	
		・表現のアイデア・イメージ ・触発体験や開放性	・WS 中の音声・映像記録・ワークシート ・アンケート
	WS 後	**日常生活の経験や WS の振り返り**	
		・表現・創作への抵抗／触発など ・日常生活の鑑賞や表現活動	・アンケート ・アンケート・インタビュー
予想できない効果を評価する場合	WS 中	・表情・振舞・言動など ・WS を通して生まれた内省	・映像・音声記録 ・WS 中の音声・映像記録・アンケートの自由記述や感想
	WS 後	・WS 後の回顧的な内省	・インタビュー

したい効果が「予想できるかどうか」や「いつ現れるものか」によって具体的な評価手続きが変わることに注意してほしい。

　では、具体的にどのような評価手続きが考えられるだろうか。先述したように、評価設計では測定したい効果が「予想できるかどうか」や「いつ現れるものか」によって、測定する指標や測定時期、測定するデータや分析方法が異なる。表 4-1 には第 2 章で述べた鑑賞と表現をつなぐ支援、すなわち、(1) 表現や創作への抵抗を和らげる準備、(2) 鑑賞のデュアル・フォーカスを促す工夫、(3) 多様で豊かな表現につなげる支援を踏まえて評価方法を示した。以降では、Part 2 の実践研究で実際に用いられた指標も参照しながら触発を目的とする実践のありうる評価設計を紹介する。

3-1　表現や創作への抵抗を和らげる

　触発を目的とする実践では、参加者が表現や創作に抵抗感を持っている場合があるため、それを緩和したり表現や創作への自信を高めることが重要である。この支援が適切だったかどうかを評価するとき、最も簡単なのは WS の中で参加者の表情や言動を見ることだろう。実践者は WS 中の表現や創作に対する参加者の表情や言動から抵抗感や自信を伺い知ることができる。

　しかし、表情や言動だけでは参加者の内的変化が明白でなかったり、評価者の主観的評価ではないかと疑われたりする場合もある。そのような場合には、心理尺度と呼ばれる指標を用いることができる。心理尺度は特定の質問に対して、チェックを付けたり、数値で回答してもらうことで、目に見えない参加者の行動・心理を数値として見える化する簡便なツールの一つである（図 4-3）。私たちは触発を目的とする実践の評価に役立つ心理尺度をいくつか開発している（付表を参照）。例えば、「表現への

1. あなたが日常生活で体験する触発（インスピレーション）の頻度を教えてください。

> 触発（インスピレーション）は、他者作品など外界の事物に刺激されて、新しいイメージやアイデアが呼び起こされたり、感情が動いたりモチベーションが高まったり、振り返り等の活動が引き起こされたりするようなプロセスとします。

	全くない	ほとんどない	あまりない	どちらともいえない	少しある	かなりある	とてもよくある
1. インスピレーション（触発）を感じる	1	2	3	4	5	6	7
2. わくわくする	1	2	3	4	5	6	7
3. 新しいイメージやアイデアが湧く	1	2	3	4	5	6	7
4. 自分も何か表現したくなる	1	2	3	4	5	6	7
5. 実際に何かしてみたくなる	1	2	3	4	5	6	7

図4-3　心理尺度の使用イメージ

自己評価（石黒・岡田、2017）」や「創造的自己（Ishiguro et al., 2022）」は、こうした測定に適した心理尺度である。こうした尺度を含むアンケートを WS の前後などで配布することで、参加者の表現・創作への抵抗感が下がったか、自信が高まったかといった変化を量的に示すことができる。

　なお、心理尺度はリッカートスケールと呼ばれる、「1：全くそう思わない」～「5：とてもそう思う」などの数値に基準が示された選択肢を設定して、参加者に選択してもらう回答方法を用いることが多い。数値の幅が1から5のものは5件法、1から7のものは7件法と呼ばれる。回答の選択肢が多いほど参加者の心的状態の微細な変化を捉えることができるが、参加者にとっては回答の判断が難しくなる場合もある。特に、小学生高学年から中学生ほどの児童生徒を対象にした場合には7件法の心理尺度を5件法などに変えることを検討したほうが良いこともある。それぞれの尺度の利用方法は可能ならば専門家や尺度開発者に問い合わせることが望ましい。

3-2　鑑賞のデュアル・フォーカスを促す

　触発を目的とする実践の第2の特徴は、芸術作品を鑑賞した際に、自分と他者の表現の比較をするデュアル・フォーカスを促すことであった。この点について少し詳しく紹介しよう。WS 中は鑑賞中の思考内容について発言してもらったり、ワークシートに記入してもらったりすることがある。そうしたデータを記録しておくと、WS 終了後に各参加者の鑑賞中にデュアル・フォーカスが起きていたかを検討することができる。

　ただし、参加者が WS 中の発言やワークシートに自らの思考を全て書き出してく

れるとは限らない。デュアル・フォーカスのように明確に評価したい内容が決まっている場合は、それを直接尋ねることを検討するとよい。他者作品鑑賞尺度（石黒・岡田、2017）は、デュアル・フォーカスに関わる質問として「自分と他者の表現の比較を伴う鑑賞」という質問項目群で構成されている。こうした尺度をアンケートに取り入れることで、参加者のデュアル・フォーカスを測定することができる。デュアル・フォーカスについても表現・創作への抵抗と同様に、複数回アンケートを実施して測定することが望ましい。なぜなら、一度きりデュアル・フォーカスを測定しても、それがWSの鑑賞支援で促進されたのかはわからないからである。可能であれば、WSが始まる前にWSで鑑賞するメインの作品を参加者に鑑賞してもらって、そのときのデュアル・フォーカスの程度も測定したいところである。しかし、WS前のアンケート回答に長時間割くわけにもいかない。また、WS中もアンケートの回答を求めてしまうと、参加者の負担を増やしてWS中の集中や熱中を途切れさせるおそれがある。こうしたデメリットを解消するためには、測定のタイミングを必要最低限にとどめるべきだろう。あるいは、WS終了後のみ調査をして「WS前」と「WS後」など重要な変化のタイミングについて思い出しながら回顧的に回答してもらうこともできる。ただし、回顧的な回答を求める場合には、参加者がWSを美化して実際のWS中よりも肯定的な評価をする恐れがあることは理解しておくべきだろう。

3-3　多様で豊かな表現につなげる

(1) 触発体験の変化

　鑑賞でデュアル・フォーカスが促されれば、触発が促されることが予想される。触発体験も客観的に評価しにくいため、自己報告の触発体験尺度（石黒・岡田、2017）が役立つだろう。触発体験尺度（石黒・岡田、2017）は、触発を「他者の作品など外界の事物に刺激されて、新しいイメージやアイデアが喚起されたり、感情が動いたり動機づけが高まったり、振り返りなどの活動が引き起こされたりするような過程」と定義して、その体験の頻度や強度を尋ねるものである。ただし、この定義自体がやや複雑であるため、幼い児童を対象とするWS評価の場合には、保護者や調査補助者が回答をサポートする必要があるかもしれない。なお、この尺度を用いる場合、何によって触発されたのか、その結果何をしたくなったのかといった質問を追加すれば、参加者が鑑賞した作品からだけでなく、他の参加者や実践者の表現から触発を得ていたかどうか、また、触発された結果自分の個性をどのように発揮しようとしたのかも検討できるだろう。

(2) アイデア・イメージ・作品の変化

　心理尺度は便利なツールだが、触発に関わる全てを網羅しているわけではない。触発にはアイデアやイマジネーションなど、表現や創造に関わる様々な心的要素が関わっていることから（岡田・縣、2012、2020；Shimizu et al., 2021；横地他、2014）、それぞれにフォーカスした測定も可能だろう。こうしたデータに着目すれば、多様で

豊かな表現が生まれていたかを検討することができる。例えば、参加者のアイデアが
WSの過程でどのように発展したか、イマジネーションがどのように変化したか、創
作に関わる固定観念が外れたり、表現や作品そのものが変わったりしたかなど、多様
な観点で触発のアウトプットを検討することができる。また、参加者の表現や作品の
変化は、本人以外の誰かが客観的に評価することで検討できるだろう。参加者のアイ
デアやイマジネーションといった心的体験は、ワークシートやアンケートの自由記述
でも推しはかることができる。近年は、自由記述をテキストマイニングで量的に検討
し、各記述内容の違いを視覚的に表現することも可能になっている。こうした手法を
使うこともアートWSの効果を理解したり、わかりやすく他者に伝えたりする上で
有効だろう。

（3）多様性の受容と参加者集団の多様性の高まり

　アートWS参加者が多様で豊かな表現へ動機づけられたかどうかを検討するとき
には、参加者個人だけでなく、WS参加者集団の変化という観点も重要である。参加
者が自己表現しやすくなったかどうかはWS前後の調査で参加者個人の変化を比較す
ることで検討することができる。また、WSの中で他の参加者の多様な表現を見てい
るうちに、多様性を受容する姿勢や態度が育まれることも考えられる（例えば、横地
他、2014）。さらに、触発するアート・コミュニケーションでは参加者それぞれが自
己表現を行った結果、集団全体の多様性も高まることが期待される。そうした場合に
は、集団全体でWS前後の触発体験が高まったかだけではなく、アイデアやイマジネー
ション、表現のアウトプットの多様性が集団レベルでWS前後に高まったかどうか
も検討することができるだろう。こうした変化はWS前後のアンケートだけではなく、
WS途中で使用するワークシートなどを利用して検討することも可能だろう。

3-4 WS後の日常生活やWSの振り返り

　WSが数日から数カ月に及ぶような長期間にわたったり、参加者にとって極めて非
日常的な体験になったりする場合には、WSを離れた日常生活にも影響が現れる可能
性がある。そうした場合には、数週間から数年ほど時間が経ってからWSの効果を
追跡調査することも検討できる。石黒と岡田（2016）は大学生対象に数カ月に及ぶ芸
術表現の授業を行い、授業の1年後に追跡調査を実施した。その結果、芸術表現に日
常的に取り組む学生が増えたことを報告している。こうした追跡調査は長期間の実践
が参加者の日常生活や人生に特別な意味をもたらすかを知る重要な機会になる。また、
時間が経つ中で参加者がWSで得た体験を意味づけていくこともある。WSの内容に
よっては、こうした意味付けの期間を待つことでWSの価値が醸成されるかもしれ
ない。

　ただし、追跡調査は実践から時間が経つほど参加者とコンタクトをとることが難し
くなってしまうという弱点がある。そのため、WSの際に追跡調査を行う可能性があ
ることや、その際にアクセスできる連絡先を聞いておく必要がある。また、追跡調査

は WS 中よりも参加者の回答率が低くなるおそれがある。そのため、なるべく簡便な
アンケートにしたり、質問内容を厳選したインタビューを検討する必要があるだろう。

3-5　予想できない効果を評価する

　触発を目的とする実践では予期せぬ出来事がたびたび起きる。アイデアや表現活動
は参加者を観察していれば見て取れる可能性もあるが、はっきり表れない意外な内的
変化はアンケートなどの自由記述欄や WS 中の音声・映像記録、WS 後の追跡調査か
ら知ることも多い。アンケートは WS の最後に記入することが多いため、参加者そ
れぞれが WS での体験を包括的に振り返った結果、参加者個人の過去の人生経験を
踏まえた意味付けが行われる。こうした意味付けの中に WS や事業の改善・発展のきっ
かけにつながる予想外の参加者の反応が見られることが多い。アンケートを用意でき
る場合には、自由記述欄を設置すると同時に、ある程度の記入時間を設けることが望
ましい。また、予算や労力があれば追跡調査も積極的に実施するとよいだろう。

3-6　分析の計画を立てる

　測定したデータをどのように分析するのかもあらかじめ計画しておくことが望まし
い。触発を目的とする実践の評価には心理尺度を中心に量的に分析できる指標と、ア
イデアの内容や自由記述など質的分析が中心になる指標の両方を使うことができる。
なお、アイデア内容や自由記述もカテゴリを定義して頻度集計したり、テキストマイ
ニングを用いた分析をしたりすれば量的分析も可能である。量的分析の結果は、図表
にすれば参加者の変化を視覚的に理解することができるため、対外的な説明責任とし
ての評価には特に役立つだろう。ただし、WS では毎回必ずしも多くの参加者が集ま
るわけではない（山内・森・安斎、2021）。そのため、多数の参加者を集めることを
前提とするような統計的分析は必ずしも適切ではないことも多い。本書でもほとんど
の実践が心理尺度などを用いた量的な分析を行っているが、参加者人数の問題から統
計的な分析を行わない例もあった。

　また、量的分析だけでは WS の中で起きている多様な感情や思考の変化をすべて
捉えることはできない。こうしたデメリットを避けるためにも、質的評価を併用して
幅広い観点から WS の効果を捉えるべきである。それは予想していなかった効果を
知るきっかけになり、WS の価値を判断し、将来に向けて改善し発展させるのである。
予想できない効果は特定の事例や質的分析から浮かび上がることが多い。新しく開発
したばかりの WS の効果を知りたい場合や、既存の WS の新しい可能性を探索する
場合にも質的分析を取り入れることが望ましい。

　なお、映像や音声記録が許可されるのであれば、WS 後にいつでも WS で起きたこ
とを確認することができるという点で便利である。ただし、WS には様々な活動が含
まれるため、参加者一人一人の発言や行動を区別して記録するのは至難の業である。
こうした場合には参加者一人一人の行動や発言を厳密に評価するというよりも、WS
後に実践者と団体・機関がビデオを閲覧することで WS の成果について議論する材

料にすることが現実的だろう。

3-7 評価設計の注意点

　以上に述べてきた評価手法は、もちろんあくまで一例であり、WS の目的に応じて評価設計する中で使用する指標やその使い方を調整する必要がある。そもそも、WS の「ねらい」を評価するのに適した指標が存在しない場合もある。専門家と協同して新しい尺度を開発することもできるかもしれないが、一般的に尺度開発には年単位の時間がかかる。また、心理尺度は項目を読んで理解できることを前提とするため、言語的に未発達だったり言語理解に時間がかかったりする参加者には使用が難しいという限界がある。そうした場合には、参加者の発話や自由記述、行動・態度から「ねらい」に関わる行動を定義して評価するなど、分析手続きを工夫することも必要である。他にも、WS 効果の予想は具体的ではないが、観点は決まっているという場合もある。例えば、「社会的つながり」に何らかの効果があってほしいが、具体的な変化を予想できない場合もあるかもしれない。そうした場合には、「『社会的つながり』についてWS の中で考えることはありましたか」といったオープンクエスチョンを設定するのも一つの選択肢かもしれない。

　WS を評価するときには、ついついたくさんの指標を使って WS の良さを示したいと思いがちだが、重要なのはアート WS の実践や事業自体を阻害しない「ちょうどいい（Good Enough）評価」をすることである。長すぎるアンケートはせっかく WS を楽しみに来てくれた参加者の負担になってしまうし、大量の分析に追われて次のWS の計画や事業の運営が進まなければ本末転倒である。評価は実践を発展させるためのバイプレイヤーと考えよう。

④ データ収集

　どのような指標をいつ、どのように測定するか決めたら、データ収集を行う。留意すべき点として、データ収集についての説明と同意、データ収集の方法がある。説明と同意については、アンケートやビデオ・写真記録を残す際に、参加者にその目的や活用方法について説明し、同意を得た上でデータ収集することである。名前や生年月日だけでなく参加者個人を特定できるような情報（画像や動画、音声など）は個人情報である。特に、アート WS では個性を発揮する中で参加者のパーソナルな情報が明らかにされることもある。そうした情報について、どのように分析するか（匿名性を守って分析するなど）、どのように発表するか（団体・機関の報告書に匿名の状態で掲載するなど）を説明し、データの提供に同意してもらう必要がある。データ収集方法についても工夫が必要である。アンケートを行うときには、紙の質問紙を配布するか、Google Form などのオンラインアンケートシステムを用いるかも検討が必

要である。一般的に対面で紙媒体を配布するほうが回収率は高いが、オンライン WS の場合はオンラインシステムを用いるとよいだろう。オンラインシステムはデータ入力の必要がないため分析作業が簡便になるというメリットもある。ただし、アンケートシステムは子どもや高齢の方などは回答が難しい場合もある。こうした場合には紙のアンケート記入に切り替えたり、アンケート記入を実践者やサポーターが支援したり、臨機応変に対応するとよい。参加者の特性を鑑みてデータ収集を行えば、データを適切に集めることができるだろう。

5　評価目的に応じた議論

　データ収集が完了したら、データを分析して評価目的に応じた議論を行う（表4-2）。参加者の変化を図表にまとめれば、実践者や団体・機関のメンバー、外部の関係者にも参加者の変化をわかりやすく伝えることができる。参加者の行動・心理の変化を理解したら、WS の効果や価値を議論する。もちろん、WS の「ねらい」に合った成果が得られたのかを確認することは必要だが、その上で、ねらいを超えた WS の価値も議論するのである。

　実践者や団体・機関は何らかの目的があって実践しているため、評価する前から WS の価値はある程度理解しているだろう。しかし、WS を実践したことで初めて気づく価値もある。それは WS の最中に参加者の様子を見て気づくかもしれないし、WS 後に調査結果をまとめてみてから気づくかもしれないし、WS を行う前から周囲の反応で気づくかもしれない。WS の中で収集したデータに限らず、様々な情報が価値判断の助けになるだろう。

　WS が一度きりで終らず継続していく場合には、将来に向けた改善や発展を検討することが必要である。WS に何も反省点がないという場合は少ないだろう。まず実践者が設計したデザインが適切に機能していなかった部分があれば、その原因を考えてWS デザインをどのように改善するべきかを検討する。参加者の人数や年齢層によっ

表 4-2　評価目的に応じた議論の観点

評価目的	議論の観点
（a）WS の目的が達成されたかを対外的に説明する説明責任としての評価	・WS のねらいに合った成果が得られたか？ ・WS の価値は何か？
（b）WS の価値を判断し、将来に向けて改善し発展させることを目的とした評価	・WS のねらいに合った成果は得られたか？ ・WS の価値は何か（想定していない価値を含む）？ ・今後の実践で WS をどのように改善したり、発展させることができるか？
（c）団体・機関のビジョン発展	・WS は団体・機関のミッションを果たしたか？ ・WS は団体・機関のミッションに新しい解釈を与えるか？

ては、ある WS でうまく機能した支援が別の WS で機能しない場合もある。同じデザインの WS を実施しても、扱う作品が違えば全く異なるコミュニケーションが生まれることがある。そうした参加者や環境など幅広い要素を踏まえて、触発するアート・コミュニケーションを成立させる場づくりを考えるのである。本書で紹介したのは、触発を目的とする実践のほんの一部であるため、今後も多様な WS の開発が望まれる。

　なお、タイプの異なる複数の実践を積み重ねている場合には、それらの WS 同士を横断的に比較することにも取り組むとよいだろう。過去に実施した複数の WS を比較することは各実践の改善だけではなく、それらの WS 実践自体が団体・機関のビジョンと整合しているかを確認する上で重要である。それぞれの WS から読み取るアート・コミュニケーションのあり方が団体・機関のビジョンに新しい意味付けや解釈を加えるかもしれない。また、想定していなかった結果から団体・機関のビジョンが生まれ変わることもあるかもしれない。これらの議論を繰り返していくことで、WS を一度きりのイベントとして終わりにせず、実践者や団体・機関のアイデンティティ形成の一端にしていくことができるだろう。

（石黒千晶・横地早和子・岡田猛）

【引用文献】

石黒千晶・岡田 猛 (2016). 創造的教養を育む芸術教育実践：日常の写真活動に及ぼす効果　認知科学, **23**(3), 221-236.

石黒千晶・岡田 猛 (2017). 芸術学習と外界や他者による触発：美術専攻・非専攻学生の比較　心理学研究, **88**(5), 442-451.

Ishiguro, C., Matsumoto, K., Agata, T., &Okada, T. (2022). Development of the Japanese version of the short scale of creative self. *Japanese Psychological Research*. (Early View)

岡田 猛・縣 拓充 (2012). 芸術表現を促すということ：アート・ワークショップによる創造的教養人の育成の試み　KEIO SFC JOURNAL, **12**(2), 61-73.

岡田 猛・縣 拓充 (2020). 芸術表現の創造と鑑賞、およびその学びの支援　教育心理学年報, **59**, 144-169.

Shimizu, D., Yomogida, I., Wang, S., & Okada, T. (2021). Exploring the potential of art workshop: An attempt to foster people's creativity in an online environment. *Creativity: Theories – Research – Applications*, **8**(1), 89-107.

文化庁×九州大学共同研究チーム (2021). 文化事業の評価ハンドブック：新たな価値を社会にひらく　水曜社

山内祐平・森 玲奈・安斎勇樹 (2021). ワークショップデザイン論：創ることで学ぶ（第 2 版）　慶應義塾大学出版会

横地早和子・八桁 健・小澤基弘・岡田 猛 (2014). 教員養成学部の絵画教育における省察的実践についての研究 III：授業アンケートによる授業実践の効果の検討　美術教育学研究, **46**, 285-292.

付表　触発するアート・コミュニケーションに関わる心理尺度の具体例

尺度名	項目例	回答方式
表現への自己評価 （石黒・岡田、2017）	「私はまわりの人と比べて表現力が優れているほうである。」 「自分には誇れる表現活動がある。」 「私はうまく表現できるという自信がある。」	5件法（「1：全くそう思わない」～「5：非常にそう思う」）
創造的自己 （Ishiguro et al., 2022）	「たとえ込み入った問題であっても、自分は効果的に解決することができるとわかっている。」 「私は自分の創造的な能力に自信がある。」 「友人たちと比べて、私の想像力と創意工夫の能力は際立っている。」	7件法「1：全くあてはまらない」～「7：とてもあてはまる」
他者作品鑑賞態度尺度 （石黒・岡田、2017）	**自分と他者の表現の比較を伴う鑑賞** 「作品の中に自分の表現のヒントがないかを探す。」 「作者の使っている技術やスキルが自分の表現にも役立つかを考える。」 「自分がもし同じようなテーマで作品を作ったらどうなるかを想像する。」 **他者の創作過程の推測や評価を伴う鑑賞** 「作者がなぜ作品を作ったのかを考える。」 「どのような人が作った作品なのかを考える。」 「作者は作品制作中どんな気持ちだったのかが気になる。」	5件法（「1：全くそう思わない」～「5：非常にそう思う」）で回答。
経験・他者への開放性 （横地・八桁・小澤・岡田、2014）	「自分の気に入った作家の作品しか鑑賞しない。（逆転項目）」 「自分が表現したいと思うものに近い作品を鑑賞することが多い。」 「できるだけ、幅広いジャンルの作品を鑑賞するようにしている。」 「自分の表現活動をするとき、他者の意見やアドバイスを参考にする。」 「作品をつくる時、他者の意見やアドバイスを大切にしている。」	5件法（「1：全くそう思わない」～「5：そう思う」）で回答。
外界や他者による触発体験尺度 （石黒・岡田、2017）	「外界の出来事や他者の表現からインスピレーション（触発）を感じることがある。」 「外界の出来事や他者の表現から、新しいイメージやアイデアが湧くことがある。」 「外界の出来事や他者の表現から触発されて（インスパイアされて）実際に何かをすることがある。」	触発の定義を示したうえで、頻度（「1：全くない」～「7：とてもよくある」）と強度（「1：全く強くない」～「7：とても強い」）を問う。

注）逆転項目は集計の際に、｛（選択肢数値の最大値＋選択肢数値の最小値）－当該項目の数値｝に変換すると当該尺度の概念を示す数値として扱うことができる。

第5章

アート事業の評価
アートの価値が可視化される創造的な対話の場であるために

1 芸術文化分野の評価をめぐる20年の議論

●1　2001年設立。現在は認定NPO法人トリトン・アーツ・ネットワーク。東京都中央区にある第一生命ホールを拠点とし、公演事業とホール周辺地域を中心としたコミュニティ事業を軸に音楽によるコミュニティの活性化を目指し活動している。

　日本において、アート分野での評価が盛んに議論されるようになったのは2000年ごろからのことである。筆者は2002年、NPO法人トリトン・アーツ・ネットワーク●1の外部評価委員会の事務局を担う機会を得た。当NPOでは評価による事業改善と外部へのアカウンタビリティのため、2001年の設立当初から定款に評価事業の実施を掲げており、外部評価委員会を設置し評価に取り組んだ。当時、アート分野の評価の実践はほとんど例がなく、手探り状態であった。ミッションに照らして有効な事業展開ができているのかを検証するため、事業データの収集・分析に加え関係者の議論やヒアリングを重ねた。定量・定性両面のデータを用いて、多角的・複眼的に評価することの重要性を学んだ経験であった。当NPOは評価事業を、事業実施と同様に重要なプロセスと捉え、外部の視点も入れてミッションを明確化し、事業改善につなげ、ステークホルダーへ活動の意義をアピールする機会ととらえていた。

　もっとも、このように積極的に評価に取り組み、それを活用しようという方針を明確に持ったアート団体は稀有な存在で、自ら評価を取り入れる団体はいまだ少ない。それどころか、評価に抵抗感があり懐疑的なアート関係者が多いのも事実である。2000年代初めといえば、90年代後半からの行政改革の流れで、公立文化施設が行政の一律の事務事業評価の対象となり、文化施設の公共的役割を考慮しない、入館者数や収益性等の数値指標に傾斜した評価が横行し始めた時期である。2003年には指定管理者制度が導入され、公立文化施設は競争原理によりコストカットと効率化が迫られるようになった。文化施設の役割を明確に示していない設置自治体であれば、評価の観点は自ずと効率化に向き、アート事業の内容や目的が重視されることはない。このような潮流の中で、文化施設関係者や芸術実践者に評価への懐疑が生じてきた。無意味な数値目標に振り回された経験から「アートに評価はなじまない」という思いを抱く現場の声も多く聞いてきた。活動の目的やアート事業ならではの価値が反映されない評価では、やればやるほど活動は委縮する。活用されないにもかかわらず形式的な評価報告書の作成に翻弄される現場からは「評価疲れ」という言葉ももれ聞こえて

くる。

　しかし、評価とは本来、事業の意義を明らかにし、効果を検証し、よりよくしていくために行うもののはずである。一律の指標で評価されることを嘆くよりも、自ら事業の意義をアピールするために評価を活用する姿勢が必要である。この 20 年程の間、よりよい評価のあり方を求めてアートの現場では模索が続いてきた。その中で国内外の知見が蓄積し、意義深い評価の取り組みも生まれている。

　2017 ～ 2020 年度にかけて、文化庁と九州大学は文化事業と社会包摂、およびその評価のあり方について共同で調査研究を行い、筆者はそのメンバーの一人であった。その成果は書籍『文化事業の評価ハンドブック　新たな価値を社会に開く』（文化庁×九州大学共同研究チーム、2021）にまとめられている。本稿ではその調査研究で得た知見をもとに、評価の意味を確認したうえで、近年のアート事業評価事例の紹介を行い、最後にアート事業の評価のあり方を展望する。

2　評価の意味と目的

　評価とは、事業やプロジェクトがより効果的なものになるための手段である。評価研究において、実施と評価の不可分な関係を指摘した Pressman と Wildavsky は、次のように述べている。

> 「実施と評価は同じコインの両面であり、実施は評価が問題にすべき事実経験を提供し、評価はおこった事実を意味づける知力を提供するものである」
> *Implementation and evaluation are the opposite side of the same coin, implementation providing the experience that evaluation interrogates and evaluation providing the intelligence to make sense out of what is happening.*
> （Pressman & Wildavsky, 1984, p.xv）

　評価（evaluation）は原義をたどると、"ex-"（引き出すこと）と "value" を組み合わせた単語であり、評価対象の価値やメリットを引き出していくことを意味する。実施した事業の結果（アウトプット）そのものは事実でしかないが、それにどのような意義や価値があるのかを多角的な視点から検証し、対象となる事業やプロジェクトの本質的な価値を引き出していくことが、評価には含まれる。また、しばしば測定することが評価と混同されるが、測定した値そのものは意味を持たず、測定は評価ではない。測定し、事業で起こったことやアウトプット、アウトカム（成果）を特定したうえで、当該事業が目指す目標にそった価値基準で判断し、意味づけすることが、評価である。

　評価の目的は、一般に評価対象の改善（マネジメント支援）とアカウンタビリティ（説

明責任）の２つが挙げられる。非営利で行われるアート事業は、公的資金や民間助成金を得ながら活動することが多いため、アカウンタビリティを果たすことは重要である。ただしここで、資金提供者側が求める成果と、事業実施者側の行いたい事業目的がずれていると、先述したような現場に疲弊や懐疑を生むだけの評価になってしまう。行政の評価では客観的な数値指標が求められることに加え、近年の新自由主義的政策の中では、特にアートの経済的価値が求められる傾向が強まっている。むろん経済に寄与するアート事業もあるが、全てのアート事業がそうであるわけではなく、特にあらゆる人の創造性を育むことを目的としたアート活動には、人間の心的状況や成長、コミュニティ形成にも関係する多様な価値が含まれるはずである。資金提供者側からの一方的な評価指標に合わせるのではなく、自らの事業が目指す成果を独自の指標を使って積極的に示していくことも評価の重要な意義である。

　評価の研究者である源由理子は、先に示したマネジメント支援とアカウンタビリティという２つの評価の目的に加え、知識創造、組織学習、社会変革の実現を挙げている（源、2016, p.8）。評価を行うことは、実施者のマネジメント改善や動機づけになるのみならず、新たな知見の創出やエビデンスの蓄積にも寄与するという意義を持つ。評価を通じて、アート事業の効果や、社会にもたらすアウトカム（成果）のエビデンスが蓄積していくことは、アートの幅広い意義に対する社会全体の理解促進につながるであろう。

③　評価の分類

　先に示したように、評価にはいくつかの目的がある。事業の改善や発展につながるという共通項はあるものの、全ての目的を満たすようなひとつの評価手法というものは現実にはなく、何のために評価を行うのかによって、取るべき方法は異なる。

　評価を実施者で分類すると、「自己評価（内部評価）」「外部評価（第三者評価）」という分け方がある。自己評価は現場の詳細な情報を反映でき、実情を反映した評価となる利点があるが、客観性を欠く。外部評価・第三者評価は、より客観的な検証が可能であるが、現場の事情が反映されにくい。実際には自己評価も行ったうえで、第三者の評価を受けるという形で、組み合わせて使われることが多い。また、多様なステークホルダーを評価のプロセスに巻き込み協働で評価を実施する「参加型評価」もアート事業においては有意義な方法で、近年いくつかの試みが進んでいる。参加型評価は、評価結果のインパクトを重視するものではなく、実施者や参加者、その他多様なステークホルダーの開かれた議論の場を作ることにより、事業の意義や目的についての共通理解が深まるきっかけになることを重視する。客観的なデータからだけでは価値の伝わりにくいアート事業の意義について、対話を通じて共有できるという利点がある。

　また、評価を行う時期に着目して分類すると、「事前評価」「期中評価」「事後評価」

に分けられる。事前評価は課題を認識し、事業のねらいを確定して目標を定めるものであり、多くの場合、事後評価では事前評価で設定した達成目標を測る。期中評価は実施プロセスにおいて行うものである。事前評価で想定した以外の思いがけない出来事も、事業の成果として捉えられるものがあるため、実施途中のモニタリングも重要である。どの時期に行うのが良いと決められるものではなく、評価は本来的には全ての事業のプロセスに関係するものである。

　評価の手法も様々であるが、用いる情報やデータの種類で分類すると、事業記録やアンケート等の定量データを用いる定量的評価と、数値化できないものを扱う定性的評価に分けられる。どちらも重要であり、適切に組み合わせる必要があるが、アートは新たな発見や多様な視点をもたらすものであり、特にワークショップ型のアート事業においては、参加者同士で多様な関係性が生まれ、触発し合い、予想外の展開が生まれることが多い。このようなアート事業ならではの重要な出来事の意義を定量的に測ることは難しい。そこで有効なのが、エピソード評価である。エピソード評価では、参加者や企画者、関係者などから、事業がもたらした出来事や想定外の発見を丁寧に収集して、成果や課題を考える材料とする。公益財団法人セゾン文化財団で長年アートプログラムの評価に携わってきた片山正夫氏は「いいプログラムというのは必ず豊かなエピソードを伴っています。いいアートのプログラム、いいアートのプロジェクトは必ず、興味深いエピソードの集積です」（公益財団法人東京都歴史文化財団東京文化発信プロジェクト室、2011, p.18）と語っている。生き生きとしたエピソードは、時に数字よりも説得力のあるエビデンスとなり得る。もちろん、定量評価と組み合わせて用いることでより説得力を増す。また近年ではテキストマイニングなど質的データをより理論的・構造的に分析する手法もよく用いられている。

　このように、評価を誰が、いつ、どのように行うのかは、いろいろなバリエーションがあり、ひとつの定まった手法があるわけではない。評価の対象や目的を明確にしたうえで、適切に組み合わせることが重要である。

4　アート事業の評価事例

　次に、近年アート分野で試みられている評価の事例を見てみよう。ここでは、文化庁×九州大学チーム（2021）で紹介した事例に補足説明を加えて紹介する。

4-1　社会的インパクト評価
　事業によって生み出される社会的なインパクトを評価するもので、公共政策においてエビデンスを重視する英国で始まり、日本でも2015年ごろから内閣府が推進するようになった。アート事業の評価においては、従来アウトプット（結果）ではなくその先のアウトカム（成果）や社会へのインパクト（影響）が重要であるという指摘が

なされていたことや、アート事業の社会的意義を明確に示すことが求められる社会情勢もあり、社会的インパクト評価への注目が高まった。

　社会的インパクト評価では、「ロジックモデル」を作成する作業が重要になる。ロジックモデルとは、事業が最終的に目指す長期的なアウトカムの実現に至るまでの因果関係を示すもので、投入する資源（インプット）に対し、どのような事業を実施し（アウトプット）、どのような結果が得られ（アウトプット）、その結果どのような成果（アウトカム）が得られるのかを図式化する。ロジックモデルを作成することで、事業が目指すことや、成果にたどり着くまでの戦略が明確になり、関係者間で共有できるというメリットがある。

　アート分野で社会的インパクト評価に取り組んだ事例として、可児市文化創造センターアーラ（以下アーラ）の演劇表現ワークショップを紹介する。アーラは社会包摂型のコミュニティ・プログラムを先駆的に展開している代表的な劇場である。近隣の高校で行った演劇表現ワークショップを対象に、長期的にどのような社会的に意義のある成果が生まれるかを明示するため、社会的インパクト評価に取り組んだ。事業の社会的価値を示すためロジックモデルを作成し、さらに事業によってもたらされた変化を貨幣価値に換算するSROI（Social Return on Investment）という手法を用いたインパクト評価を行った。算出の結果、SROIの値は十分に大きいことがわかり、社会的な価値が数値としても可視化された。

　当該事業のロジックモデルは図5-1のように示される。インプットにあたるのはワークショップの講師、諸経費等である。アクティビティは演劇表現ワークショップの実施であり、アウトプットはワークショップの実施回数が入る。もたらされるアウトカムとして、初期は「自己表現力が向上する」「他者を受け入れることができる」、中期は「自己肯定感の向上」「安心できる居場所の形成」、長期には「問題行動の減少」

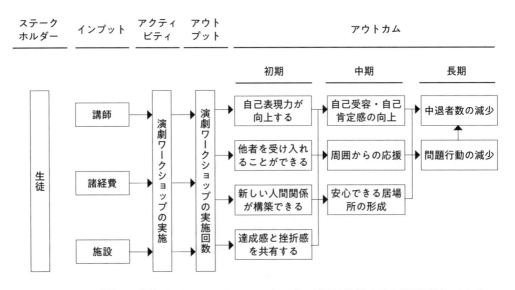

図 5-1　高校での演劇ワークショップ　ロジックモデル (公益社団法人日本劇団協議会、2017)

「中退者数の減少」等が設定された。

　評価では、アンケートやヒアリング調査の結果から、ロジックモデルに示したセオリーを検証した。さらに、インプットに対する「問題行動の減少」「中退者数の減少」という測定可能な最終アウトカムを貨幣価値換算したところ、SROI の値は 9.86 となり、1.00 を大きく上回る結果が得られた（公益社団法人日本劇団協議会、2017、p.51）

　このような数値のエビデンスが明確になることは、行政や議会に対するアドボカシーとしてたいへん有効である。しかし評価に取り組む意義はそれだけではない。アーラ元館長の衛紀生氏は、「評価に取り組むことは、活動を誰かと共有し、もう一歩前に進んでいくための投資になる」とし、アドボカシーだけでなく、関係者間のコミュニケーションを進化させる機会となることで活動の意味や目的が明確になり、事業の継続・発展にもつながると、その意義を語っている（文化庁×九州大学チーム、2021, p.207）。

4-2　ピアレビュー

　ピアレビューとは、同業者が専門的な知識や経験を生かして、相互に評価を行うことであり、学術の世界では論文査読などでよく知られた手法である。アート事業のピアレビューでは、事業実施団体が同業者同士で評価しあう。客観性に欠ける自己評価ではなく、現場の実情を反映しにくい第三者評価でもない、同じような経験や問題意識を持つ同業者の視点からの客観的な検証であり、自分たちが気づいていなかった意義や見過ごしている課題に気づきやすい利点がある。

　アート分野における取り組み事例はまだ少ないが、東京藝術大学ではアートマネジメント人材育成講座「&Geidai」の中で、2017 年度からピアレビューの研究と実践に取り組み、6 団体が 3 組のペアとなってピアレビューを実践した[2]。そのうちの 1 組である、一般社団法人谷中のおかって[3]と NPO 法人芸術家と子どもたち[4]の組み合わせで行ったピアレビューの概要を紹介する。「谷中のおかって」は東京の谷中地区を拠点にこども創作教室を 2011 年から続け、アーティストがディレクターとなって 1 年を通じ子どもの遊びや学びの場を作っている。「芸術家と子どもたち」は学校や児童養護施設などでアーティストによるワークショップを実施する活動を中心に、20 年以上にわたり活動する NPO である。ピアレビューでは、資料提供、相互の現場視察、ヒアリング、意見交換会を通じて、お互いの活動の共通点や相違点について対話を重ねた。2 つの団体は共にアーティストと子どもという切り口で活動を展開しているが、ひとつの拠点で同じ子どもたちに対し通年で活動を行う「谷中のおかって」と、多くの学校に出向きオーダーメイドで学校にあったワークショップを組み立てる「芸術家と子どもたち」では、ワークショップの場の作り方やコーディネーターの役割が異なる。芸術家と子どもたちアドバイザーの竹丸草子氏は、2 つの団体が対話することで自身の活動の特徴に気づき、強みを認識することができた、お互いにエンパワメントされる効果が得られたと、ピアレビューの経験を振り返る（竹丸、2020, p.72）。

　ピアレビューの最大の特徴は、目標設定にとらわれずに、見えにくいアート事業の価値を可視化できることにある。「&Geidai」を推進した熊倉純子氏（東京藝術大学

● 2　東京の谷中地域を拠点にアートイベントの企画・運営・サポートを行う。2008 年活動開始。2011 年より「こども創作教室『ぐるぐるミックス』」を実施している。

● 3　現代アーティストと子どもたちが出会う場づくりを行う NPO。1999 年創設。

● 4　「音の砂場」はアーティスト鈴木潤が約 20 年にわたり続けているワークショップ活動である。砂場で遊ぶように音で遊ぶことをコンセプトに、参加者は置かれた楽器を自由に鳴らす。

教授）は、「アーティスティックな発想で直感的に事業を決めている現場ほど、ロジックモデルの図式にあてはめ、単純化することは困難」であると指摘し、ロジックモデルのカウンターパートとしてピアレビューを提案している（熊倉・槇原、2020, p.4）。

　従来、評価とは事前に設定した目標の達成度を測ることに主眼が置かれていた。さらにロジックモデルは計画段階でアウトカムを実現するための事業の道筋をより明確に図式化し、指標を設定するものである。最初に設定したロジックモデルに固執し目標設定にとらわれすぎると、予期しないものを生み出すアートの力が失われかねない。それに対し、ピアレビューによる評価は「同業他者との出会いをもたらし、ロジックモデルでは可視化できない、こぼれ落ちていく言葉や大切な価値を拾い上げること」ができると、「&Geidai」の熊倉氏と槇原彩氏は語っている（文化庁×九州大学チーム、2021, p.189）。

　ただし注意したいのは、ロジックモデルそのものが悪いというわけではなく、ロジックにとらわれすぎるあまり柔軟性を失うことが悪いのであって、目指したいアウトカムを設定し戦略を持つことの重要性は否定されるべきではない。ピアレビューや他の様々な手法を組み合わせることにより、見えにくい価値を可視化するとともに、想定外の出来事や事業の中での柔軟な計画変更をも許容する評価を組み立てることは可能であろう。

4-3　心理学・医学の専門家がかかわった評価

　心理学や医学など、特定の分野の専門家が入る評価も試みられている。

　東京文化会館は、2018 年度に高齢者を対象とした音楽ワークショップの検証に取り組んだ。会館では、アートが持つ創造性を生かし、人々の QOL 向上や共生社会の実現に向けた取り組みを進めているが、その一環で、即興的音楽ワークショップ「音の砂場」●5 を実施した。高齢者が自発的でクリエイティブな活動を行い、音楽づくりの主体になれることを目的にデザインされたプログラムである。評価には、高齢者心理学を専門とする日下菜穂子氏（同志社女子大学教授）がかかわり、心理学の理論を用いて、健康状態、心身の変化、特徴的な行動などを指標化している。主催者のプログラムの意図をヒアリングし、参加者に起こることが期待される変化を計測可能な指標に落とし込んでいる。

　また、仙台富沢病院では、2014 年から演劇情動療法に取り組んでいる。認知症の人を対象に演劇の場面を朗読し、情動を呼び起こす取り組みである。同病院統括理事長でもある藤井昌彦氏（東北大学医学部教授）が、効果検証に取り組んでいる。「歓喜的情動指数」という独自の指標を作り、演劇が認知症の人の行動的・心理的症状の改善にもたらす効果の検証している。当病院では、公益社団法人日本劇団協議会と連携して、演劇の持つ減薬効果や医療費削減の試算をまとめ、アドボカシーにつなげることも視野に入れているという。

　アートが人に対して持つ様々な効果について、実証的なエビデンスはまだ少ない。アート分野と医学や心理学等の専門家との協働が進み、アート事業の成果が多角的に

●5 「音の砂場」はアーティスト鈴木潤が約 20 年にわたり続けているワークショップ活動である。砂場で遊ぶように音で遊ぶことをコンセプトに、参加者は置かれた楽器を自由に鳴らす。

示されていくことに期待したい。

4-4　展望：評価のプラットフォーム形成の必要性

　ここまで紹介してきたように、アート事業の評価といっても、目的や活用方法は様々であり、誰の視点で何を評価するのか、どのような手法を用いるのかも、評価の目的によって適切なあり方は異なる。目的に合わせて設計することが重要である。

　評価というと、評価の結果に注意が向きがちであるが、評価に取り組む大きな意義はそのプロセスにある。何を目指した事業なのか、その結果はどうだったのか、想定外の出来事から何を導き出せるのか等を検証する中で、対話が生まれる。関係者間で共有し、外部に発信することで、アート事業の価値が認識されていく。評価はコミュニケーションや対話の機会である。アート事業が持つ豊かな価値が可視化され、創造的な対話の場となるような評価のデザインが求められる。

　今後は、評価の多様なケースを共有したり、アート事業に携わる実践者やアーティスト、評価事業に携わる研究者が情報交換をできたりするプラットフォームを形成することが必要であると考える。個々のアート事業の現場は、評価に取り組む時間やコスト、専門性やノウハウを持ち合わせていないことが多いため、参照できる事例があることは有効である。また評価の専門家や、他分野の専門性からアートの効果を検証したい時に、アクセスできるネットワークやプラットフォームがあると良い。

　海外の事例になるが、米国では芸術団体への事業助成を行う連邦機関である全米芸術基金が、調査分析局（Office of Research & Analysis）を設置しており、芸術の多面的な価値や効果に関する体系的な研究を推進している。その事業のひとつとして、芸術団体が事業の効果や影響を評価するのに役立てられるように、指標開発や実績説明に役立つ資料をリストアップして Web で公開している[6]。英国では、イングランドの芸術活動への公的助成を行うアーツカウンシル・イングランドが、芸術団体向けに「自己評価ツールキット」のほか、評価に役立つリソースを提供している[7]。被助成団体が自己評価に役立てられることはもちろん、芸術活動に携わる者が誰でも利用できるように提供されており、このようなツールキットを通じて、アートの多様な力が社会に活かされる仕組みを構築しようとしている（袴田、2021）。

　評価方法やツールにアクセスしやすいプラットフォームを作ることで、形式のみ参照して意味のない評価が横行しないように注意は必要であるが、現場が評価に取り組みやすいようなリソースの提供や事例の蓄積、ノウハウの共有は日本においてももっと進むべきではないだろうか。このようなプラットフォームが形成されることにより、芸術活動を行う者が評価を行いやすくなるだけではなく、アート事業の評価で明らかになったエビデンスが、広く社会に発信されることになる。それは、アートの多様な価値に関する理解の醸成にもつながるだろう。

（朝倉由希：所属 公立小松大学）

[6] National Endowment for the Arts. Resources on Program Evaluation and Performance Measurement. https://www.arts.gov/impact/research/resources-program-evaluation-and-performance-（最終閲覧日 2022 年 6 月 20 日）

[7] Arts Council England. Self Evaluation. https://www.artscouncil.org.uk/advice-and-guidance/self-evaluation（最終閲覧日 2022 年 6 月 20 日）

【引用文献】

文化庁×九州大学チーム (2021). 文化事業の評価ハンドブック：新たな価値を社会に開く　水曜社

袴田麻祐子 (2021). アーツカウンシル・イングランドの「自己評価ツールキット」を読み解く：その位置づけと目的からみる評価の土壌　音楽芸術マネジメント，**12**, 29-39.

熊倉純子・槇原 彩（編著）(2020). アートプロジェクトのピアレビュー：対話と支え合いの評価手法　水曜社

公益財団法人東京都歴史文化財団東京文化発信プロジェクト室 (2011). アートプロジェクトを評価するために：評価の〈なぜ？〉を徹底解明　評価ゼミレクチャーノート　Retrieved June 20, 2022 https://tarl.jp/wp/wp-content/uploads/2017/01/tarl_output_05-1.pdf

公益社団法人日本劇団協議会 (2017). 「文化庁委託事業　芸術団体における社会包摂活動の調査研究」報告書

源由理子（編著）(2016). 参加型評価：改善と変革のための評価の実践　晃洋書房

Pressman, J., & Wildavsky, A. (1984). *Implementation* (3rd ed.). University of California Press, Berkeley.

竹丸草子 (2020). 変化を内包する評価　熊倉純子・槇原 彩（編著）　アートプロジェクトのピアレビュー：対話と支え合いの評価手法 (pp.71-72)　水曜社

Part 2

鑑賞と表現をつなぐアート・ワークショップ
──実践報告──

表現を誘発する鑑賞ワークショップ

第1章

絵の中の世界に入り込む!?
虚体験ワークショップ

1　はじめに：イマジネーションを見つめる虚体験

　眼を閉じて、何か絵画などの作品を思い浮かべてほしい。そのイメージを頭の中に思い浮かべていると、だんだん頭の中のイメージがあやふやになって、変化していくことがある。もし可能だったら、そのイメージを簡単に紙と色鉛筆で描いてみてほしい。おそらく、描かれたものは最初の絵画とは別物になっているだろう。そこには、自分の記憶や経験、先ほどまで見ていた雑誌の内容の影響が見て取れるかもしれない。ただ、そのイメージは最初の絵画からも、これまでの経験や記憶とも少しずつ違っていて、あなただけの個性が反映されたイメージになっているはずである。

　本稿では、このように頭の中で自然発生的に生まれるイメージの中での体験を「虚体験」と呼び、虚体験を利用したオンラインワークショップ（以下 WS）の実践を報告する。虚体験は鑑賞による表現の触発と関連したプロセスで起きる。Part1 第 1 章で美術作品からの触発はイマジネーションの世界を、作品を通じてやりとりすることだと説明したが、虚体験はまさに作品のイメージから自分のイマジネーションの世界を広げる過程である。虚体験で経験されるイマジネーションは芸術活動の重要な一部でありながら、取り立てて語られることが少なく、日常でその世界にじっくり浸ることも少ない。あるいは、イマジネーションを広げようとしても、後述のように評価思考がそれを妨げることもある。そのため、WS という場で虚体験を行えば、芸術の初心者でも芸術活動の重要な一部を体験することができる。同時に、普段から芸術活動を行っている人でも、改めてそのプロセスを経験して、自分のイマジネーションの多様性や個性を振り返れば、日々の創造活動を豊かにするチャンスになる。特に、虚体験は頭の中でイマジネーションを広げる過程で体験できるため、対面状況でなくてもオンラインで WS することができる。本稿では、こうした虚体験の強みを生かしたオンライン WS の実践について報告する。その際に、虚体験が著者らの触発理論とどのように関係するかを説明しながら、虚体験 WS によって参加者の触発がどのように促されたか、あるいは、芸術活動への考えがどのように変化したかを検討する。

1-1　自然に湧き出たアイデアを許容する虚体験

　目を閉じて生まれたイマジネーションの世界では、様々なアイデアやイメージが表れる。中には自分が意図していなかったものも含まれる。そうしたアイデアやイメージに、時には自分でもびっくりしてしまったり、ネガティブな気持ちになったり、あきれてしまったりすることもあるかもしれない。しかし、生まれたアイデアを否定せずに、受け入れてみると意外と面白いものに発展することがある。

　虚体験 WS の一つのポイントは自分のアイデアを評価しないことである。イマジネーションやアイデアは必死に計画したり意図したりして出すばかりではなく、「自然発生的（spontaneous）」に生まれてくることもある。自然発生のアイデアを受け入れることで、目の前にある絵画についてのイメージを発展させていく。

　このような自然発生的なアイデアを受け入れる方法は、創造性を促す即興性の一つとして重視されている（高尾、2006）。即興は創造活動のコアとなる問題発見や問題解決を進める方法として知られている（Sawyer, 2000）。例えば、音楽や演劇における即興訓練は創造的アイデアの生成を促す効果があることもわかっている（Karakelle, 2009; Lewis & Lovatt, 2013）。即興訓練は一体どのようにして、創造的なアイデア生成を促進するのだろうか。音楽や演劇に限らず、様々な創造領域では新しいアイデアや作品が生まれた時、それを生み出した本人やその領域の専門家、その社会など様々な人に評価される（Csikszentmihalyi, 1999）。このような外部評価と同じように、人は自分が生み出したアイデアを評価し、領域や社会の評価基準から逸れていると考えると、それ以上アイデアを出したり、発展させることが難しくなってしまう。そのため、そのような評価思考を開放する方法として即興が重要なのである（Kleinmintz, Goldstein, MAyseless, Abecasis & Shamay-Tsoory, 2014）。

　即興訓練には様々な手法があるが、虚体験 WS では「自然発生的」アイデアやイメージを評価する必要はないことを丁寧に教示する。そうすることで、絵画から生まれたイマジネーションやアイデアが自らの評価思考で妨害されることなく発展することを促す。

1-2　虚体験 WS のデザイン

　虚体験 WS は有名絵画を見て美術史的な解釈をする鑑賞ではなく、イマジネーションを膨らませる鑑賞の形式を提案する。そこでは、現実の絵画の視覚的な情報だけではなく、目を閉じることで想像の世界で「絵画を体験する」ことを促す。そして、即興訓練の手法を取り入れながら参加者のイマジネーションの世界から可能な限り制限を取り払う。そうすることで、自分のイマジネーションの豊かさを実感すると同時に、自分のイマジネーションが創造にもつながり、多様な表現の可能性に気づくことをねらいとした。詳しくは後述するが、WS は大まかに自己紹介、虚体験の練習、「ひまわり」鑑賞、「ひまわり」の虚体験、「ひまわり」の虚体験と描画の5つのフェイズで構成されていた。

1-3　オンラインに対応した触発 WS としての虚体験 WS

　虚体験 WS は新型コロナウィルス感染が拡大した 2020 年春から夏にかけて、講師

の夏川真里奈氏が考案した方法である。それ以前から夏川氏と鑑賞と表現をつなぐWSを検討してきたが、コロナ禍でのWSはオンラインで実施する必要があったため、それまで対面で実施してきたWSとは異なる条件下でのWSを検討する必要が生まれた。具体的には、（1）場所、（2）時間、（3）活動内容について厳しい制限を守る必要があった。（1）場所に関しては、美術館など本物の芸術作品を鑑賞できる場所でWSを実施することが難しくなった。そのため、コロナ禍でのWSはオンラインで実施することが多くなり、そこでの鑑賞は作品の複製イメージが使用されることになった。（2）時間に関しても、参加者への負担を考慮するとオンラインで行うWSを2、3時間などの長時間実施することは難しかった。1時間程度の実施でも休憩をはさみながら、参加者が画面に注意を向けなければならない時間を減らす必要があった。（1）（2）で挙げたような場所や時間の制約を検討すると、（3）活動内容についても制限がかかる。芸術鑑賞のために歩き回ったり、キャンバスや絵の具を用意して、自由に絵を描いたりするといったことも難しい。パソコンやタブレットなどの画面に向かいながらでもできる鑑賞や表現の方法の範囲で、触発を引き起こす介入が求められた。

　虚体験WSは目を瞑って手元に簡単な表現の材料があればできるという点で、コロナ禍でも実施できる鑑賞と表現の触発WSとして画期的であった。そのため、2020年の夏から秋にかけて、以下に示すような教育デザインをベースに計4回実践を繰り返し、その教育デザインの効果検証と改善を繰り返して実践を進めた。

1-4　虚体験WSの効果を考える

　虚体験WSを通して参加者は何を感じたり考えたりしたのだろうか。本実践では参加者が虚体験WSのねらいである（1）参加者の触発を促す、（2）表現への抵抗感を和らげる、（3）自らのイマジネーションの多様さに気づくことが達成できていたかどうかを検討するため、全ての実践でそれらを問う調査を行った。オンラインWSでの調査であることから、全ての調査はGoogleFormなどのウェブ上で回答できるアンケートフォームを利用して行った。また、本実践は状況に応じて参加者がビデオ通話しながらインタラクティブに行うウェブ会議形式と、ファシリテーターと参加者代

表1-1　各実践の対象・実施形式

	実施対象				実施形式
	現場	人数	年齢（SD）	性別	
実践1	プレ実践として実施	4名	$M=25.0(0.0)$	男性2名	オンライン会議
実践2	オンラインコミュニティの講演の一部として実施	20名	$M=38.8(7.9)$	男性16名	オンラインセミナー
実践3	教育研究実践として実施	朝：6名 夕方：4名 夜：19名	朝：$M=36.6(9.7)$ 夕方：$M=45.0(15.4)$ 夜：$M=35.7(12.1)$	朝：男性1名 夕方：男性1名 夜：男性5名	朝・夕方：オンライン会議 夜：オンラインセミナー
実践4	大学の遠隔授業の一部として実施	17名	$M=20.8(1.6)$	男性2名	オンライン会議

表のみがビデオ表示してチャットのみでやりとりするセミナー形式で行ったため、それぞれの実践ごとにアンケートを行い、実践ごとの参加者の反応を検討した。実践は計4回行ったが、表1-1に示すように実践はそれぞれ目的が異なったため、それに応じて実践の効果を測定するための調査の内容も調整した。実践1は初めての虚体験WS実践であったため、実践手続きが（1）〜（3）の狙いを達成する上で妥当かどうかを検討することが目的であった。実践2は引き続き手続きの妥当性を検討するとともに、実践形式としてセミナーでも同様の効果が得られるかどうかを検討することを目的としていた。実践3・4は実践1・2から手続きの妥当性がある程度確認されていたため、より詳しく（1）〜（3）のWSの効果を検討することに焦点を当てた。そのため、調査項目を増やしたり、触発に関する質問項目もどの時点での触発体験なのかについて、質問の教示や調査のタイミングを調整しながら測定した。さらに、（2）（3）のようなねらいについても、質問紙の記述回答を丁寧に分析することで、その効果を検討することができた。

　以上の取り組みを通して、虚体験WSが実践目的を達成できていたかどうか、また、実践の目的を超えて、虚体験WSが参加者に与えた影響や、実践ではカバーしきれなかった限界についても述べる。

2　実践

2-1　ねらい

　本実践では絵画を見て、脳内に残ったイメージをもとに自由に想像を膨らませる虚体験を導く働きかけをする。それをもとにして、参加者にクレヨンと画用紙という極めてシンプルな表現材料で虚体験から生まれた自らの創造世界を表現する支援をするきっかけを与えることが本実践の目的である。このWSはオンラインでも実施可能な手続きであり、子どもから大人まで様々な対象に実施可能である。

2-2　実践概要

　2020年の間に大学生から大人まで幅広い年齢層を対象にして、複数の実践を行った。実践の概要を表1-1に示した。実践1は講師が所属する即興演劇の劇団の知人を対象に行った。実践2は講師が所属する企業の主催するオンラインコミュニティでの講演の一部として、ウェビナーと呼ばれるセミナー形式で開催した。実践3は1日のうちに3回、オンライン会議とオンラインセミナーの形式で開催し、実践4は大学の授業の一部としてオンライン会議で開催した。個人の触発体験の頻度や強度は創造活動や芸術活動経験に影響されることがわかっているが（Thrash & Elliot, 2004; 石黒・岡田、2018）、各実践の参加者の芸術表現活動や過去の活動経験は表1-2にまとめた。

　オンライン会議形式で開催する場合は、全ての参加者と作品を見せ合うためビデオ

表1-2　各実践参加者の芸術表現活動経験

	実践1 ($n=4$)	実践2 ($n=20$)	実践3 ($n=27$)	実践4 ($n=17$)
現在芸術表現活動をしている人（人数）	4	16	21	9
期間（平均値）	3.50	4.50	3.76	4.50
頻度（最頻値）	4.00	2.00	5.00	3.00
過去芸術表現活動をしていた人（人数）	-	11	23	14
期間（平均値）	-	3.73	4.00	3.14
頻度（最頻値）	-	3.00	4.00	5.00

注）期間はそれぞれ「1：1年未満」「2：1年以上3年未満」「3：3年以上5年未満」「4：5年以上8年未満」「5：8年以上」の5件法、頻度は「1：1年に数回」「2：1ヶ月に数回」「3：週に数回」「4：毎日」の4件法で回答を求めた。

をオンにして実施した。参加者のネットワーク回線への負荷を考慮して、オンライン会議の場合は定員を6名程度までにした。それ以上の人数で行う場合は、適宜ビデオをオフにして実施した。一方、オンラインセミナーの場合は、講師に加えて研究関係者が参加者代表としてビデオをオンにした状態で実践を行った。参加者は顔や作品を見せることはできなかったが、チャットを通して講師の問いかけに答えたり、反応したりすることができた。

2-3　実践手続き

実践は主に表1-3の手続きで進行した。参加者にはあらかじめ、画用紙数枚とクレヨン（色鉛筆でも可とした）を用意するように伝えていた。

表1-3　WSの大まかな流れと手続き

大まかな流れ	手続きの詳細
自己紹介 現在の気持ちを線で示す （ワーク1）	・ファシリテーター（以下Fとする）および、参加者が①WS中に呼ばれたい名前と②今の気分を1本の線で画用紙に描き、互いの状態を話して共有する。 ・まず、Fが呼ばれたい名前を紹介し、その日の気分に合う色を選び、1本の線を描く。その線を元に、Fが自分の状態を参加者に説明する。その後、参加者にも自分の気分に合う色を選んでもらい、一本線を描いてもらう。参加者それぞれがWS中に呼ばれたい名前と、今日の気分を、線を元に共有してもらう。
花畑の虚体験と花を描くワーク （ワーク2）	・Fが虚体験とは何かを説明した後、実際に虚体験を体験する。ミニワークとして、花畑から自分の好きな花を一輪摘んでくるワークを行う。ミニワークでは参加者に目を閉じてもらい、Fが花畑に関する語りを聞かせる。その後、Fが参加者に虚体験中に積んだ花の色は何色だったのか尋ね、参加者は積んできた花の色を共有する。そして、参加者にその花のイメージをクレヨンで描画してもらい、描いた花を紹介してもらった。 ・『（語りの内容）あなたは今、広い草原に立っています。足元には色とりどりの花が咲いています。足元の花をよく見てみてください。色や形、どんな花が咲いていますか。その中に、ふと目に留まった、お気に入りの花を見つけました。その花を少しかわいそうですが、摘んでみてください。積んだ花をよく見てみてください。あなたはその花のどんなところが気に入ったのでしょうか。その花は何色ですか。』 ・その後、Fは参加者がミニワークで「イメージして」と指示されなくても自然に想像できていたことを説明し、「自然発生的（spontaneous）」にイメージをすることについて説明する。その後、自然発生的な表現を楽しむというグランドルールと新しい方法で鑑賞と表現を楽しむという目的を説明する。
「ひまわり」鑑賞とオノマトペ表現 （絵画鑑賞）	・鑑賞する絵画『ひまわり』を参加者に見てもらい、どのような印象を持ったのかを「ギラギラ」「ピヨピヨ」などのオノマトペで表現してもらう。Fは参加者にオノマトペとそのオノマトペになった理由を尋ね、チャット上で共有してもらう。

「ひまわり」の虚体験鑑賞	・「ひまわり」の画像を 10 秒見てから、参加者に目を閉じてもらい「ひまわり」についての語りを聞かせる。そして、参加者に想像上の「ひまわり」の世界で花を一輪とり、匂いを嗅いだり、葉や花に触ってもらう。その後、F は参加者に「花を一輪とることはできたか」「どのような香りや手触りがしたか」を尋ね、参加者の虚体験の内容を共有する。 ・『（語りの内容）目の前に、ひまわりとひまわりの花瓶があります。近づいてみましょう。そーと手を伸ばして、花を一本とってみましょう。取れましたか？どうしても取れないひとは無理しないでくださいね。その花をよくみてください。匂いを嗅いでみましょう。花びら、葉っぱ，一つ一つ触ってみてください。触ることができましたか。』
花瓶の水に着目した「ひまわり」の虚体験と描画（ワーク3）	・「ひまわり」の画像を 10 秒見てから、参加者に目を閉じてもらった状態で「ひまわり」の花瓶とその中に入っているものについての語りを聞かせる。さらに、参加者に想像の世界で花瓶とその中に入っているものがどのように流れたかについてのイメージをクレヨンで描画するように指示する。 ・『（語りの内容）今、あなたの目の前には、花瓶があります。両手で持ってみると、ちゃぷんちゃぷんと、音が聞こえます。そーと花瓶を傾けて、中にあるものを流してみましょう。不思議と、花瓶から出るものは、途絶えることなく、出つづけています。それを流しているうちに、気づいたら辺りは夜になっていました。真っ暗で、花瓶から出てきたものが、どのように流れているのかみることができません。音だけが聞こえてきます。しばらくして、朝になりました。みなさんの花瓶から出てきたものは、どんな色ですか？また、どんな流れた跡ができていますか。』
まとめ	・参加者それぞれが描いた絵を画面上に一斉に出してもらい、作品を共有する。その後、F が参加者に、どのような虚体験が元になってこのような絵画が生まれたのかを尋ね、作品を紹介してもらう。最後に、WS 全体の感想を参加者に尋ね、感想を共有し合う。

③ 調査

3-1 調査の目的

　実践ごとに虚体験 WS の参加者の触発体験を調べる調査を行った。実践 1 は実践手続きによって参加者の触発体験を支援できるかどうかを検討することが目的だった。そのため、数名の参加者に触発体験を丁寧に記述してもらう質的な質問項目を中心に調査項目を設定した。実践 2 は実践 1 で手続きの妥当性が確認されたことを踏まえて、より多くの参加者が触発を経験できるかどうかを検討することが目的だった。実践 2 は一般成人が参加者として想定されたため、過去の触発研究（石黒・岡田、2017）で対象とした総合大学の学生が日常生活で経験する触発の程度と参加者の WS 中の触発体験を比較し、日常生活よりも強い程度の触発が経験できるかどうかを検討した。実践 3 はさらに参加者自身が普段の日常生活よりも強い程度の触発を経験できるかを検討するため、調査項目を調整した。最後に、実践 4 では参加者が WS 前と WS 中で触発の程度が高まったかどうか、またそれが一般成人や参加者自身の日常生活での触発体験よりも高いかどうかを検討するために調査項目を発展させた（表 1-4）。

3-2 調査手続き

　なお、参加者の触発体験を尋ねる質問項目は石黒・岡田（2017、2018）を踏まえて「インスピレーションを感じる」「わくわくする」「新しいイメージやアイデアが湧く」「何か表現したくなる」「実際に何かしてみたくなる」の 5 項目から構成され、「1：全くあてはまらない」〜「7：とてもあてはまる」の 7 件法で回答を求めた。参加者が

表1-4　各実践の問いと比較対象・調査デザイン

	問い	比較対象	調査 デザイン	触発測定
実践1	実践の手続きによって、参加者が触発を体験できるかどうかを確認する。	–	質問紙による量的・質的調査	WS中と鑑賞中
実践2	実践の手続きによって、多くの参加者が一般成人が日常で経験するよりも強い程度の触発を経験できるかを検討する。	一般成人の日常生活（一般ベースライン）での触発体験と参加者のWS中の触発体験	質問紙による量的・質的調査	WS中と鑑賞中
実践3	実践の手続きによって、多くの参加者が一般成人が日常で経験するよりも強い程度の触発を経験できるかを検討する。	一般成人の日常生活（一般ベースライン）、および、参加者の日常の触発体験（参加者ベースライン）とWS中の触発体験	質問紙による量的・質的調査	日常生活ベースライン、WS中、鑑賞中
実践4	実践の手続きによって、多くの参加者が日常で経験するよりも強い程度の触発を経験できるかを検討する。	一般成人の日常生活（一般ベースライン）、および、参加者の日常の触発体験（参加者ベースライン）とWS前とWS中の触発体験	質問紙による量的・質的調査（プレポストデザイン）	日常生活ベースライン、WS前、WS中、鑑賞中

日常生活で感じている触発経験については「あなたが普段の日常生活の中で体験することについて教えてください」、参加者がWS前に感じた触発については「あなたが本日のWSに参加する前の気持ちや状態について教えてください」、参加者がWS中に感じた触発については、「あなたが今回のWS中に体験したことに近いものを選択してください」、参加者が絵画鑑賞中に感じた触発については、絵画を画像で示した上で「以下に示す絵画についてWS中に感じたことに近いものを選択してください」と教示し、各質問項目への回答を求めた。

　さらに、参加者には触発体験の他に「あなた自身の芸術表現について、WSを通して考えや気持ちに変化はありましたか」という質問について「はい」「いいえ」で回答を求め、「はい」と回答した人には「芸術表現についての考えや気持ちの変化について詳しく教えてください」という教示をして、自由記述の回答を求めた。また、参加者の現在・過去の芸術表現活動の有無を尋ね、ある場合にはその活動期間と頻度についても回答を求めた。最後に、今回のWSについて「今回のWSを受けてみて、気付いたこと・感じたことを教えてください」「今回のWSで絵画鑑賞したときに、気付いたこと・感じたことを教えてください」という質問を任意で依頼した。

　表1-4はそれぞれの実践における調査の問いとそれを検討するための比較対象や調査デザイン、触発測定のタイミングを示した。

3-3　実践結果と考察

(1) 触発体験

　まず、全ての実践において参加者がWSのワーク中、あるいは、WSでの絵画鑑賞において、高い水準の触発を体験できたかどうかを検討した。この問いを検討する際

には、WSのワーク中・WS絵画鑑賞中の触発体験とどのような状況の触発体験と比較するかを考慮する必要がある。本研究では虚体験WSの開発段階や実践を行う場の状況に応じて、調査項目を調整した。具体的には、実践1は虚体験WSの手続きの妥当性を、参加者のWSのワーク中の様子を中心に検討することが主な目的であった。そのため、実践1ではWS後に参加者の感想を十分に聞くことを重視して、調査項目はWSのワーク中、およびWS中の絵画鑑賞中の触発体験を尋ねることにとどめた。また、実践2は引き続き虚体験WSの妥当性、および、それをセミナー形式で実施可能かどうかを検討することが主目的であった。また、実践2は別のオンラインセミナーの一部として実施したため、こちらの調査も実践1と同様に最低限の質問項目にとどめた。これらの実践1・2で尋ねたWSのワーク中・WS中の絵画鑑賞中の触発体験は、先行研究で100人以上の回答者から得た芸術非専門学生の日常生活での触発体験と比較した。この分析によって、実践1・2の参加者のWS中の触発体験が、芸術非専門の人が日常生活で経験する触発よりも高い水準にあったかどうかを確かめることができる。実践3は研究目的の実践として行ったため、実践1・2の質問項目に加えて、参加者が日常生活で経験する触発（ベースライン）に関する質問項目も加えた。そして、芸術非専門学生だけではなく参加者自身が日常生活で体験する触発よりもWS中に経験した触発の程度が高いかどうかを検討した。実践4ではそれらに加えて、WS前の触発に関する質問項目を加えた。そのため、実践4の参加者はWS中に芸術非専門学生や参加者自身が日常生活で体験する触発の程度（ベースライン）、そして、WS前と最中での触発体験の程度を比較検討することができた。全ての実践で参加者が回答した触発体験項目の記述統計、および、比較する指標（芸術非専門学生・参加

表1-5　各実践における触発

				芸術非専門学生との日常生活の触発体験との差		日常生活ベースラインの触発体験との差		参加者のWS参加前との差	
		M	SD	t	p	t	p	t	p
実践1	WSのワーク中	6.60	0.33	16.11	.001	-	-	-	-
	WS中の絵画鑑賞	5.35	1.39	1.99	.141	-	-	-	-
実践2	WSのワーク中	5.61	1.06	6.95	.000	-	-	-	-
	WS中の絵画鑑賞	4.90	1.54	2.70	.014	-	-	-	-
実践3	日常生活ベースライン	5.81	0.85	11.29	.000				
	WSのワーク中	5.59	1.09	7.72	.000	-1.21	0.24	-	-
	WS中の絵画鑑賞	4.83	1.34	3.32	.003	-2.83	0.028	-	-
実践4	日常生活ベースライン	4.61	1.14	2.31	.034	-	-	-	-
	WS前	4.33	1.52	0.97	.346	0.97	.346	-	-
	WSのワーク中	5.31	1.07	5.15	.000	-2.43	.027	-3.21	.005
	WS中の絵画鑑賞	5.53	1.11	5.79	.000	-3.82	.002	-4.35	.000

注）M：平均値、SD：標準偏差、t：t検定の統計量、p：有意確率

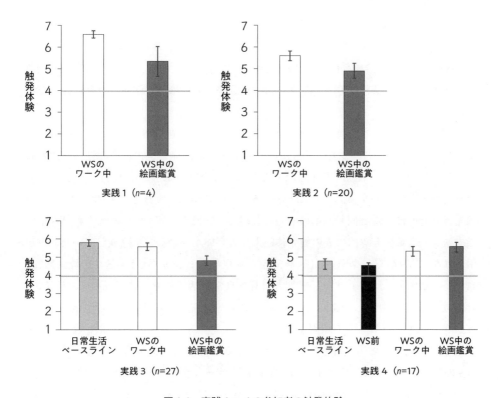

図 1-1　実践 1 〜 4 の参加者の触発体験

注）エラーバーは標準偏差、灰色横線は非芸術専門家の日常生活での触発体験の平均値（7 件法で 3.97）を示している。

者自身が日常生活で体験する触発、WS 参加前の触発）との対応のある t 検定で差を検討した結果を表 1-5、図 1-1、実践 1 〜 4 に示した。

■ 実践 1：実践 1 の参加者は 4 名と少人数であったが、芸術非専門学生の日常生活での触発体験（触発体験の数値 3.97）と参加者の WS のワーク中・WS 中の絵画鑑賞での触発体験の程度の違いを比較した。その結果、WS のワーク中の触発体験は芸術非専門の人の触発体験よりも高い水準の触発を経験していたことが示された（$t(3) = 16.11$、$p = .001$）。

■ 実践 2：実践 2 の参加者についても実践 1 と同様に芸術非専門学生の日常生活での触発体験（触発体験の数値 3.97）と参加者の WS のワーク中・WS 中の絵画鑑賞での触発体験の程度の違いを比較した。その結果、実践 2 の参加者は WS のワーク中も WS 中の絵画鑑賞でも芸術非専門の人の触発体験よりも高い水準の触発を経験していたことが示された（WS のワーク中：$t(19) = 6.95$, $p = .000$, WS 中の絵画鑑賞：$t(19) = 2.70$, $p = .014$）。

■ 実践 3：実践 3 の参加者については実践 1・2 の調査に加えて、参加者自身の日常生活での触発体験も含めて、WS のワーク中・WS 中の絵画鑑賞での触発体験の程度の違いを比較した。その結果、実践 3 の参加者は WS のワーク中も WS 中の絵

画鑑賞でも芸術非専門の人の触発体験よりも高い水準の触発を経験していたことが示された（WSのワーク中：$t(26) = 7.72$, $p = .000$, WS中の絵画鑑賞：$t(26) = 3.32$, $p = .003$）。しかし、参加者自身の日常生活での触発体験（ベースライン）と比較すると、WSのワーク中やWS中の絵画鑑賞における触発体験には違いがあったとは言えない結果であった。

■ **実践4**：実践4の参加者については実践1・2・3の調査に加えて、WS前の触発体験も含めて、WSのワーク中・WS中の絵画鑑賞での触発体験の程度の違いを比較した。これによって、WSに参加した人たちの触発体験の程度が、先行研究と比べて元々高かったか否かを検討することができる。その結果、実践4の参加者は、WS前は先行研究とほとんど同じ水準の触発を経験していたが、WSのワーク中もWS中の絵画鑑賞でも芸術非専門の人の触発体験よりも高い水準の触発を経験していたことが示された（WSのワーク中：$t(16) = 5.15$, $p = .000$, partial $\eta^2 = 0.37$WS中の絵画鑑賞：$t(16) = 5.79$, $p = .000$）。また、参加者自身の日常生活での触発体験（ベースライン）と比較すると、測定したタイミングの主効果が見られ（$F(3,48) = 9.35$, $p = .000$）、WSのワーク中やWS中の絵画鑑賞における触発体験は参加者の日常生活（ベースライン）と比較しても、WS前と比較しても高かった（日常生活ベースライン——WSのワーク中：$t(16) = -2.43$, ns; 日常生活ベースライン——WS中の絵画鑑賞：$t(16) = -3.82$, $p = .008$, $d = -.61$; WS前——WSのワーク中：$t(16) = -3.21$, $p = .022$, $d = -.72$; WS前——WS中の絵画鑑賞：$t(16) = -4.35$, $p = .003$, $d = -.88$）。

以上の4つの実践結果から、虚体験WSではWSのワーク中あるいはWS中の絵画鑑賞において、芸術非専門の人や参加者の普段の日常生活では体験しにくい高い水準の触発が体験されていたと言える。また、WS前後で触発は高まったと考えられる。

(2) WS で得られた参加者の変化

触発以外にも、参加者には虚体験WSで芸術表現や鑑賞について考えの変化や、感じたことを質問紙調査の記述欄に任意に記入してもらった。実践1では参加者4名中2名、実践2では20名中18名、実践3では27名中27名、実践4では18名中16名が任意回答の記述欄に表にまとめた記述内容を回答した。また、WSを通して芸術表現についての変化があったと回答した人数は実践2では16名、実践3では24名、実践4では16名と、ほとんどの参加者が変化を感じていたことがわかった（表1-6）。

また表1-6に示すのは本WSのねらいを参考にしながら作成した参加者の記述内容を分類するカテゴリである。表1-6に示すように、参加者は本実践で虚体験という新しい鑑賞法を体験したこと、WS中の鑑賞で体験した自分のイマジネーションの展開や多様性など「鑑賞」に関して、以下のような記述をしていた。

「鑑賞の新しい形を体感して、新鮮な気持ちになった。」
「絵画を出発点として自分の想像を広げていくということが普段はしないことだったので興味深かったです。普段五感を使ったワークを行っているため、絵画

表 1-6　実践ごとの参加者の感想内容

	カテゴリ	カテゴリ定義	実践 1 (n=4)	実践 2 (n=20)	実践 3 (n=27)	実践 4 (n=17)
鑑賞	新しい鑑賞法としての虚体験の面白さ	虚体験による鑑賞が普段の鑑賞やこれまで経験した鑑賞法とは違うことに気づき、それを肯定的に捉える記述	0	6	10	2
	鑑賞におけるイマジネーションの自由さ	鑑賞中のイマジネーションが意図した以上に展開していくことへの気づきや驚きの記述	0	4	0	1
	五感や記憶・知識によるイマジネーションの変化	鑑賞中に体験したイマジネーションが五感や記憶、経験によって多様に変化することについての記述	1	1	12	3
想像	参加者それぞれの想像の多様さ	イマジネーションが参加者個人によって全く異なり、多様性の源泉になることについての記述	0	2	2	7
	想像を表現する楽しさ	イマジネーションを絵画や作品に表現することの楽しさについての記述	1	3	2	2
	イマジネーションの難しさ	イマジネーションを生成することの難しさについての記述	0	0	4	0
触発	触発	WS や鑑賞を通して、何か作品を作ったり表現をする動機づけが得られたことの記述	1	3	4	2
その他	作品解釈に対する検閲や表現への抵抗感の緩和	作品解釈や表現を他者に伝える前に自分で制限してしまっていることへの気づき	1	0	1	3
	上記のカテゴリにあてはまる内容を任意回答の質問に記入した人数		2	18	27	16
	芸術表現についての考えの変化があったと回答した人数		-	16	24	16

×五感のワークも楽しそうと思いました。」

　また、想像が参加者ごとに様々であることや、想像が表現につながる面白さなど「想像」に関しても以下のような回答が得られた。

　　「『想像してください』と言われなくても、自然と言われていないこと（花の色など）を想像していることに気づきました。」
　　「自分には創造力があまりないと思っていましたが、他の人とは違う発想もできることに気づけました。感じる事が多種多様で聞いていて面白かったです。」
　　「頭で考えてひねりだすよりも思ったままを出していくことの楽しさを感じた。」

　他にも WS やそこでの鑑賞を通して何かを作りたいという動機づけが沸き上がったという「触発」に関しては、以下のような回答が得られた。

　　「ゴッホの絵そのものからはあまりインスパイアされなかったのですが、そこから目を閉じて声かけを聞きながら虚体験の体験を始めて想像していくところからとても楽しく、いろんなイメージが頭の中に浮かびました。」
　　「久しぶりにものを作りたいという気持ちになった。（ずっとアクセ（著者注：ア

クセサリー）づくりを休んでいたけど、キラキラしたものを作りたくなった）。」

さらに、「作品解釈に関する検閲や表現への抵抗感の緩和」についても以下のような記述が得られた。

「自分には創造力があまりないと思っていましたが、他の人とは違う発想もできることに気づけました。」
「絵が上手ではないので人に見せる恥ずかしさがありましたが、そのような気持ちが以前よりなくなりました。」

実践ごとに参加人数や参加者の年齢層も異なるため、実践ごとに各カテゴリに関する記述をした人数は異なるが、本実践を通して参加者の印象に残った体験は表1-6のカテゴリに示すような体験であったと考えられる。この結果を鑑みると、本実践のねらいは概ね達成できたと言えるだろう。

なお、表1-6から参加者の中には本実践の核の一つであるイマジネーションを生成することに難しさを感じたものも一定数いたことがわかる。

これらの回答はセミナー形式で行った実践の参加者に見られたことも特筆すべき結果である。本実践では、可能なかぎり参加者が自由に想像できる環境や教示を行ったが、セミナー形式の場合は参加者それぞれが実際にどのように虚体験をしているか、そこで感じた不安や抵抗感に丁寧に対応することが難しい。このような結果は今後実践を改善する上での検討事項であると言える。

4 まとめ

本実践研究を通して、虚体験WSは参加者の鑑賞による表現の触発を促す上で効果的であることが示された。また、参加者の自由記述の内容からも、虚体験WSによって参加者の表現に対する抵抗感が和らぎ、自分のイマジネーションが多様な創造につながる可能性を感じていたことがわかった。本実践はオンラインで1時間半程度という限られた環境・時間での取り組みであったが、目をつむって語りを聞くというシンプルな手続きで一貫して参加者の触発を促進することができた。今回紹介した手法は、美術や図工の授業、市民教室、あるいは、オンラインのアートWSでも気軽に実践できるだろう。実践の対象も子どもから大人まで幅広く楽しむことが可能であり、小学生向けにも実践を展開している。芸術活動経験が豊富な人ほど触発されやすいことが指摘されているが（Thrash & Elliot, 2003, 2004; 石黒・岡田, 2017）、本実践も芸術活動に取り組んでいる人の触発にもポジティブな影響を与えると考えられる。

ただし、本実践が特に効果を発揮するのは、創造への自己評価が低い人かもしれな

い。本実践で自然にイマジネーションを働かせ、それが参加者個人で異なるという経験は自らのイマジネーションの力を自覚する上で重要である。一方で、すでに創造への自己評価が高い人は触発を強く感じるかもしれないが、その先の表現や創造については WS の外で発展させていくことになる。そのため、より創造的な表現をするためには、本稿で紹介した虚体験 WS の手続きに加えて、イマジネーションをより創造的に展開していくために介入が必要である。今後は、対面での WS に虚体験の要素を取り入れながら、鑑賞から創造性を発揮するための触発体験をデザインすることも望まれる。

（著者・企画：石黒千晶(1)・夏川真里奈(2)　企画・実践担当：夏川真里奈
所属等：(1)聖心女子大学、(2)株式会社 MIMIGURI)

【引用文献】

Csikszentmihalyi, M. (1999). Implications of a systems perspective for the study of creativity. In R. J. Sternberg (Ed.), *Handbook of creativity* (pp. 313-335). Cambridge: Cambridge University Press.

Karakelle, S. (2009). Enhancing fluent and flexible thinking through the creative drama process. *Thinking Skills and Creativity, 4*, 124-129.

Kleinmintz, O. M., Goldstein, P., Mayseless, N., Abecasis, D., & Shamay-Tsoory, S. G. (2014). Expertise in musical improvisation and creativity: the mediation of idea evaluation. *PloS one, 9*(7), e101568. https://doi.org/10.1371/journal.pone.0101568

Lewis, C., & Lovatt, P. J. (2013). Breaking away from set patterns of thinking: Improvisation and divergent thinking. *Thinking Skills and Creativity, 9*, 46-58. https://doi.org/10.1016/j.tsc.2013.03.001

Sawyer, R. K. (2000). Improvisation and the creative process: Dewey, Collingwood, and the aesthetics of spontaneity. *The Journal of Aesthetics and Art Criticism, 58*, 149-161.

Thrash, T. M., & Elliot, A. J. (2003). Inspiration as a psychological construct. *Journal of Personality and Social Psychology, 84*, 871-889.

Thrash, T. M., & Elliot, A. J. (2004). Inspiration: Core characteristics, component processes, antecedents, and function. *Journal of Personality and Social Psychology, 87*, 957-973.

高尾 隆 (2006). インプロ教育：即興演劇は創造性を育てるか？ フィルムアート社

石黒千晶・岡田 猛 (2017). 芸術学習と外界や他者による触発：美術専攻・非専攻学生の比較　心理学研究, **88**, 442-451.

石黒千晶・岡田 猛 (2018). 絵画鑑賞はどのように表現への触発を促進するのか？　心理学研究, **90**, 21-31.

Column

1

虚体験ワークショップ

夏川真里奈（アートエデュケーター）

1

2

おしまい.

4

第2章

絵画を歩く
さんぽ鑑賞ワークショップ

1 はじめに

1-1 絵画を散歩する

　図 2-1 の絵画を見てほしい。絵画には何が描かれていただろうか。多くの人はまず女性が牛乳のような液体を注いでいることを読み取るだろう。他には何が描かれているだろうか。机の上にパンがある、左側に窓がある、など様々な要素が出てくる。一方、女性の足元に四角い物体が置かれていて、その付近の壁に不思議な模様が描かれているが、それらに気づく人は少ないかもしれない。周辺に描かれた要素の中には、一目絵画を見ただけでは気づくことができないものもある。「絵を見た」と一口に言っても、そこに描かれた全ての視覚情報を把握したわけではなく、絵画の中心になるような人物やモチーフが見えたらそれで満足している人も多い。絵画「鑑賞」というと、絵を見るための特別な行為のように聞こえるが、実際には目の前のコップやペットボトルを「見る」ときと、さほど変わらない見方で絵を見ていることも多いのかもしれない。

　本稿のワークショップでは、上述のような絵画鑑賞のあり方への問題意識をもとにして、第 2 著者が中心となって鑑賞プロセスを新しい方法で支援した。著者全員が共通して持っていた問題意識の一つは、鑑賞者が絵画に向き合う時間が短すぎることである。いかにして、絵画の鑑賞時間を長くするか。そして、鑑賞させられているのではなく、主体的に鑑賞している状態をいかに引き出すのか。この 2 つのミッションに焦点を当てて考案されたのが絵画を歩く散歩鑑賞ワークショップ（以下 WS と記述）である。この WS は Part 1 第 2 章で紹介した鑑賞支援の知覚と認知の両方に丁寧に支援するため、以下の手続きを取る。まず、現物より大きく絵画を印刷した大判のシート（防水シート）の上を歩くことで、半ば強制的に絵画の細部まで詳細に知覚できる環境を作る。そして、そこから生まれた解釈をさらに深めるために、鑑賞ノートに基づいて思考や認知を深める

図 2-1　ヨハネス・フェルメール
　　　　《牛乳を注ぐ女》（1657-1658）

支援をする。本稿ではこの散歩鑑賞が表現の触発に結びつくように、どのような狙いで WS の流れをデザインしたか、そして、そこで参加者が何を感じていたのかを検討する。

1-2　短すぎる絵画鑑賞

　美術館の来館者の鑑賞を調べた研究によると、来館者が 1 つの絵画の前で過ごす時間は平均数十秒程度であることがわかっている（e.g., Smith & Smith, 2001; Smith, Smith, & Tinio, 2017）。Smith & Smith（2001）では MoMA 来館者の鑑賞時間は平均 27.2 秒で、15 年後の Smith et al.（2017）の研究でもほとんど変わらず平均 28.6 秒だったと報告されている。鑑賞に関する心理学研究では、美術作品を鑑賞して作品の知覚処理から作品タイプや描かれた内容を把握するまでは 100 ミリ秒から 6 ～ 8 秒かかり、さらに美術として、あるいは、自分にとっての意味を解釈するまでの高度な認知処理には 40 秒から 1 分ほど必要だと言われる（Pelowski et al., 2017）。これらの知見を踏まえると、多くの人が美術館で経験するような数十秒に満たない短い時間の鑑賞では、美術的な解釈や自分にとっての価値を評価するような鑑賞に至っていないと思われる。美術館（あるいはオンライン上）で芸術作品を短時間見るだけでは、たとえ高度な認知処理の段階に差し掛かったとしても、自分の考えや価値観が変わったり、強い感情を体験したりするようなことは起こりにくいのかもしれない。実際、第 2 著者の佐藤は鑑賞に関わる過去の実践の中で、参加者を 45 分間絵画鑑賞させる試みをしている。そうすると、多くの参加者は、まず絵画を見て、それに関して何かを考えたり想像したりする。しかし、10 分程度も作品に向き合っていると、鑑賞自体に飽きてしまったり、作品がわからなくなってしまい、一度鑑賞をやめてしまう。しかし、その後に自ら「問い」や「疑問」を持つきっかけが見つかり、再度思考や探索を始め、「問い」や「疑問」に対する気づきを得ることが多いという。

1-3　長時間の鑑賞のために必要なこと：その 1

　鑑賞を豊かにするための第一歩は長時間じっくり作品を鑑賞することである。しかし、数分も鑑賞すれば多くの人はネタ切れ状態になって飽きてしまう。いくらその絵画を見ても、もう新しい情報は取り出せないという心境になる。

　このようなネタ切れ状態を防ぐ上で、芸術家などの専門家の絵の見方が参考になる。人々が絵画を見ているときの視線を計測して、鑑賞時に注意が向く範囲を調べた研究がある。その結果、絵画を見るときの注意の向け方は美術に関する訓練を受けたかどうかといった美術経験の程度や内容で異なることがわかっている（e.g., Zangemeister, Sherman, & Stark, 1995; Vogt & Magnussen, 2005, 2007; Pihko et al., 2018）。この違いは人物や静物などの具体的なモチーフが描かれている作品を鑑賞するときに見られやすい（Vogt & Magnussen, 2005, 2007）。美術に関わる訓練を受けていない人の視線は絵画のモチーフが描かれた部分に集中する一方で、芸術家など美術の専門家や美術に関する訓練を受けている人の視線は画面全体を万遍なく覆う。つ

まり、美術専門家でない人は数十秒の鑑賞時間にモチーフばかりを見ているが、専門家は同じ時間で、絵画の全ての範囲にくまなく注意を向けている。ある写真家は鑑賞中に「どのように絵や写真を見ているのか」を尋ねられて、「画面全体を1ピクセルずつスキャンしているような感じだ」と述べていた。

　これらの知見を踏まえると、長く鑑賞するときのネタ切れを防ぐ方法の一つとして、絵画を隅々まで見ることができるような支援をすることが考えられる。特に具象絵画はキャンバスサイズが小さくても、数センチ角にモチーフの様々な情報が詰まっている。それらの情報をスキャンするように読み取るためには、どうすればいいだろうか。絵画が小さくてじっくり見ることができないのであれば、絵画自体を大きくしてしまえばいい。そのように考えて、このWSでは元々40cm四方程度の大きさの絵画を3m×3mほどの大きなシートに印刷した。そして、思い切って絵画の上を歩いて貰おうと考えた。参加者は大判に拡大印刷された絵画の上を歩くことで、作品のモチーフだけではなく、作品に描かれた様々な要素の細部から画料の塗り込み具合や保存状態まで、画面の隅々に渡って観察することができる。大判印刷された絵画を使うことで、実寸サイズでは数センチにも満たない領域を拡大し、そこに含まれる情報を最大限活用することが可能になるのである。

　ただし、大判印刷の絵画を使って単に注意を向ける範囲を広げるだけでは、作品解釈を深めることにまでは結びつかないかもしれない。大判印刷で作品の「知覚（見る）」範囲を広げるだけでは、そこで得るネタを増やしたにすぎない。その情報について主体的に考えさせるためには絵画鑑賞における「認知（考える）」プロセスも支援する必要がある。特に、本書のテーマである触発のためには、「考える」プロセスの中で、作品の情報を自分の表現や創造に結びつけるようなプロセスが重要な役割を果たす。そのため、「知覚（見る）」以降の「認知（考える）」プロセスについても、過去の鑑賞教育や研究知見を参考にしながら支援を加えた。

1-4　長時間の鑑賞のために必要なこと：その2

　主体的な鑑賞が苦手な人がよく言う言葉に「自分にはセンス（感性）がないから」というものがある。絵画鑑賞は高尚な行為で自分にはとてもできないと考えているのである。しかし、散歩鑑賞では絵画を物理的に自分の下に置いてしまう。野蛮に踏み荒らすわけではないが、おそるおそる自分と絵画との立ち位置を物理的に変えてみることで、鑑賞への心のハードルが低くなる。

(1) 問いや疑問を尋ねる

　それに加えて、具体的な教示に基づいて鑑賞中の思考を支援する。絵画を「知覚した（見た）」後に「感想」ではなく、鑑賞から沸き上がった疑問や問いを尋ねる。鑑賞プロセスでは知覚処理や作品に描かれているものが何か、表現技法を把握するベーシックな認知処理を終えると、美術や自分自身に関連付けた解釈が進むと言われている（e.g., Leder et al., 2004; Leder & Nadal, 2014; Pelowski et al., 2017）。特に、絵画

を鑑賞していても美術に関わることだけでなく、自分や自分の価値観を問いただすような過程を経て、実際に自分の価値観が変化するような場合、ひらめきや洞察、フローなどの感情的な反応を体験することもあるという（Pelowski et al., 2017）。実際、10分も鑑賞すれば頭に様々なことが思い浮かぶ。そして、それを文章などの形でアウトプットする中で思考が整理される。同時に、気付きや疑問を整理する中で美術作品の解釈が自分の価値観と結びつく。そして、それが次の「問いの生成」に結びつく形で統合される。

(2) 探索を促す

　次に、生成された問いを解決するために情報収集などの探索を促す。作品鑑賞をきっかけに生まれた問いや疑問を一人で思考して解決するのは簡単ではない。そのため、問題解決のための探索を促す支援として、作品解説や作家に関する書籍など「外的情報の収集（調査する）」が効いてくる。絵画を鑑賞していて沸き上がった問いや疑問は鑑賞者自身の価値観を反映していることが多いが、同時に、その作品の創作背景の情報がその問いや疑問を解き明かすヒントになることも期待できる。作品に関わる背景情報を知れば、その情報をもとに問いや疑問について考えることができる。もちろん、それでも自分の考えや価値観が変わるような問題解決は簡単に引き起こせるものではない。そのため、一人で調査結果をまとめて文章などの形でアウトプットするだけではなく、他者と対話するという過程も必要である。Visual Thinking Strategy（VTS: Housen, 2002; Yenawine, 2013）や対話型鑑賞のようにグループでの対話は鑑賞中の思考を深める上で有効であることが知られている。しかし、参加者個人の鑑賞中の思考を深めるという目的では、グループよりも1対1の対話の方が有効であることを、第二著者の佐藤は長年のWS実践の中で見いだしている。一人のパートナーとの対話では、多数の人に受け入れられるための会話をする必要がない。また、相手に自分の考えを言語化して説明することは、学習を深める効果があることが知られていることから（伊藤、2009）、作品の深い理解にも寄与するだろう。

(3) 表現や創造の場を用意する

　参加者は絵画鑑賞をきっかけとして頭の中に様々なアイデアや考えを巡らせる。最後に、そうした新しい考えやイメージは表現や創作の場を参加者に与え、形にすることを支援する。

　作品鑑賞から生まれた問い・疑問について考えるプロセスには、鑑賞者自身とその作品の作者とを比較するプロセスも含まれている。自分と他者との比較は触発を生み出す社会的比較の要件の一つであることから、このプロセスが鑑賞者自身の表現や創造を触発することが期待される（Ishiguro & Okada, 2021）。鑑賞者が作品鑑賞する中で浮かんだ問いが解決され、新しい考え・アイデアが触発される。そうなれば、鑑賞者もそれを何らかの形で表現したいと思うだろう。WSでは表現や創作の場を設定す

ることで、参加者のアイデアや考えを新しい表現に結びつける機会を提供できる。

1-5 散歩 WS の効果を検討する

　以上の要素を取り入れてデザインした散歩 WS を通して、参加者はどのように触発されるのだろうか。本実践では、参加者の鑑賞から表現の触発に至るプロセスを支援するために、大きく印刷された絵画の上を歩いたり、問いを立てながら絵画鑑賞したり、それを参加者同士で話し合ったりする機会を提供する。これらの支援の効果を検討するため、(1) WS 全体を通して参加者の鑑賞プロセスと触発体験がどのように変化したか、(2) WS のプログラムの中でどのセッションで触発を経験していたかをWS 前後の質問紙調査によって検討する。そうすることで、散歩 WS 全体の鑑賞・触発体験への効果を理解することが可能になる。

② 実践

2-1 ねらい

　拡大印刷された絵画作品を絨毯の上を歩くように歩き回りながら鑑賞するプログラムでは、普段の鑑賞とは異なる体験を提供する。具体的には、それぞれの参加者に絵画鑑賞の中で問いを設定するように促し、そのための資料や、外化や対話の機会を提供する。さらに、そこで生じたアイデアや考えを表現する場を設定する。その一連のワークを通して、表現を触発するような鑑賞体験を促す。

2-2 実践概要

　2019 年 1 月 25 日に午後 13 時から 16 時まで 3 時間のワークショップを東京大学本郷キャンパスにおいて実施した。東京大学内での募集、および、一般募集によって大学生から一般成人まで 8 名の参加者を得た（男性 = 4 名、女性 4 名、年齢 $M = 26.83$、$SD = 5.19$、無記名回答 2 名）。

　鑑賞の題材になったのは、冒頭の図 2-1 にも示したヨハネス・フェルメールの《牛乳を注ぐ女》である。この作品はアムステルダム国立美術館に展示されており、オンラインのライクスミュージアム（Rijksmuseum）が収蔵するパブリックドメインの作品である。本実践では、この作品を3000mm × 3700mm の大きさに拡大印刷して、図 2-2 にように教室に 2 枚配置して、3 ～ 4 名の参加者がそれぞれの絵画の上を歩ける（散歩できる）ようにした。

図 2-2　絵画の上を散歩する様子（筆者撮影）

2-3　実践手続き

　実践全体は表 2-1 に示すような手続きで実施した。WS を始める前に、参加者は『鑑賞ノート（以下ノート）』を渡された。このノートには WS の各セッションで用いる自由記入欄が印刷されており、参加者は講師の指示に従って、1 ページずつノートをめくって使用し、指示の前に次のページを開かないように教示された。

表 2-1　WS の手続き

	セッション	時間配分	手続き
1	よく見る	15分	参加者は靴を脱いで絵の上に上がり、全員で絵の上を歩いてから 5 分間絵の上から出ずに鑑賞した。その際に、作品で注目した部分に印をつけて、感じたこと考えたことをノートに書きだした。その後、さらに自由な位置に移動して 10 分間鑑賞を続けた。
2	見て考える	10分	セッション 1 を踏まえて、「気づきや発見」・「疑問」に注目し、この時点で興味深いと思った内容をノートに書きだした。
3	問いを立てる	5分	これまでの考えを整理して「問い」を一つ立て、ノートに書きだした。
4	言葉にする	20分	セッション 3 で立てた「問い」をペアのパートナーに伝えた。聞き手と話し手を交代しながら、パートナーとこれまでの鑑賞と思考の過程と問いを伝え合った。その際に、聞き手は自分の意見を言わないが、相槌をうったり、「なぜそう思ったんですか」「それはどういうことですか、もっと詳しく教えてください」などと相手の意見の根拠を求めたり、詳細や具体性を求める質問をできるというルールがあった（これは聞き手の傾聴を促すために、対話型鑑賞などの既存の鑑賞教育でも利用される方法）。参加者は各自 10 分ずつ相手に自分の問いを話した。
5	休憩	10分	私語や携帯電話の使用は制限された。休憩中は気分転換に外に出ることができた。
6	調査する	30分	「問い」を深める材料として資料が提供され、絵画の作者と題名、時代背景の基本情報、数種類の作品解説や関連書籍、フェルメールの他の作品を資料として閲覧することができた。その他にも、各自でスマートフォン等を使ってネット検索することも可能だった。さらに、原寸大の《牛乳を注ぐ女》の絵画作品の写真もイーゼルに置いて、閲覧可能にしていた。参加者はこれらの資料や情報を利用しながら、自分の「問い」についての考えを深めたり、「答え」を探したりした。なお、講師は参加者に対して、必ずしも「答え」を導き出すことが目的ではなく、資料に触れながら「問い」に対して可能性を広げることが重要であることを伝えた。また、資料の利用に際しては、すべての資料に目を通すことよりも、どの資料を選ぶのかを重視するよう参加者に伝えた。
7	創造する	20分	今回の鑑賞経験を題材にして、今後同様のプログラムの参加者に贈る「3つの言葉で作られた短文」を作品として制作した。短文は「努力 友情 勝利」や「私は　ごはんを　たべた」などの短い文章にすることもできた。ただし、短文の長さは 3 文字以上 20 文字以内で「フェルメール」という言葉は使用しないという制限があった。ノートでは自分の短文作品と、その制作意図を記入するように教示された。さらに、講師は参加者に、短文作品の内容には「気づきや発見」「問い」「調査の結果」を反映すると良いと伝え、制作プロセスで「調査」「鑑賞」「休憩」を行うこともできると伝えた。
8	ふたたび言葉にする	20分	パートナーと組んで、これまでの調査と作品制作について伝え合った。最後に、ノートを振り返りながらペアで聞き手と話し手の役割を交代しながら、今回のプログラム全体について自由に話し合い、その中で気付いたことがあればノートに記述した。
9	アンケート	10分	

③ 調査とその結果

3-1　調査の目的

　散歩 WS の効果を検討するため、（1）WS 全体を通して参加者の鑑賞プロセスと触発体験がどのように変化したか、（2）WS のプログラムの中でどのセッションで触発を経験していたかを WS 前後の質問紙調査によって検討した。

3-2　調査手続き

　WS の開始前（WS 前）、終了後（WS 後）の 2 時点で複数の項目から成る質問紙調査を行った。石黒・岡田（2018）は、鑑賞による表現の触発には、鑑賞過程において他者作品を評価する態度、自分と他者の表現を比較する態度、そして、表現の自己評価の高さが関与していることを示している。この知見を踏まえて、WS 前後の質問紙項目には触発体験、鑑賞過程、表現への自己評価という 3 つの心理尺度を組み込んだ。

(1) 触発体験の測定

　参加者の触発体験を尋ねる質問項目は「1. インスピレーション（触発）を感じる」、「2. わくわくする」、「3. 新しいイメージやアイデアが湧く」、「4. 何か表現したくなる」、「5. 実際に何かしてみたくなる」の 5 項目から構成された（石黒・岡田、2017, 2018）。まず、参加者の普段のベースラインとしての触発体験の程度を検討するため、日常生活と最近 1 週間で体験した触発の頻度と強度についてそれぞれ「1：全くなかった」～「7：とてもよくあった」、「1：全く強くなかった」～「7：とても強かった」の 7 件法で回答を求めた。さらに、WS 後の質問紙では「今回のワークショップで体験した触発（インスピレーション）」の強度・頻度について、同様の方法での回答を求めた。

　WS 前後での触発体験以外に、この WS で鑑賞した絵画からの触発についても回答を求めた。WS 前後の質問紙では、WS で鑑賞した画像を呈示した上で、「今フェルメールの《牛乳を注ぐ女》を見て、感じたインスピレーション（触発）」の強度を、先述した 7 件法で尋ねた。

　なお、触発やインスピレーションは多くの人にとって馴染みが少なく、曖昧な概念であることが推測される。そのため、触発に関する質問では毎回「ここでの触発（インスピレーション）は、他者の作品など外界の事物に刺激されて、新しいイメージやアイデアが呼び起こされたり、感情が動いたりモチベーションが高まったり、振り返り等の活動が引き起こされたりするようなプロセスとします」という定義を示した。

(2) 鑑賞過程の測定

　WS 前の質問紙では「今フェルメールの《牛乳を注ぐ女》を見て考えたことを教えてください」と教示し、WS 後の質問紙では「ワークショップを終えて、今フェルメールの《牛乳を注ぐ女》を見て考えたことを教えてください」と教示した後に、石黒・

岡田（2018）の他者作品鑑賞態度尺度 15 項目の質問に「1：全くそう思わない」〜「5：とてもそう思う」の5件法で回答を求めた。

(3) 表現への自己評価の測定

WS 前後の質問紙で「あなたの今の芸術表現に対する考えを教えてください」と教示し、石黒・岡田（2018）の表現への自己評価尺度6項目の質問に「1：全くそう思わない」〜「5：とてもそう思う」の5件法で回答を求めた。

(4) WS のセッションごとの触発

WS のセッションごとで参加者の触発体験がどのように変化したかを検討するため、WS 後の質問紙調査ではワークショップの各セッションで体験した触発（インスピレーション）について尋ねた。その際に、WS 前半のセッションとして「0：事前レクチャー」「1：よく見る」「2：見て考える」「3：問いを立てる」「4：言葉にする」、WS 後半セッションとして「5：休憩する」「6：調査する」「7：創造する」「8：ふたたび言葉にする」「9：まとめ」のそれぞれについて触発の頻度と強度を尋ねた。

さらに、ワークショップを振り返った時の参加者の気持ちや考えを尋ねる質問、最初に《牛乳を注ぐ女》を見たときと WS を通して鑑賞したときの違いを尋ねる質問、WS についての感想、参加者の美術活動経験を問う質問への回答を求めた。美術活動経験の質問項目は石黒・岡田（2018）を参考にして作成した。「1. 高校卒業後、美術創作に関わる授業（講座、ワークショップ）を何回受けたことがありますか」、「2. 高校卒業後、美術史に関わる授業（講座、ワークショップ）を何回受けたことがありますか」については、「0：全くない」、「1：1回」、「2：2回」、「3：3回」、「4：4回」、「5：5回」、「6：6回以上」の選択肢で尋ねた。「3. 平均どのくらいの頻度で、美術館を訪れますか」、「4. 平均どのくらいの頻度で、アートギャラリー（画廊など）を訪れますか」については、「0：ほとんど訪れない」、「1：1年に1回」、「2：半年に1回」、「3：2ヶ月に1回」、「4：1ヶ月に1回」、「5：1週間に1回」の選択肢で尋ねた。「5. 1週間に平均何時間程度、美術作品を作るのに使っていますか」、「6. 1週間に平均何時間程度、美術に関する出版物や記事（ウェブ上のものを含む）を読むのに使っていますか」、「7. 1週間に平均何時間程度、美術作品を鑑賞するのに使っていますか」については、「0：全く使わない」、「1：1時間」、「2：2時間」、「3：3時間」、「4：4時間」、「5：5時間」、「6：6時間以上」の選択肢で回答を求めた。

3-3　実践結果と考察

実験や調査では仮説に沿って量的分析の設計をするため、事前に参加者数も統計的仮説検定に耐える人数を収集する。しかし、本実践はチラシや DM で集客したため、想定していたよりも参加者数は少なく、事前に WS 前後で参加者が変化する度合い（効果量）についても予測することができなかった。そのため、以降の分析で参加者の触

表 2-2   日常生活や最近 1 週間と WS 中の触発体験

		日常生活		最近 1 週間		WS 中	
		M	*SD*	*M*	*SD*	*M*	*SD*
触発体験	頻度	5.73	0.77	5.28	0.83	5.85	0.86
	強度	5.48	0.76	5.18	1.02	5.90	0.98

表 2-3   WS 前後の鑑賞による触発体験

		WS 前鑑賞		WS 後鑑賞		*t* 検定		
		M	*SD*	*M*	*SD*	*t* 値	*p* 値	*d*
触発体験	強度	3.28	1.09	5.48	0.68	4.90	0.00	2.44

発体験などの変化を評価する際には、ポストホックな検定力分析を行った上で、十分な検定力（0.80 以上）がある場合にのみ統計的仮説検定を実施した。

(1) 触発体験の変化

　まず、参加者の日常生活や最近 1 週間の触発体験と WS 中の触発体験の頻度や強度に違いがあるかどうかを、時期を要因とする 1 要因被験者内分散分析によって検討した（表 2-2）。その結果、触発体験の頻度・強度はいずれも日常生活、最近 1 週間、WS 中の、三つの時期における違いは見られなかった（頻度：$F_{(2, 14)} = 2.80$, partial $\eta^2 = 0.29$, $p = 0.11$, 検定力 0.95; 強度：$F_{(2, 14)} = 2.82$, partial $\eta^2 = 0.29$, $p = 0.09$, 検定力 0.95）。一方で、WS 前後の鑑賞時の触発体験の強度は WS 前後で違いが見られ（$t_{(7)} = 4.90$, $d = 2.44$, $p = 0.00$, 検定力 1.00）、WS 前よりも WS 後の鑑賞時の触発体験の強度が高いことがわかった（表 2-3、図 2-3）。WS 前の作品鑑賞時には触発強度の平均値は 3.28 と日常生活や最近 1 週間よりも低いが、WS を通してその数値が上がっていた。この結果は、参加者は《牛乳を注ぐ女》を一人で鑑賞するだけではあまり触発されなかったが、本 WS の手続きを通して鑑賞した際に触発が促されたことを示唆している。

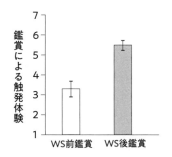

図 2-3   WS 前後の絵画鑑賞による触発
注）エラーバーは標準誤差を示す。

(2) 他者作品鑑賞態度の変化

　WS 前後の他者作品鑑賞態度を比較した。石黒・岡田（2018）に従って、15 項目の尺度得点から他者作品を評価する態度と、自分と他者との表現を比較する態度の得点を算出した（表 2-4、図 2-4）。その結果、他者作品を評価する態度と、自分と他者との表現を比較する態度の両方が WS 前後で高まった（他者作品を評価する態度：$t_{(7)} = 3.58$, $d = 2.09$, $p = 0.01$, 検定力 1.00; 自分と他者の表現を比較する態度：$t_{(7)} =$

表 2-4　WS 前後の他者作品鑑賞態度と表現への自己評価

		WS 前		WS 後		t 検定		
		M	SD	M	SD	t 値	p 値	d
他者作品鑑賞態度	他者作品を評価する鑑賞態度	3.77	0.47	4.17	0.37	3.58	0.01	2.09
	自分と他者の表現を比較する鑑賞態度	3.00	0.65	3.88	0.38	7.08	0.00	1.67
	表現への自己評価	3.19	0.75	3.52	0.65	-	-	-

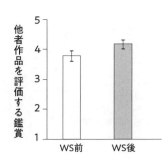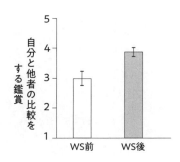

図 2-4　WS 前後の他者作品鑑賞態度
注）エラーバーは標準誤差を示す。

7.08, $d = 1.67$, $p = 0.00$, 検定力 0.98)。

(3) 表現への自己評価

　石黒・岡田（2018）に従って、WS 前後の表現への自己評価得点を算出し、WS 前後の表現への自己評価を比較した結果、平均値は WS 前より WS 後のほうが高かった（表 2-4）。検定力が 0.22 だったため統計的検定は避けた。

(4) WS のセッションと参加者の触発体験の変化

　以上の結果から、この WS の参加者は WS を通して自分の鑑賞態度を変容させ、《牛乳を注ぐ女》を鑑賞した時の触発体験が高まった可能性が示唆される。特に、それぞれの統計的検定の効果量を見ると、鑑賞態度や鑑賞による触発体験の変化は中程度から大きかったことがわかる。すなわち、他者作品を評価する鑑賞態度や自分と他者の表現を比較する鑑賞態度は WS を通して強まり、同時に鑑賞による触発体験もより強くなったと言える。実際に、参加者 8 名全員が、ワークショップを通して《牛乳を注ぐ女》の印象が変化したと回答していた。このことから、本 WS の手続きは絵画の印象を変えることができたと言える。

　これらの変化は WS の各セッションによってどのように変化したのだろうか。各セッションでの触発体験の頻度・強度得点を算出し、図 2-5 に示した。図 2-5 から、WS 参加前の触発の頻度・強度得点はともに中程度（4 点前後）だったが、ワークショップが進むにつれて両方の得点が高くなっていたことがわかる（休憩を除く）。この結果からも、本 WS の各ワークは参加者の触発体験を促進する上で有効に働いていた

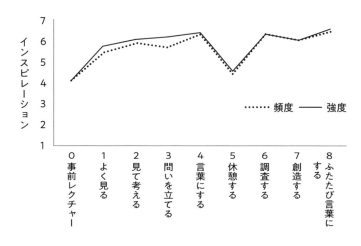

図2-5　セッションの進行と触発体験の変化

ことがわかる。

　具体的な手続きとして、絵の上を歩くという体験は重要な役割を果たしていたようである。実際に、参加者8名のうち4名が「絵をふむことに最初はためらいがあった。絵の鑑賞に関して体をもって理解できた気がする（ID8）」のように、絵の上を歩く体験が作品理解に影響したことを記述してくれた。

　さらに、問いや疑問を尋ねること・探索を促す支援も参加者の作品理解を促していた。参加者の一人（ID2）は、鑑賞前は「（《牛乳を注ぐ女》を）見たことはあるけど、よく知らない。どのように見れば楽しめるのかわからない」と答えていたが、ワークショップ後には「初めに『よく見る』『問いをたてる』ことで主体的に作品・作者の世界と関われるようになり、『調査』を通して自分の中に気づきを生むことができた。」と記述していた。こうした記述から、参加者は鑑賞と、自分の考えをノートに書いたり、他の参加者に話したりする表現を繰り返す中で作品理解を深めていたことがわかる。すなわち、本WSの問いや疑問を尋ねたり、探索を深めたりする支援は、参加者の作品理解を深める上で役立っていたことがわかる。特に、ID2の参加者は「絵画鑑賞を通した感動（能動的な）をほぼ初めてすることができた。とても充足していた。」と述べていたことから、鑑賞と表現を往還することが強い触発体験を導いていたことがわかる。

4 まとめ

　本研究を通して、本WSは参加者の鑑賞による表現の触発を効果的に支援できたことが示された。アンケート以外のデータでも、図2-6の写真のように、3時間という長丁場のWSの中で参加者の作品との向き合い方や立ち位置は変化していた。最

図2-6　様々な体勢で絵画と向き合う様子（筆者撮影）

初は恐る恐る絵画を踏んでいたのが、ある人は絵画の上に寝そべったり、またある人は椅子の上に立って絵画を俯瞰したり、またある人は踊るような足取りで絵画を歩くようになった。このような参加者の身体の姿勢や動きの変化は調査前に予想していたものではなかったが、参加者の絵画への向き合い方が変わっていったことを反映しているかもしれない。

　本WSでは、大判印刷された絵画の上を散歩するという特別な鑑賞方法を提案し、その中で「問いを立てる」「調査する」といったフェーズを設けることで、参加者の鑑賞と表現の往還するプロセスを丁寧に支援した点で特色がある。参加者は、これらの支援によって作品を主体的に解釈したり、参加者自身の問いを解決したりすることができた。もちろん、「問いを立てる」、「調査する」プロセスは時間がかかる上、参加者に認知的負荷がかかる。そのため、本WSの手続きのように途中に休憩を入れたり、パートナーとの1対1の対話で思考を整理したりすることも必要不可欠であったと考えられる。しかし、このワークを通して作品と丁寧に向き合う時間は、美術鑑賞そのものに対する態度を変容させ、実体験を通してその意義を理解するために有効であったと考えられる。今後、こうした支援方法を美術や図工の授業や美術館のワークショップに取り入れたり、美術に特に関心がある人やじっくり鑑賞してみたい人に提供したりすることが考えられる。

　なお、本章で紹介した実践では、東京大学の岡田猛研究室の関係者の中でワークショップ参加者を募った。今回の参加者は知的好奇心が高く、美術に興味が強かったと考えられ、それが長時間の鑑賞を可能にし、作品についての深い解釈が可能になったのかもしれない。それを考えると、美術館や学校教育の中での美術教育で、同様の実践をする場合には参加者の年齢や美術への関心度によって支援の仕方を調整する必要があるかもしれない。今後は、参加者に関する事前情報を集め、それによって実践デザインを変えるなどの取り組みが求められるだろう。

（著者・企画：石黒千晶（1）・佐藤悠（2）・岡田猛（3）　企画・実践担当：佐藤悠
所属等：（1）聖心女子大学、（2）アーティスト・鑑賞プログラマー、（3）東京大学）

【引用文献】

Housen, A. C.（2002）. Aesthetic thought, critical thinking and transfer. *Arts and Learning Research,* **18**, 2001-2002.

Ishiguro, C., & Okada, T.（2021）. How Does Art Viewing Inspires Creativity?. *The Journal of Creative Behavior,* **55**(2), 489-500.

Leder, H., & Nadal, M.（2014）. Ten years of a model of aesthetic appreciation and aesthetic judgments: The aesthetic episode— developments and challenges in empirical aesthetics. *British Journal of Psychology,* **105**, 443-464.　http://dx.doi.org/10.1111/bjop.12084

Leder, H., Belke, B., Oeberst, A., & Augustin, D.（2004）. A model of aesthetic appreciation and aesthetic judgments. *British Journal of Psychology,* **95**(Pt 4), 489-508.　http://dx.doi.org/10.1348/00071260423 69811

Pelowski, M., Markey, P. S., Forster, M., Gerger, G., & Leder, H.（2017）. Move me, astonish me⋯ delight my eyes and brain: The Vienna integrated model of top-down and bottom-up processes in art perception（VIMAP）and corresponding affective, evaluative, and neurophysiological correlates. *Physics of Life Reviews,* **21**, 80-125.

Pihko, E., Virtanen, A., Saarinen, V. M., Pannasch, S., Hirvenkari, L., Tossavainen, T.,…. Hari, R.（2011）. Experiencing art: The influence of expertise and painting abstraction level. *Frontiers in Human Neuroscience,* **5**, 94.　http://dx.doi.org/10.3389/fnhum.2011.00094

Smith, J. K., & Smith, L. F.（2001）. Spending time on art. *Empirical Studies of the Arts,* **19**, 229-236. http://dx.doi.org/10.2190/5MQM59JH-X21R-JN5J

Smith, L. F., Smith, J. K., & Tinio, P. P.（2017）. Time spent viewing art and reading labels. *Psychology of Aesthetics, Creativity, and the Arts,* **11**(1), 77.

Vogt, S., & Magnussen, S.（2005）. Hemispheric specialization and recognition memory for abstract and realistic pictures: A comparison of painters and laymen. *Brain and Cognition,* **58**, 324-333. http://dx.doi .org/10.1016/j.bandc.2005.03.003

Vogt, S., & Magnussen, S.（2007）. Expertise in pictorial perception: Eye-movement patterns and visual memory in artists and laymen. *Perception,* **36**, 91-100.　http://dx.doi.org/10.1068/p5262

Yenawine, P.（2013）. *Visual thinking strategies: Using art to deepen learning across school disciplines.* Harvard University Press.

Zangemeister, W. H., Sherman, K., & Stark, L.（1995）. Evidence for a global scanpath strategy in viewing abstract compared with realistic images. *Neuropsychologia,* **33**, 1009-1025.　http:// dx.doi.org/10.1016/ 0028-3932(95)00014-T

石黒千晶・岡田 猛（2017）. 芸術学習と外界や他者による触発：美術専攻・非専攻学生の比較　心理学研究, **88**, 442-451.

石黒千晶・岡田 猛（2018）. 絵画鑑賞はどのように表現への触発を促進するのか？　心理学研究, **90**, 21-31.

伊藤貴昭（2009）. 学習方略としての言語化の効果：目標達成モデルの提案　教育心理学研究, **57**, 237-251.

「さんぽ鑑賞」と私の鑑賞観

佐藤 悠（アーティスト・鑑賞プログラマー）

私はアーティストとして様々な活動をしながら、2018年ごろから美術鑑賞に興味を持ち、美術館や企業研修、教育機関などでたくさんのプログラムを実施しています。

「さんぽ鑑賞」は2019年に行ったもので、私が鑑賞プログラムを始めた初期のものです。鑑賞者が主体的に作品にアプローチするため、大きく引き伸ばした鑑賞作品の上を散歩するように歩くというイメージで作りました。

特に実施して印象的だったのは、大きな画面に向かうそれぞれの身体的アプローチが、鑑賞する視線を表出させることでした。絵の周りをぐるぐると回ったり、反対の方向から見てみたり、しゃがんだり、椅子の上に立って見たり、寝転んだり。

一般的な鑑賞では、人が作品のどこを見ているか把握することは難しいですが、「さんぽ鑑賞」だと、体勢そのものが視線として現れてくることが面白かったことを覚えています。体勢を豊かにして作品に向かう人は、そこから取り込む情報も豊かになるようでした。視線が体の動きとして現れることで、鑑賞中の他者の思考や視点を身体的にトレースする、ワークショップや実験も可能ではないかとも感じました。

踏み絵のように作品の上を歩いて行くことが特徴的な「さんぽ鑑賞」ですが、多人数ではなくペアでの対話のあり方であったり、数種類の資料を目的を持って探索したり、鑑賞の体験を表現としてアウトプットするワークなどもよく練られていて、その後の自分の鑑賞プログラムにも影響を与える発展性の高いものになりました。

身体的なワークを取り入れるプログラムとしては、鑑賞しながらドローイングを行い、その線を身体の動きで表現するものや、手話をきっかけに表現課題を行う鑑賞、瞑想やマインドフルネスの手法を取り入れて感覚を捉え直すワークなど、様々なプログラムを行いました。

思考と身体は繋がっていて、相互の刺激でさらに広がりが生まれると感じます。特に2020年から最近まではオンラインでの鑑賞が主になっていたので、離れた参加者同士がそれぞれの身体や存在を再認識することが、この環境下ならではの鑑賞を通した創造性を発揮する上でとても重要なポイントとなりました。

「さんぽ鑑賞」以降、表現課題をプログラムに課す

ことも増えました。絵やコラージュ、身体表現、詩のような言語表現、ラップのような押韻を伴う曲表現、絵と言葉で鑑賞作品をノートの中で表し記録する「鑑賞ノート」制作などがあります。

こういった趣向には、私自身がアーティストであることが関係していて、制作や表現を行う上で、観察や探索は大変重要で、インプットとアウトプットは切り離せないものとして捉えています。

鑑賞というとインプットの意識がまず思い浮かびますが、自分の解釈を立てて誰かに伝えたり、触発されて表現を行うような、鑑賞からのアウトプットにも意識を持つことを大切にしています。

デッサンなどでよく言われることですが、何かを描くことは、対象をよく見ることと一体だという考え方に若くから触れていたこともあって、表現と鑑賞、見ることと作ることは一つだという前提が自分の中にあります。それは一塊というより、同じ周回上の対岸にあるイメージで、どちらから進んでも必ず一方に行き当たり、進んでいくごとに両者を繰り返しながら発展していくものだと感じています。

また私はプログラムの参加者について、鑑賞のプロになってほしいのではなく、日常でアートに触れることを楽しめるようになってほしいと思っています。その中で、作品自体に興味を持ち、理解を深めることは必ずしも必要ではなく、むしろ他人が鑑賞する時の鑑賞態度や解釈に興味を持つことが重要だと考えています。例えば、自分の家族、パートナー、友人がこの作品を見たらどう感じるんだろうと興味を持つことが、プログラム後もアートに触れるモチベーションにつながるので、そういった誰かの鑑賞視点を楽しむ、「鑑賞の鑑賞」、メタな鑑賞感覚が残るようプログラムを考えています。

もう一点、これは様々な鑑賞体験に触れて感じたことですが、年齢や経験にかかわらず、すべての人はアートに対して自分の向き合い方、鑑賞の作法を持っていて、それは非常に多様であり豊かです。ファシリテーター側が正しい鑑賞のあり方を提示するのではなく、それぞれがすでに持っている作品への向き合い方を刺激して緩やかに紐解き共有し、こんな方法もあるのかも、そんな方法があったのか！ と場で受容し触発される鑑賞を目指しています。

例えば、作品を見た後、ペアになって対話をしても

らうことが多くありますが、発話者自身が些細なことだと思い込んでいることにこそ、他の人にとって心に残る内容があると感じているので、そういった発話が自然に出やすいよう、一対一での対話を行っています。

　話す側は一方的に話し、聞く側はひたすら受け入れるかたちで、発話を交互に行います。相手が無条件に自分を受け入れてくれるので、複数で話す時よりもブレーキをかけずに話しやすくなり、何を言っても受け入れてもらえる安心環境も自然に生まれます。

　このように、鑑賞プログラムの中では個々が持っているもの、個々のアートへの向き合い方そのものを、いかに生のままでそのまま外に取り出してもらえるかがとても重要になります。プログラムを行うことで、前へ前へ発展して進んでいくというよりは、むしろ自分の中に帰っていくような、戻る感覚を持ったプログラムが望ましいと私は思っています。

　プロセスを構築して段階的に刺激を与え、鑑賞者をある地点へ導いていくような鑑賞も一方では必要であると思いますが、また一方で、鑑賞の経験というのは、個々の中で整然と整理されているものではないとも感じられます。豊かな鑑賞をしていると感じられる鑑賞者ほど、その発話がよくわからないという時も多々あります。言葉にもできず、他人とどう共有していいか困惑するような状態、それ自体を

扱いながらプログラムを行うことが、次に見据える時点ではないかなと考えています。

　自分が作品であるような、作者であるような、他人のような、そして同時に自分自身でもあるような。すべてが渾然一体となった、鑑賞のあの時間をプログラムとして扱うことができれば、それはいったいどんな状態であるのか。そのことに今とても興味を持っています。

鑑賞は制作
鑑賞は距離
鑑賞は関係
鑑賞は矛盾

鑑賞とは、作品になること
鑑賞とは、作者になること
鑑賞とは、他者になること
鑑賞とは、自身になること

鑑賞とは、鑑賞されること
鑑賞とは、よくわからなくなること
鑑賞とは、進み、また戻り、変化を感じること
鑑賞とは、それぞれの中に、すでに完成していること

鑑賞とは、これらの不可能性と可能性を同時に語ること

第 **3** 章

「関わり合う」アート・ワークショップ
アート体験の可能性

1 はじめに

　アートは、人々の感情を動かし、イマジネーションや思考を刺激し、人と人とを結びつける。その作用は、アート表現の作品の中に局在するのではなく、その創作や鑑賞のプロセスの中にも色濃く含まれているのではないか。

　これが、本稿を執筆する際に執筆者らがまず抱いた考えである。筆者の1人である清水は、長期に渡ってストリートダンス、特にアクロバティック性が着目されることの多いブレイクダンスに長期間取り組むとともに、その科学的な検討を営んできた。一方で、美術、音楽、演劇など、他の芸術表現に関しては義務教育時以上の経験は持ち合わせていない。それにも関わらず、芸術表現の何かに強く惹かれ、心を囚われ、今も変わらずに、日々ダンス・音楽・絵画など、多様な芸術表現に関する研究やワークショップ実践に取り組んでいる。また、他の筆者も同様に、言語や絵画、俳句などの芸術の実践を積みながら、そのプロセスの解明や教育実践の開発に取り組んでいる。

　本稿では、冒頭に掲げた疑問に関する実証的な考察等を踏まえつつ企画・実施した、「他者との関わり合いに着目した芸術鑑賞ワークショップ」を紹介する。そして、上記ワークショップ（以降 WS と記載）において見られた参加者の様子とその変化を、可能な範囲で定性的・定量的に記述する。特に、冒頭に記した「アートの体験やそのプロセス自体の有する豊かさ・興味深さ」に焦点を当てつつ WS を紹介する。

2 アートの体験・過程の持つ可能性

　現代社会において、アートに対する興味・関心は強まっており、その社会的な意義が数多く考察され、実践が行われている（e.g., OECD, 2018; Root-Bernstein et al., 2008）。その代表的な例として、STEAM（Science, Technology, Engineering, Art, Mathematics）に関する教育実践（Perignat & Katz-Buonincon, 2018）や21世紀型

スキルに関する教育実践（Griffin & Care, 2014）を挙げることが出来よう。そこでは、21世紀以降の長期的な国際発展に必要な能力として、創造性や自ら探究を深める能力・姿勢が掲げられ、その育成のための実践が長期に渡って開発・実施されてきた。以上の関連実践は、特に芸術表現以外の教科の理解を深めることや創造性・批判的思考等のスキルを育成することを目指し、アートの体験をいかに活用出来るのか、という観点に焦点が当てられ営まれてきた貴重な試みである。一方で、そこで扱われているアート体験自体が、そもそもいかなる特徴を持つ過程なのか、その過程に主たる焦点を当てた枠組みは、まだ十分に構築・検証されているとは言い難い。本章では、アート過程の本質的な特徴に関し、科学的な議論を踏まえて考察し、それらを組み込んだWSを実施する。以上により、その過程の持つ可能性を探索的に抽出することを目指す。

　では、アートの体験の特徴として、いかなるものを挙げることが出来るであろうか。本稿では、アート体験の中の、「身体を介して、身の回りにある環境や他者と多様な形で関わり合いながら、今まで自分が有していたイメージ・理解・解釈を拡張する過程、そしてその経験を繰り返す過程」に着目したい。例えば、スイスの著名な画家であり、独特な表現スタイルを築き上げたパウル・クレー（Paul Klee）は、キャンバスにモチーフや風景を描いていく際の手の動き（モチーフの形に沿って描く手の動きなど）が、モチーフ・風景のイメージや理解を深める過程であることを主張していた。芸術は見えないものを見えるようにするという彼の主張（Klee, 1961）は、その過程を端的に表した言説とも捉えられる。また、熟達した水墨画家の制作過程に関するフィールドワークでは、襖に絵を描く前に、宙に思い描くイメージを描画する、いわゆる空書を画家が行う様子、そして、空書で得た視覚的な軌跡や体性感覚を通して描くイメージを広げていく様子が示唆されている（Yokochi & Okada, 2005）。さらに、エキスパートダンサーの創作過程に関するケーススタディでは、ダンサーが自ら思い描いたイメージをもとに実際に動き、その時に得られる予想外の知覚情報（触覚や体性感覚など）に着目することでイメージを広げていく様子が確認された。また、身体運動によるイメージの実施を制限した状況では、イメージの拡張が相対的に生じづらいことをモーションキャプチャーシステム等も利用し示している（Shimizu, Hirashima, & Okada, 2019）。以上の逸話や研究は、芸術創作において、身体を介して環境と多様な形で関わる過程が活発に営まれており、その営みを通して創作者が環境に対するイメージや理解を深める過程（Embodied Imagination, Shimizu, & Okada, 2022）が存在することを示すと考えられる。

　また、（意識の上の）顕在的過程、もしくは（意識に上がらない）潜在的な過程での、他者との多様な関わり合いを通して、表現に大きな変化が生じる様子や新たな着眼点が生成される様子も、芸術表現においては示唆されている。例えば、複数人でのダンスパフォーマンスでは、ダンサー同士が互いに影響を与え合いリズム運動を意図せずに協調させること、その協調の様相が文脈や時間経過に応じ動的に変わっていくことが定量的な検討で示唆されている（Shimizu & Okada, 2021）。また、絵画の創作場

面においても、他のアーティストの描いた作品と模写等の営みを通してじっくり関わり合うことで、他者のモチーフの捉え方や描き方に関する深い理解が生じること、その捉え方と自身の捉え方とを統合する形で、新たな捉え方・描き方が触発されること（inspiration）（Okada & Ishibashi, 2017）、そして、その背後には他者の創作と自分の創作の過程を比較するデュアル・フォーカス（dual focus）が含まれること（Ishiguro & Okada, 2021）が示されている。

　そして、アーティストは、物理的・社会的環境と潜在・顕在双方を含んだ多様な形で活発に関わり合い、それらのイメージや解釈を拡張する過程を長期に渡って繰り返し蓄積する探索過程を通し、独自の表現スタイルやコンセプト、ビジョンを構築し、創造的に熟達していくことが指摘されている（Shimizu & Okada, 2018; 高木・横地・岡田, 2013; 横地・岡田, 2007; Yokochi & Okada, 2021）。著者らは、アートの体験・過程において顕著に経験される上記の過程と、その長期的・継続的な蓄積に着目し、長期的な創造性育成の枠組みとして Creativity Dynamics を提案した（図 3-1、Shimizu, Yomogida, Wang, & Okada, 2021）。それは、近年提案・再構築されつつある、創造性やアーティストの活動を身体―他者―環境間の相互作用を含んだ包括的活動として捉えるアプローチとも整合性の高いものである（e.g., Botella, 2013; Glaveanu, 2013）。

　上記の枠組みは、基本的に長期に渡って何かしらの創作に職業的に携わるアーティストやクリエイターの体験に基づき構築したものである。一方で、提案した過程、すなわち周囲の物理的・社会的環境と多様な形で活発に関わり合い、それらのイメージや解釈を拡張する過程は、職業的に芸術創作や創造活動に携わってはいない人々、例えば日々の生活の中でのちょっとした工夫や創造を行っている人々（趣味としてDIY、料理、映像制作、写真投稿を営む人々）や、以上の活動に自覚的には取り組ん

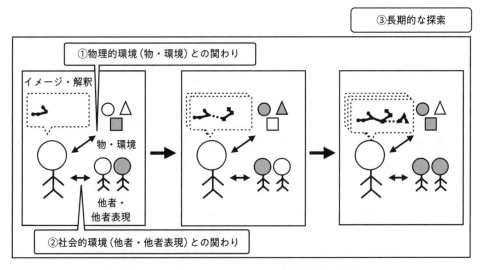

図 3-1　Creativity Dynamics による創造性育成の枠組み

でいない人々にとっても、重要な経験をもたらすと考えられよう。私達は、日々の生活を営む中で身の回りに存在し関わり合っているものや他者といった物理的・社会的環境に対して、つい一元的な捉え方で理解してしまったり、明確に意識に上げて考えようとはしなかったりする。例えば、コップは飲み物を入れて運搬するための道具と捉えられることが多いと考えられる一方、太陽光や電灯の光を屈折させるガラス素材であったり、キーンと特殊な音を発したり音を反響する素材、つるつるとその滑らかな感触を楽しむ素材として捉えられることは多くない。また、他者についても、自分にとって着目しやすい特定の属性やイメージ（例えば、外見、職業、自分との関係性）に基づいた固定的な理解をし、その他の属性や個別の背景等には十分に推測を巡らさない場合も多いのではないだろうか。そのような状況において、身体を介して、身の回りにある環境や他者と多様な形で関わり合いながら、今まで自分が有していたイメージ・理解・解釈を拡張するアートの体験は、物理的・社会的環境の異なる側面に着目する機会や異なる解釈を生成する機会、そしてそれらを継続的に更新する機会を提供することに繋がりうる。また、上記のアートの体験を通して、物理的・社会的環境と様々な形で関わり合う多様な方法を身につけることや、そのように関わり合うことに関する重要性を実感し、より開放的・多元的に物理的・社会的環境と関わろうとする動機づけが強まる可能性も推測される。以上の変化は、物理的・社会的環境と継続的・主体的に多様な形で関わり合っていく上でも有効に機能すると考えられる。

　このような過程は、伝統的な教科教育や科学教育で目指されるような、ある特定の知識や解釈を学習していく過程とは、目指す目標が異なると考えられよう。物理的・社会的環境と様々な形で関わり合いながら、それらのイメージや解釈を長期的・継続的に更新し続ける体験は、自身の人生や他者の人生を考えながら自身の有する特徴や生き方について考えていくアイデンティティの形成過程（杉村、1998）とも結びつきうる、重要な体験になると考えられる。

　また、上記で提案したアートの体験が持つ意義は、近年着目されている Arts-Based Research に関する議論とも関係しうる。Arts-Based Research においては、アートとの多様な結びつきを取り入れた研究活動を試みている（Borgdorff, 2012）。中でも近年では、アートの実践過程、すなわちアーティストにとって重要な問いを身体と環境との関わりを伴いながら常に更新し探り続ける過程自体に着目し、その実践を研究として捉える試みも行われている（Komatsu & Namai, 2022）。アートにおいて生じる体験を研究として捉えることの適切性については継続した議論が必要と考えられるが、何かしらの事象に関する問いを身体‒環境との関わりを伴いつつ更新し続けることの重要性に焦点を当てる点は、我々の提案とも関連すると考えられよう。

　以上述べたように、アートに顕著に見られる体験とその可能性を踏まえ、我々は、音楽づくりや美術創作・鑑賞などの領域で、身体行為と物理的・社会的環境との関わりを強調したアートの WS を企画し、そこで生じる参加者の学習や創造の過程について仔細な検討を行ってきた（e.g., Shimizu et al., 2021）。そのような試みの中で、本稿では特に、芸術鑑賞を取り上げた2つの WS に焦点を当てて紹介する。「鑑賞と対話」

をテーマとした WS と「鑑賞・対話・創作」をテーマとした WS である。これらの WS は、アーティストとしての表現活動と並行して絵画鑑賞 WS も数多く実施してきた佐藤悠氏に講師を依頼し、共同して企画・実施したものである。なお、以下の WS におけるデータは、Shimizu et al.(2021)において分析を行ったデータも部分的に含め、各 WS により焦点を当てて検討を行ったものである。

③ 「鑑賞と対話」をテーマとしたワークショップ

まず、1つ目の WS として、「鑑賞と対話」をテーマとした WS を紹介する（2020年5月12日に実施）。本 WS では、ある日本人アーティストの描いた3つの絵画について参加者が鑑賞し、その印象や観点を参加者内で活発に共有することで、絵画から自身が受けた印象・観点・解釈を拡張することを目指し実施している。主な参加者は、日本の企業に所属する企画・開発の担当者11名（男性8名、女性3名）であった。参加者は、創造性の長期的な育成・支援を目的とした大学–企業間の連携プロジェクトの一環として、本 WS に参加した。

WS のタイムラインは、表3-1に示す通りであった。まず、参加者は、①ウォームアップとして、例えば雨などの出来事を身体で表現するワークに取り組んだ。ここでは、オンライン会議システム Zoom（Zoom Inc.）のギャラリービュー画面機能（参加者全員分の画面が一覧として表示出来る機能）を利用し、参加者全員が一斉に身体表現

表 3-1 「鑑賞と対話」をテーマとした WS のタイムライン

時間（分）	内容
0〜20	①ウォームアップ（身体表現のワーク） 雨などの出来事を身体で表現する活動に取り組んだ。他の参加者のイメージや観点を知る面白さを体験した。
20〜30	②作品の鑑賞に関するレクチャー 絵画鑑賞のレクチャーを受けた。すぐ理解出来ない部分が重要で、考えを深めるきっかけになることが強調された。
30〜45	③作品の鑑賞 3つの作品の鑑賞を行った。一般的な作品鑑賞時間より長い5分間、各作品について丁寧に鑑賞を行った。
45〜50	④3つの作品に通じる問いの構築 3つの作品に通底すると考えられる問いを、各参加者が構築した。
50〜60	休憩
60〜100	⑤ペアにおける印象・問いの共有 作品への印象・問いをペアで共有した。話し手・聞き手に分かれ、聞き手は積極的に質問を行い、互いの印象・問いへの理解を深めた。
100〜110	⑥アーティストの解説の参照、自身の印象・問いとの比較 アーティストの作品解説を読み、自身の印象・問いと照らし合わせ作品理解を深めた。
110〜125	⑦印象・問いを表現するキーワード・短文の生成 印象・問いを表す3つの単語を考え、それらを繋げて問いを表す短い文章を作成した。

を実施することで、恥ずかしさを緩和し表現しやすい環境を作り行った（図3-2A）。また、自分の表現に加え、他の参加者の表現にも着目し、そのいくつかを模倣し合うことで、他の参加者のイメージや観点を知る面白さを感覚的に体験した。次に、②絵画作品の鑑賞の仕方に関して短いレクチャーを実施した。このレクチャーでは、自分がすぐには理解出来ない部分が重要であり、その部分が考えをより深めるきっかけとなることが強調して伝えられた（図3-2B）。そして、参加者は、③絵画作品の鑑賞に取り組んだ。ここでは、上述した3つの絵画について各5分ずつ鑑賞を行っている。美術館における来館者の鑑賞時間は、1つの絵に関し平均して1分未満であることが示唆されており（e.g., 川崎、1983; Smith, Smith, & Tinio, 2017）、以上と比較するとかなり長い時間丁寧に作品の鑑賞を行っていることになる。次に、④3つの絵画作品全体に通じると考えられる問いを、各参加者が構築した。ここでは、③で感じた各作品への印象を踏まえつつ、参加者は自らの問いを構築した。そして、参加者は、⑤ペアを作り、鑑賞した作品に関する上記の印象と問いを互いに共有した。各ペアは話し手と聞き手に分かれ、話し手が自身の感じた印象や問いを述べている間、聞き手は相手の印象や問いに関する質問を積極的に行い、それらに対する理解を深めていった（図3-2C）。その際、講師が前もって聞き手に対して、相手の印象や問いについてのより深い理解を目指すこと、そのために相手の印象や問いの背景を深く聞いていきつつ話し手とのやり取りを進めることを促した。以上の取り組みを20分間行った後に、話し手・聞き手を交換して同様の取り組みを同じペアで再度20分間行った。そして、

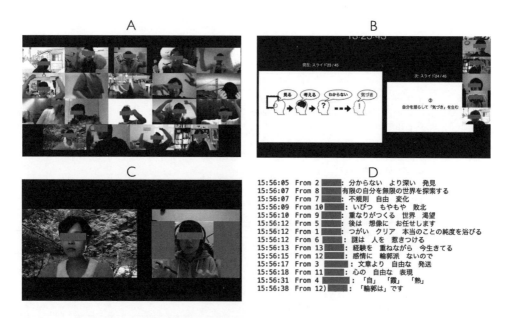

図3-2　A：ウォームアップにおいて参加者全員で雨を身体で表現している様子、B：鑑賞のレクチャーにおいて講師が説明を行う様子、C：ペアワークにおけるやり取りの様子。「絵画の見る順番によって印象が変わったのではないか」と聞き手（右側）が話し手（左側）に尋ねている、D：印象や問いを表す文章として共有されたチャット。

⑥３つの絵画作品に関するアーティストの解説を読み、自身の感じた印象や問いと照らし合わせつつ、作品の理解をさらに深めた。講師はここで、アーティスト自身の解説も作品のイメージや解釈の１つであり、他にも多様なイメージや解釈が存在しうること、自身の印象や問いとそれらのイメージや解釈との間の差異に興味を持つことが理解や解釈を深めるために重要であることを強調した。最後に、参加者は、⑦自身の印象や問いを表現する３つの単語を考え、それらの単語を繋げて問いを表す短い文章を作成した（図 3-2D）。

　当日の様子や記録映像を確認する限り、全体として、参加者が興味を持って活発にワークに参加している様子が伺われた。例えば、①のウォームアップにおいては、雨に関する身体表現について、自分と他者との身体表現の違いを面白がり、他者の表現を積極的に模倣する様子が伺われた。また、④の３つの絵画に通じる問いを考えるワークでは、各絵画への印象を１つずつ振り返りながら、参加者が問いを丁寧に構築する様子が見られている。さらに、⑤のペアワークにおいては、聞き手が話し手の印象や問いに関する質問を積極的に行いながら、それらの内容に強く興味を持つ様子が伺われた。また、その際に話し手が聞き手に質問されることにより、自分の抱いていた印象や問いについて、質問以前には考えていなかった側面に気づき、その過程を通して自身の問いを深める様子が伺われた。そして、最後の⑦の短文の作成においても、印象・問いを短いキーワードや文章など限定された形式で表現する中で、自らの印象や問いを構造化したり整理していく様子が伺われた。これらの結果から、本 WS で参加者は以下３つの体験をしていたと考えられる。A：ある特定の対象に対する自身のイメージや解釈について、スケッチ・構造化・文章化などの多様な方法を介して、何度も問い直し再構築したこと、B：他者の提示するイメージや解釈について、スケッチや言葉などの多様な方法を介して、深く理解していったこと、C：上記の他者とのやりとりや他者のイメージや解釈を理解することを通して、自身のイメージや解釈を深く問い直し、再解釈したことである。

　上記の WS 内の過程に加え、本 WS の前後で参加者に生じた変化についても定量的に検討した。ここでは、「創造性不安」（Daker et al., 2020）、「アートのイメージ・創作のイメージ」（縣・岡田、2010）、という２つの心理尺度を用い、WS 前後に参加者に回答してもらった。「創造性不安」尺度は、創造的な活動に取り組む際の不安を測定する尺度であり、アメリカの教育界で着目されている「数学不安」の尺度をモデルに作成されたものである。この尺度では、「1：創造活動に取り組むことに対する不安」と「2：創造性とは関係ない活動に取り組むことに対する不安（一般的な不安傾向）」という２つの因子を測定する。そして、１つ目の因子の変化と２つ目の因子の変化とを比較することで、創造活動に対する不安の変化を特定的に抽出する。また、「アートのイメージ・創作のイメージ」（縣・岡田、2010）は、アートや創作活動に対する価値づけの程度や難しいと思う印象の程度を測定するために開発された尺度である。アートのイメージについては、「1：アートの価値」と「2：アートの難しさの印象」という２つの因子を測定し、算出する。また、創作のイメージについては、「1：創作

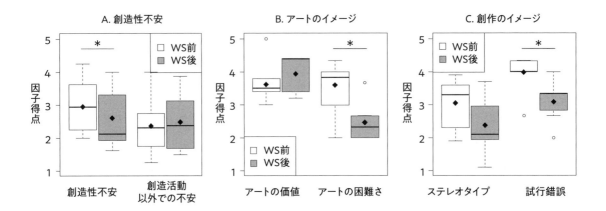

図 3-3 「鑑賞と対話」をテーマとした WS における参加者の変化。WS の参加前後における各尺度の得点を表している。各グラフにおける「黒塗りのひし形」が平均値を、「中央の黒い棒線」が中央値を、「グラフの下端・上端」が第一四分位点・第三四分位点を、「上下に伸びた黒い棒線」が最小値・最大値をそれぞれ表す。

に関するステレオタイプのイメージ」と「2：創作に関する試行錯誤のイメージ」の
2つの因子により測定・算出する。

　上記の尺度の因子得点が WS 前後でどのように変化したかを図 3-3 に示した。なお、以降の分析に関しては全て、各因子得点を目的変数、WS 前後という時点を固定変数、各参加者をランダム変数とした線形混合モデルにより検討を行った。まず、「創造性不安」に関しては、WS の実施前後において、1：創造活動に取り組むことに対する不安、のみ値が下がっている様子が図より窺われる（図 3-3A、coefficient: −0.36, t (10) = −2.63, p = .03, f = 0.07）。なお、創造性不安については、両 WS にて測定していたため、両データを合わせ、各 WS も固定変数として組み込んだモデルにより検討した（なお、WS 要因に関しては有意な係数が示されていない）。これは、本 WS の体験を通して、参加者の創造活動に取り組む不安が緩和されたことを示す結果と考えられる。次に、「アートのイメージ・創作のイメージ」に関しては、「アートのイメージ」について、2：アートの難しさの印象の値が下がったことが確認された（図 3-3B、coefficient: −1.29, t (15) = 3.33, p = .005, f = .69）。また、「創作のイメージ」に関して、2：創作に関する試行錯誤のイメージ、の値が下がったことが確認された（図 3-3C、coefficient: −1.39, t(15) = 4.70, p = .004, f = .75）。以上は、WS 体験を通して、参加者がアートや創作に対して持つ自分には難しくてわからないものだ、という印象が緩和されたことを示す結果と考えられよう。なお、本 WS は参加者が 11 名と限られており、有意性検定を行う上での十分な人数・検定力を有していないと考えられる。そのため、結果の一般化には慎重な検討が必要である。

　なお、WS 後に参加者が記入した感想において以下の記述が確認された。

・分からないことでも自分なりの答えを出し、表現することで気づきにつながることが学べた。

・同じ作品でも人によって鑑賞の方法が異なる点が面白かった。絵画に限らず、知らない物事でもじっくり見てみようと思うようになった。
・自分が見える感じるものがものすごく限られている、それで自分の中で決めつけることが危険、人の観点とその理由を聞き、別の角度から物事を観察、考えることが大事だと感じました。

　以上は、絵画から自身が受けた印象・観点・解釈を他者との関わりを通して拡張する、という本 WS の目的や上記の過程・変化が、実際に参加者に明確に認識される形で生じたことを示すものと考えられる。

4 「鑑賞・対話・創作」をテーマとしたワークショップ

　次に、2 つ目の WS として、「鑑賞・対話・創作」をテーマとした WS を実施した（2020 年 9 月 17 日に実施）。この WS では、参加者は、エドヴァルド・ムンク（Edvard Munch）の描いた絵画（「The Sick Child II」、図 3-4A）を鑑賞し、その印象や解釈を参加者内で共有して広げると共に、印象・解釈を結びつけながら絵画に影響を受けた 1 つの物語を創作した。以上は、自身が受けた印象や解釈を参加者間で互いに拡張

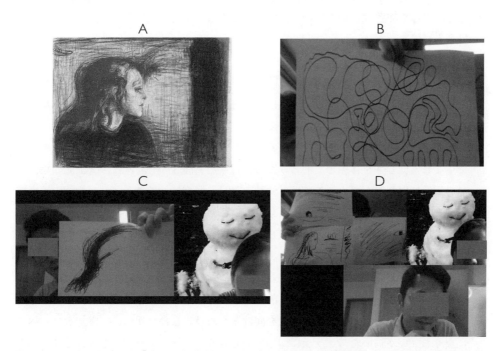

図 3-4　A：Edvard Munch「The Sick Child II」、B：ウォームアップ（線を引いていくワーク）における参加者の線画、C：ペアワークで参加者同士が印象に残った部分とそのスケッチを共有している様子、D：3 つのスケッチを見せている参加者とそれを見て他の参加者が物語を推測する様子。

表 3-2 「鑑賞・対話・創作」をテーマとした WS のタイムライン

時間（分）	内容
0 ～ 10	①ウォームアップ 白紙に線をランダムに引いていく活動に取り組んだ。自分の意図と異なる線や形が生まれる楽しさを体験した。
10 ～ 12	②作品の鑑賞 1 つの作品の鑑賞を行った。一般的な作品鑑賞時間より長い 2 分間丁寧に鑑賞を行った。
12 ～ 27	③作品の印象に残った 3 点のスケッチ 鑑賞時に印象に残った 3 点を取り上げ、それらのスケッチ（模写）を行った。手元を見ずに絵画を丁寧に見て行った。
27 ～ 43	④ペアにおける印象に残った点とスケッチの共有 互いのスケッチをペアで共有した。相手のスケッチを見た参加者側が質問を行う中で印象を共有した。
43 ～ 58	⑤絵画の背景の想像・スケッチ 作品に直接描かれていない背景を想像し、その想像の中の 3 点をスケッチとして描いた。
58 ～ 70	休憩
70 ～ 90	⑥⑤のスケッチの並び替えと物語の生成 3 点のスケッチの順番を並び替え、1 つの物語を創作した。元の作品との乖離は気にしないよう伝えた。
90 ～ 120	⑦グループにおけるスケッチと物語の共有 3 ～ 4 名のグループに分かれ、スケッチ・物語を共有した。スケッチを見た参加者数名が話し合い、物語を想像した。

し合うこと、そして印象や解釈を 1 つの物語として結びつけることで、作品を通して生じた気づきをより構造化された理解・解釈として深めることを目指して実施した（表 3-2）。主な参加者は、日本の企業に所属する企画・開発の担当者 8 名（男性 6 名、女性 2 名）であった。

　まず、参加者は、①ウォームアップとして、白紙に線をランダムに引くワークに取り組んだ。このワークでは、講師が「よしよし」と言う間は線を交差して引いてよく、一方で講師が「ダメダメ」と言う間は線を交差して引いてはいけない、というルールに基づき、参加者は線を引いていった。

　このワークは、自分の書こうとする意図と異なる線や形が、自身の手の動きを介して生まれる楽しさを体験してもらうために行った（図 3-4B）。次に、②上記の絵画作品の鑑賞に取り組んだ。ここでは 1 つ目の WS と同様に、参加者は、一般的な美術館での一作品あたりの平均鑑賞時間よりも長い 2 分間に渡って鑑賞に取り組んだ。そして、参加者は、③鑑賞した絵画に関して印象に残った 3 つの部分を取り上げ、それらの部分のスケッチ（模写）を行った。なお、講師より、スケッチの際、絵を描く用紙や手の動きを見ずに、絵画自体をじっと見ながらスケッチを行うように指示を受けた。これは、絵画を上手に写すことを目的とするのではなく、印象に残った部分をよく観察してその印象を深める営みに注意を向けるため設定した。次に、④参加者は、ペアになりお互いが描いたスケッチについて話し合うワークに取り組んだ（図 3-4C）。ここでは、スケッチを見せている参加者は、自らその説明を行うことは出来ず、スケッチを見た参加者の質問に回答する中で説明を語った。以上のワークを通して、印象に

残った部分やスケッチに関して、各自が有する多様な観点を参加者同士で共有した。そして、参加者は、⑤鑑賞した絵画の背後に存在する、絵には直接描かれていない背景を複数想像し、その中から３つを選び、それぞれをスケッチとして描いた。以上により、参加者は、④で共有した観点を踏まえつつ、元の絵画に関連する想像をさらに広げていった。さらに、⑥前のワーク（⑤）で作成した３つのスケッチを好きな順番に並び替えて１つの物語を創作した。ここでは、元の絵画とは乖離した物語になってもかまわないことを講師は説明した。最後に参加者は、⑦３～４名の数グループに分かれ、上記の物語順に並べた３つのスケッチを互いに共有した。なお、ここでは④のワークと同様に、物語の創作者がその内容を説明することはせず、他の数名の参加者が並べられたスケッチを見て議論しながら物語の内容を想像した（図3-4D）。創作者は、話し合いの様子を見聞きした上で最後に自身の創作した物語の内容を説明した。以上の取り組みを、各グループ内で役割を交代しつつ全員が行った。

　当日の様子や記録映像からは、参加者が興味を持って積極的にWSに参加する様子が伺われた。例えば、①の線を引くウォームアップでは、講師のかけ声に伴い、自分の意図しない線が引かれる過程を楽しんでいる様子が伺われた。また、④の印象に残った部分のスケッチをペア内で共有する中で、互いの印象の違いに驚きつつも、その理由や背景を聞いて納得する様子やその差異を楽しんで受け止めている様子が見られた。さらに、⑥の想像・作成したスケッチ３つを並べ替えながら物語を生み出すワークでは、３つのスケッチの順序を組み替えながら、④⑤で共有・想像した内容も踏まえつつ、どういう物語にするかを活発に考える様子が見られた。そして、⑦の物語をグループで共有する際には、他者が描いて並べた３つのスケッチを見つつ、そこに表現された物語を様々に想像しながら楽しく議論する様子や、その議論の様子や内容を見聞きしながら創作者自身が楽しむ様子が確認された。また、最後に創作者が物語を伝えた際、他の参加者からは「ああ、そうか」と納得することもあれば、「いや、それはわからないよ」と笑いながら創作者の物語と想像した物語との違いを楽しむ様子が見られた。その一方で、ある創作者は、「むしろ他の人達が話し合っていた物語の方が面白く、段々そのような話に見えてきた」と述べており、創作者自身の想像も豊かに広がる様子が伺われた。これらの結果は、２つ目のWSにおいても、１つ目と同様に、A：ある特定の対象に対する自身のイメージや解釈について、スケッチ・構造化・物語化などの多様な方法を介して、何度も問い直し再構築したこと、B：他者の提示するイメージや解釈について、スケッチや言葉などの多様な方法を介して、深く理解していったこと、C：上記の他者とのやりとりや他者のイメージや解釈の理解を通して、自身のイメージや解釈を深く問い直し再解釈したこと、を示すと考えられる。

　次に、参加者に生じた変化を定量的に検討した。２つ目のWSでは、「創造性不安」、「拡散的思考」（e.g., Torrance, 1962）、「他者への開放性」（c. f. Amabile, 1988）、という心理尺度と課題に関して、WS前後に参加者に回答してもらった。「拡散的思考」課題は、創造的な認知過程の代表的な側面としての多様な発想を生み出す能力を測定する尺度であり、知能心理学者のGuilfordによって最初に提案された（Guilford,

1950)。その提案以来、多様な関連課題が考案されてきたが、ここでは、Unusual Uses Test という、日常的な物の多様な使い道を出来るだけ多く挙げる課題を用いた (e.g., Torrance, 1962)。そして、そのテストで回答された使い道の数・種類数などにより、拡散的思考の能力を算出する。ここでは、まず新聞紙の使い道について出来るだけ多くのアイデアを挙げてもらい、そのアイデアの種類数（内容が重複していないアイデアの数）を数え上げた。そしてその種類数を WS 前と WS 後とで比較することにより、多様な発想を生み出す能力を測定した。また、「他者への開放性」は、異なる意見を持ちうる話題に関して、他者とどの程度会話を行いたいと思うか、その開放性の程度を測定する質問項目である。この項目は、パーソナリティーを測定する代表的な心理尺度群である Big Five（cf. 村上・村上、2017）内の、特に創造性との強い結びつきが主張されている「経験への開放性」尺度（Amabile, 1988）に基づき著者らが作成した。具体的には、「他者と興味を持っていない話題について会話を行いたいか」「他者と哲学的な話題について会話を行いたいか」「他者と異なる意見を持っている話題について会話を行いたいか」という 3 つの質問に、はい・いいえの選択肢により回答する。上記の質問に「はい」と回答した参加者数を数え、その全体参加者数中の割合を算出することで、他者と多様な意見を持ちうる話題について会話を行いたいと思う傾向を算出した。なお、「創造性不安」に関しては、3 節で説明したものと同一の心理尺度を用いた。

　各尺度・課題に関する WS 前後の値を図 3-5 に示す。まず、「創造性不安」に関しては、WS 前後において、「1：創造性不安」に関する値が下がっていた（図 3-5A、coefficient: -0.36, t (10) = -2.63, p = .03, f = 0.07。前述の通り「創造性不安」のみ両 WS のデータを合わせたモデルにより検討を行った）。これは、1 つ目の WS と同様に、2 つ目の WS 体験を通して、創造的な活動に取り組む参加者の不安が低減したことを示唆している。次に、「拡散的思考」に関しては、WS 後に挙げられた発想の種

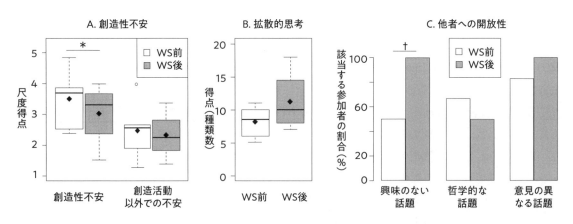

図 3-5　「鑑賞・対話・創作」をテーマとした WS における参加者の変化。WS の参加前後における各尺度・課題の得点を表している。各グラフにおける「黒塗りのひし形」が平均値を、「中央の黒い棒線」が中央値を、「グラフの下端・上端」が第一四分位点・第三四分位点を、「上下に伸びた黒い棒線」が最小値・最大値をそれぞれ表す。

類数が増加する様子が確認された（図 3-5B、coefficient: 0.88, t (3.81) = 2.12, p = .10, f = .08、統計的に有意な効果は示されていないが、大きな効果量が示されている、c.f., Cohen, 2013）。これらの結果から、参加者は WS を通して新聞紙など身の回りにある日常的な物事の多様な観点に着目してアイデアを生成する傾向が強まったと言えよう。そして、「他者への開放性」については、「他者と興味を持っていない話題について会話を行いたいか」「他者と異なる意見を持っている話題について会話を行いたいか」という 2 点について、はい・いいえと回答した参加者の割合に変化が生じていた（図 3-5C、 χ^2 (1) = 2.86, p = .09, h = 1.57; χ^2 (1) = 0.74, p = .39, h = 0.84、統計的に有意な傾向の影響もしくは大きな効果量が見られた）。以上の結果は、WS 体験を通して、自身が興味を持っていない話題や他者と意見が分かれるような話題について会話を行おうとする傾向が強まったことを示す結果と考えられよう。なお、本 WS も参加者が 8 名と限られており、有意性検定を行う際の十分な検定力を有さないと考えられ、結果の一般化には注意が必要である。

　また、WS 後に参加者が記入した感想において以下の記述等が確認された。

・人によってアウトプットが変わってくるところや、他の人の発想した結果の絵を見て、自分が見た印象と何が違うのだろうと想像を巡らせるところが面白かった。
・言葉では表現できない感覚的な意識の共有方法としての絵の使い方、また絵からも自分の意図しない感覚が伝わることが学べた。
・描く・アウトプットすることで見えてくるものが違うので、インプットするときも同時にアウトプットすると効果的だと感じられた。
・絵が上手でなくても、自分らしい線を描くワークやある絵に描かれたモチーフの展開などすれば、自分らしい絵を描けるのだと少し自信がついた。

　以上の感想は、前述した創造性不安の低減や拡散的思考の促進、他者への開放性の高まりといった変化を、実際に参加者自身も強く認識していたことを示している。

5 おわりに

　著者らは、これまでアート体験の持つ潜在的な可能性を探索的に検討することを目的とし、継続的に WS を実施してきた。特に、本節で取り上げた WS は、アート体験の「物理的・社会的環境と様々な形で関わり合いながら、それらのイメージや解釈を長期的・継続的に更新し続ける過程」を促進することを目指し企画したものである。その中で本稿では、絵画鑑賞を題材として取り上げ、WS 内で参加者がどのような体験をしたかを定性的・定量的に明らかにすることが出来た。

　まず、参加者の体験に関しては、1) 作品などの物理的環境としての「もの」と、

視覚的な認識やスケッチでの描画、言語化、物語化などの多様な方法を介して関わることで生まれるイメージや解釈の再構築、2）他者や他者の表現に対して多様な方法を介して深く関わることで生まれるイメージや解釈の再構築、3）物理的環境を他者のイメージや解釈を通して認識し直すことで生まれるイメージや解釈の再構築、が確認された。これらの体験によって、物理的環境に関する多様な捉え方の生成や、他者と多様な方法を通して関わり合うことの重要性の認識、アートや創作に対する不安や抵抗感の軽減と親しみが生じたと言えよう。1 節で述べたように、このような変化は、作品や他者といった物理的・社会的環境に対する多元的な捉え方・関わり方の醸成やその継続的な更新につながり、ひいてはアイデンティティの形成にも寄与すると思われる。その意味で、教育におけるアート体験の潜在的な可能性を示すものであろう。本稿の知見は、21 世紀以降の多様性や創造性を重視する教育課程やその具体的な内容を考えていく上でも重要な示唆をもたらすものであると、筆者らは考えている（e.g., OECD, 2018）。

　なお、1 節に述べた STEAM 教育においても、物理的・社会的環境と多様な方法を通して深く関わり合うアートの経験は貢献すると思われる。現在著者らは、東京大学教育学部附属中等学校におけるアートの教育実践を行っている（清水・蓬田・南澤・岡田、準備中）。そこでは、社会科の歴史授業を取り上げ、授業中に提示される歴史的な記録・記述（例えば、岩倉使節団の海外視察やハワイ移民など）について、俳句・美術鑑賞・演劇等の多様な方法を通して理解する STEAM 教育実践を開発している。その際、生徒達が教科内容を自分の感覚や経験と結び付け、その印象や解釈を教師や他の生徒と活発に共有し合うことで、多元的な観点から内容を理解・解釈していく授業を展開している。この試みは現在も継続中であり、教育効果についてはまだ十分には検討出来ていないが、授業中に生徒達の豊かな内的・身体的過程が生じ、教科内容の理解・解釈が多元的・主体的なものに変化する様子は、生徒達の記述や授業中の発言として確認されている。アートと人々の学びがいかに結びつきうるのか、その効果をいかに体系的に可視化・検討していくのかといった問いは、今後さらなる検討が必要な重要な問いであろう。我々は上述のような枠組みを用いて、この問いの答を実証的に検討していくつもりである。

（著者・企画：清水大地（1）・蓬田息吹（2）・王詩雋（2）・岡田猛（2）
企画・実践担当：佐藤悠（3）
所属等：(1) 神戸大学、(2) 東京大学、(3) アーティスト・鑑賞プログラマー)

［謝辞］今回の WS の開催・実施に関して多大なご協力をいただいたダイキン工業株式会社の皆様及び関係者の皆様に心より感謝申し上げます。

【引用文献】

縣 拓充・岡田 猛（2010）. 美術の創作活動に対するイメージが表現・鑑賞への動機づけに及ぼす影響

教育心理学研究, **58**, 438-451.

Amabile, T. M. (1988). A model of creativity and innovation in organizations. *Research in Organizational Behavior*, **10**, 123-167.

Borgdorff, H. (2012). *The conflict of the faculties. Perspectives on artistic research and academia.* Leiden University Press.

Botella, M., Glaveanu, V., Zenasni, F., Storme, M., Myszkowski, N., Wolff, M., & Lubart, T. (2013). How artists create: creative process and multivariate factors. *Learning and Individual Differences*, **26**, 161-170.

Cohen, J. (2013). *Statistical power analysis for the behavioral sciences.* Routledge.

Daker, R. J., Cortes, R. A., Lyons, I. M., & Green, A. E. (2020). Creativity anxiety: evidence for anxiety that is specific to creative thinking, from STEM to the arts. *Journal of Experimental Psychology: General*, **149**, 42.

Glăveanu, V. P. (2013). Rewriting the language of creativity: The five A's framework. *Review of General Psychology*, **17**, 69-81.

Griffin, P., & Care, E. (Eds.). (2014). *Assessment and teaching of 21st century skills: Methods and approach.* Springer.

Guilford, J. P. (1950). *Fundamental statistics in psychology and education.* McGraw-Hill College.

Ishiguro, C., & Okada, T. (2020). How does art viewing inspire creativity? *The Journal of Creative Behavior*, **55**, 489-500.

Klee, P. (1961). *Notebooks: Vol 1: The thinking eye.* Lund Humphries.

Komatsu, K., & Namai, R. (2022). Art= Research: Inquiry in creative practice. In K. Komatsu., K. Takagi, H. Ishhiguro., & T. Okada (Eds.), *Arts-based methods in education research in Japan* (pp.1-23). Brill.

村上宣寛・村上千恵子 (2017). 主要 5 因子性格検査ハンドブック三訂版：性格測定の基礎から主要 5 因子の世界へ　筑摩書房

岡田 猛 (2013). 芸術表現の捉え方についての一考察：「芸術の認知科学」特集号の序に代えて　認知科学, **20**, 10-18.

岡田 猛・縣 拓充 (2020). 芸術表現の創造と鑑賞、およびその学びの支援　教育心理学年報, **59**, 144-169.

Okada, T., Agata, T., Ishiguro, C., & Nakano, Y. (2020). Art appreciation for inspiration and creation. In K. Knutson, T. Okada, & K. Crowley (Eds.), *Multidisciplinary approaches to art learning & creativity: Fostering artistic exploration in formal and informal settings* (pp.3-21). Routledge.

Organisation for Economic Cooperation and Development (OECD). (2018). *The future of education and skills: Education 2030.* OECD Education Working Papers.

Okada, T., & Ishibashi, K. (2017). Imitation, inspiration, and creation: cognitive process of creative drawing by copying others' artworks. *Cognitive Science*, **41**, 1804-1837.

Perignat, E., & Katz-Buonincontro, J. (2019). STEAM in practice and research: An integrative literature review. *Thinking Skills and Creativity*, **31**, 31-43.

Root-Bernstein, R., Allen, L., Beach, L., Bhadula, R., Fast, J., Hosey, C., Kremkow, B., Lapp, J., Lonc, K., Pawelec, K., Podufaly, A., Russ, C., Tennant, L., Vrtis, E., & Weinlander, S. (2008). Arts foster scientific success: Avocations of nobel, national academy, royal society, and sigma xi members. *Journal of Psychology of Science and Technology*, **1**, 51-63.

Shimizu, D., & Okada, T. (2018). How do creative experts practice new skills? Exploratory practice in breakdancers. *Cognitive Science*, **42**, 2364-2396.

Shimizu, D., & Okada, T. (2021). Synchronization and coordination of art performances in highly competitive contexts: battle scenes of expert breakdancers. *Frontiers in Psychology*, **12**, 1114.

Shimizu, D., & Okada, T. (2022). Dynamics of the Interaction with the environment in creativity: Embodied imagination framework. *Proceedings of the 44th Annual Meeting of the Cognitive Science*

Society, 1041-1047.

Shimizu, D., Hirashima, M., & Okada, T.（2019）. Interaction between idea-generation and idea-externalization processes in artistic creation: Study of an expert breakdancer. *Proceedings of the 41st Annual Meeting of the Cognitive Science Society*, 1041-1047.

Shimizu, D., Yomogida, I., Shijun, W., & Okada, T.（2021）. Exploring the potential of art workshop: An attempt to foster people's creativity in an online environment. *Creativity. Theories–Research-Applications*, **8**, 89-107.

Smith, L. F., Smith, J. K., & Tinio, P. P. L.（2017）. Time spent viewing art and reading labels. *Psychology of Aesthetics, Creativity, and the Arts*, **11**, 77-85.

杉村和美（1998）. 青年期におけるアイデンティティの形成：関係性の観点からのとらえ直し　発達心理学研究，**9**, 45-55.

髙木紀久子・岡田 猛・横地早和子（2013）. 美術家の作品コンセプトの生成過程に関するケーススタディ 写真情報の利用と概念生成との関係に着目して　認知科学，**20**, 59-78.

Torrance, E. P.（1962）. Non-test ways of identifying the creatively gifted. *Gifted Child Quarterly*, **6**, 71-75.

Yokochi, S., & Okada, T.（2005）. Creative cognitive process of art making: A field study of a traditional Chinese ink painter. *Creativity Research Journal*, **17**, 241-255.

横地早和子・岡田 猛（2007）. 現代芸術家の創造的熟達の過程　認知科学，**14**, 437-454.

Yokochi, S., & Okada, T.（2021）. The process of art-making and creative expertise: An analysis of artists' process modification. *The Journal of Creative Behavior*, **55**, 532-545.

第4章

日常と結びつくアート鑑賞
――アートを通して世界をみる

1 はじめに：日常と結びつくアート鑑賞

　「アート鑑賞」という言葉からどのような体験を思い浮かべるだろう？　多くの人にとって想像しやすいのは、美術館で展示されている作品の前に立っている時間だろうか。では、そのアート鑑賞の時間はいつ終わるのだろう。作品の前から立ち去った時？　美術館から一歩外に出た時？　あるいは展覧会の後に立ち寄ったカフェで作品の感想を他の人と語り合っている時、目の前に作品はなくとも、それも「アート鑑賞」の体験だと感じる人もいるかもしれない。「アート鑑賞」と私たちの「日常」との境界線はどこにあるのだろうか？

　アート鑑賞はしばしば「非日常の楽しみ」というイメージを持たれがちである。たしかに、作品の前では誰もが日々の生活の中にある様々なしがらみから自由になり、目の前の作品だけに向き合うことが許される。そのことはアート鑑賞の魅力の一つであろう。美術館はある意味、日常から離れて作品となるべく「純粋に」相対することを促そうとしてきた装置であるとも言える。

　一方で、アート鑑賞は私たちの日常から完全に断絶した体験ではない。作品を鑑賞する私たちにとって、作品の前にいる自分自身とその前後の自分自身とは連続的な存在である。鑑賞者はアート鑑賞の場に過去の知識や経験を持ち込んでおり、それは作品の見方に必ず影響を与えている。同様に、作品をみた経験は（たとえ本人の意識の上では全く印象に残らなかったとしても）その後の人生に潜在的に影響をあたえうるだろう。

　また、アート鑑賞の場に持ち込まれる「日常」は鑑賞者のものだけでない。作品の中にもまた、作者が日常を生きていく中で培ったものの見方が少なからず埋め込まれており、作品はしばしばそうした作者の背景とともに解釈される。特に現代アートにおいては、アーティスト自身がアートワールド[1]から飛び出して様々なコミュニティに参加し、そこにいる人たちと対話することを重視した作品が多くみられる[2]。こうした作品は鑑賞者に対して、見た目の美しさや空想上の物語への没頭よりもむしろ、作者を取り巻く社会やそこに生きる人々への意識を促す。

[1]　アート作品をアートとして価値づける理論や歴史等の文化的コンテキスト（e.g. Danto, 1964）、またはアート作品がその中で提示される社会的制度（e.g. Dickie, 1984）。ディッキーはアートワールドのメンバーを芸術家や批評家、美術史学者、キュレーターをはじめ、鑑賞者も含む「自分をアートワールドの一員とみなすひとすべてをさす」としている（西村、1995）。

[2]　例えば1970年代中頃に「ソーシャリー・エンゲイジド・アート」と呼ばれるようになった数々の実践は社会的相互作用（ソーシャル・インタラクション）なしには成立しないことに特徴づけられる（Helguera, 2011）。

　このように、アート鑑賞の場がたとえ自分と作品だけの閉じた時間・空間のように体験されるとしても、実際には自分自身も作品も、鑑賞場面の外に由来する様々な知識や経験、社会的な背景と切っても切り離せない存在である。その意味でアート鑑賞の場は常に「日常」と不可分に連続していると言える。

　アート鑑賞を日常と一つながりのものとして捉えなおすことは、「深いアート鑑賞体験とはなにか」という問い直しにもつながる。鑑賞体験の「深さ」について考える上で、作品と相対する時間の過ごし方に目を向けることはもちろん重要である。一方で日常との連続性に注目すると、作品をみる体験が鑑賞者にどのような変化や影響をもたらし、それが作品の前から離れたあとにも持続しうるのか……大袈裟にいえば、その後に続くその人の生活に影響するものなのか、という観点から「深いアート鑑賞体験」を考えることも重要ではないだろうか。

　本稿では、アート鑑賞の体験と日常との接続に焦点をあて、「深いアート鑑賞体験」を促す方法について検討する。ここで目指すのは、「目の前の作品をよく見る」ことだけでなく、作品鑑賞から触発され、鑑賞者が日々をより能動的に生きられるようになる（岡田、2016）ことである。経験や学びの日常への接続は、美術館を含む博物館全般の教育における重要な課題の一つと言える（e.g., Hooper-Greenhil, 1992）。こうした関心は実践現場においては広く共有されている一方、実証的な効果検証は十分にはなされていないのが現状である。

② アート鑑賞における様々な「ものの見方」

　それでは、アート鑑賞の体験は私たちの日常に何をもたらすのだろうか。アートに触れることが私たちに与える重要な影響の一つとして、ものの見方や考え方の変化が挙げられる（e.g. Dewey, 1934; Lasher, Carrol, & Bever, 1983）。作品との出会いを通して、見慣れたものや風景が今までと違ってみえるような体験には、覚えがある人もいるかもしれない。

　アート鑑賞の場面には、様々な「ものの見方」の体験が織り込まれている。いくつか取り上げながら、その多様さを共有したい。

　まず、アート作品をみるときに特有のものの見方である。私たちはアート作品を前にした時に、日常生活と全く同じように振る舞うのではなく、例えば形や色といった視覚的な特徴をじっくりみたり、作品の持つ意味について考えたり、自分の知っている他の作品と比較してみたりする（Leder, Belke, Oeberst, & Augustin, 2004）。過去のアートに関わる体験から「アート作品をみるときの観点」を構築しており、作品をみる場面においてはそういうものの見方を働かせる認知的な構えができているのである（Cupchik, Vartanian, Crawley, & Mikulis, 2009）。

　一方で、私たちが日々の生活の中で培ったものの見方やそれを支える知識や経験も

また、作品に対する見方に対して影響を与える。たとえば獣医や動物園の飼育員は動物をモチーフにした作品をみるとき、自分の知る現実の動物の姿や生態と重ね合わせながら描かれた動物をみるであろう。より身近な例でいえば、長年犬を飼っている人とそうでない人とでは、犬を描いた作品の捉え方は異なるであろう。

　そして、作者のものの見方も挙げることができるであろう。画家セザンヌは同時代の画家モネを評して「モネは眼にすぎない、しかしなんと素晴らしき眼なのか」という言葉を残したという（国立西洋美術館ら、2013）。ここでモネの表現ではなく「眼」を特筆すべき点として挙げていることは興味深い。「どう見たか」、すなわち光や色のうつろいに目を向けたことやその感じ取り方こそが画家を特徴づけるものであり、筆触分割[●3]に代表される「どう描いたか」はその特徴的な見方が反映された結果として捉えられているのである。

　作品に反映される作者の「ものの見方」は知覚に限らない。たとえばシュルレアリスムの作家たちは抑圧された深層意識を自動的に表出するために（城、2012）、コラージュやデカルコマニー[●4]といった技法を用いた。この根底には、フロイトの精神分析学により知られることとなった、人間の心理における無意識の領域の存在への眼差しがあった。このように、美術作品の題材や表現はその時代の社会や宗教、科学のあり方から影響を受けており、作品には「作者が世界をどのように捉えたか」という認識をも含む「ものの見方」が、時には作者も意識しないうちに反映されていると言える。裏を返せば、鑑賞者は作者の表現を通して作者の見た世界に触れ、作者の「ものの見方」を追体験しうるのである。

　さらに、アート鑑賞の場面においてはしばしば、自分自身でも作者でもない第三者の「ものの見方」への想像が促される。たとえば美術館で、「これってアートなの？」と疑問に思うような作品と出くわしたとき、そこに美術的な価値を見出した名も知らぬ専門家や、隣で腕組みをして作品を鑑賞する人が考えていることが気になったことはないだろうか。また、何百年も前の作品であれば、当時の人々がどのように受け止めたか想像することもあるかもしれない。作品と出会うとき、私たちは目の前の物質だけでなく、その作品が作られ、価値づけられ、大事に保存されながら多くの人に見られ、そして今自分の前に提示されているという、作品の積み重ねてきた歴史と向き合っている。そこには、自分の人生とは接点のない人々の価値観やものの見方も関わっているのである。

　このように、アート鑑賞場面には様々なものの見方との触れ合いや追体験が潜在的に埋め込まれている。自分のものの見方と、（時には時代も国も全く異なる）他者のものの見方とが出会う場であるからこそ、アート鑑賞は異世界を覗くような非日常の体験でもあり、それを通して自分の周囲を見直すような日常とつながる体験にもなり得るのだろう。

　一方で、全てのアート鑑賞の体験がものの見方の変化につながるとは当然言い切れない。今までの考え方ががらりと変わるような体験もあれば、30分前に何の作品を見たかもよく覚えていないことも時にはあるように、アート鑑賞の体験の強度には差

●3　複数の絵の具を混ぜて色を作るのではなく、原色を画面上に並置することで鑑賞者には混色にみえるという視覚効果を利用した手法（早坂、2006）。
●4　絵の具を塗った紙やガラスに他の紙を押しつけてはがし、作者の意図しない偶然的な模様を生み出させる手法（早見、2000）。

があり、全ての体験が同等の変化をもたらすとは考えづらい。では、鑑賞者のものの見方に強く影響を与えるアート鑑賞とはどのようなものであろうか。

　以下では、鑑賞者のものの見方に影響を与えるアート鑑賞体験の特徴を検討し、それを踏まえた美術鑑賞ワークショップのデザイン指針を提案する。また、実際にそのデザイン指針に基づいて設計したワークショップを実施した際の効果について、ワークショップ中の参加者の発話と前後の調査の結果とをあわせて報告する。

③　ワークショップのデザイン

　ここからはものの見方に影響を与える美術鑑賞ワークショップのデザインについて考えていく。はじめに、今回のワークショップ実践のスコープを明確にしたい。ものの見方は通常長い時間をかけて構築されるものであり、一回のアート鑑賞体験で抜本的な変化を促すことは困難であると考えられる。そこでこの実践においては、まずは美術作品との出会いを通した「身近な物事の新たな側面の発見」、そして「ワークショップで得た観点の日常場面での適用」の促進を目指す。また、観点の長期的な構築・発展へとつなげるためには、参加者のアート鑑賞に対する動機づけを向上させることが必要である。そのためにはワークショップを通した「美術に対する親近感の向上」も重要な目的の一つであると考えた。

3-1　ワークショップのデザイン指針

　以下、この三つの目的に応じたワークショップのデザイン指針およびデザインに組み込む要素について表 4-1 において整理した後、それぞれの箇所について先行研究と併せて詳述する。

表 4-1　ワークショップの目的とデザイン指針

目的	デザイン指針	デザインの要素
身近な物事の新たな側面の発見	①多様なものの見方の認識と追体験を促す 　a. 美術に特有のものの見方の活性化 　b. 作品を取り巻く他者（作者、他の鑑賞者など）のものの見方の追体験 　c. 自分の日常のものの見方の再認識	構成・活動
ワークショップで得た観点の日常場面での適用	②美術作品と日常の対象の構造的な類似点への気づきを促す	構成・題材の選定
美術に対する親近感の向上	③アート観の変容（難解・疎遠なイメージの軽減、美術の役割に関する認識の向上）を促す	活動

(1) デザイン指針①「多様なものの見方の認識と追体験を促す」

　身近な物事の新たな側面の発見のためには、普段と異なる多様なものの見方への意

識・追体験を促すことが重要であると考え、一つめのデザイン指針として「多様なものの見方の認識と追体験を促す」という指針を設けた。以下、ワークショップで体験しうるものの見方として、大きく「美術に特有のものの見方の活性化」「作者や他の鑑賞者など、作品を取り巻く他者のものの見方の追体験」、そしてその結果生じる「自らの日常のものの見方の再認識」の三つに分けて整理する。

a. 美術に特有のものの見方の活性化：古藤・清水・岡田（2020）においては、美術活動における「ものの見方」の特徴について、先行研究に基づき以下のように整理している。

　　a) 対象の色や形といった視覚的な特性への着目

　　b) 対象への能動的な意味の付与

　　c) 対象の見方の頻繁な変更（行為となって現れる場合も含む）

　　すなわち、普通の生活の中では無意識のうちに見過ごしてしまうような特徴に目をむけ、そこから生まれる意味や物語について想像をふくらませること、あるいは「考え方や対象への働きかけ方を積極的に変更する」という姿勢が、美術におけるものの見方の特徴であるといえよう。こうしたものの見方の活性化のためには、対象の視覚的な特徴を丁寧に観察する活動や、対象の意味を読み解く活動、またいろいろな見方を試すことを促すような仕掛けの導入が必要であると考えた。

b, 作者・鑑賞者など、作品を取り巻く他者のものの見方の追体験：自分と異なる他者の見方の追体験もまた、アート鑑賞の醍醐味の一つである。作品を通して作者のものの見方を想像することや、自分と異なる鑑賞者の作品に対する捉え方を知り、そうした見方を試してみることもまた、対象への新たな気づきを与えると考えられる。こうした「想像的な飛躍」（Glăveanu, 2015）の過程を引き起こす上で、他者の立場で対象を捉え直すこと、言い換えれば「自分以外の誰かとして / 誰かになりきって」対象をみることを促すための活動が必要であると考えた。

c. 自分が培ってきた「日常のものの見方」の再認識：ここまで述べてきたように、アート鑑賞はいつもと違うものの見方や他者のものの見方に触れる体験であり、このワークショップにおいてもこうしたものの見方の追体験は重要な要素である。一方で、いつもと異なるものの見方の促進のみに終始すると、ワークショップの体験の非日常性がことさらに強調され、日常へつながるアート鑑賞体験という目的から外れてしまう可能性がある。このことを避けるためには、いつもと異なるものの見方の体験だけでなく、そのことを通して、自分がこれまでに培ってきたいわば「普段使い」のものの見方についての再認識を促すことが重要である。よって、このワークショップにおいては、本来は鑑賞場面に影響を与えているはずの「日常のものの見方」を透明化するのではなく、むしろ意識させるための仕掛けが必要であると考えた。

(2) デザイン指針② 「美術作品と日常の対象の構造的な類似点への気づきを促す」

　　ワークショップを通して体験した観点の日常場面における適用はどのようにして促すことができるであろうか。ある学習場面で得た知識が後の学習や問題解決に活用さ

れる「知識の転移」と呼ばれる現象に関する先行研究においては、こうしたプロセスが引き起こされる一つの契機として、ターゲットとベースとの構造的な類似性に関する認識が示唆されている（e.g. Gick & Holyoak, 1980）。ある問題の解法を別の問題にも当てはめられるようになるためには、二つの問題が類似した構造を持つことに気がつく必要があるということである。今回の実践に置き換えれば、ワークショップを通して、アート鑑賞の対象である作品と日常場面で目にする身近な対象との間にある類似性を認識することが、鑑賞場面で体験した今までとは異なるものの見方を、日常的な場面で用いてみることの助けとなると考えられる。そこで二つめのデザイン指針は「美術作品と日常の対象の構造的な類似点への気づきを促す」とした。

(3) デザイン指針③「アート観の変容を促す」

　デザイン指針の三つめは「アート観の変容を促す」、具体的には、アートに対する難解・疎遠なイメージを軽減し、アートの役割に関する認識を向上することである。このデザイン指針は、ワークショップで得た観点の日常場面での適用を促すこと、そして美術に対する親近感の向上を促すこと、という二つの目的に関わるものである。

　植阪（2010）は、ある教科から他教科への学習方略の転移において、学習方略を規定する学習観の変容が鍵となることを示唆している。このことを踏まえると、美術場面におけるものの見方の日常への転移を促すためには固定的なアート観−たとえば「美術は日常とかけ離れたものである」、「特殊な知識がないと読み解くことができない」、といったイメージに働きかけることも重要な鍵となると考えられる。

　また、アート鑑賞に対する動機づけという観点からも、ワークショップを経た美術に対する親近感の向上は達成したい目標の一つであり、そのためにもアートに対する固定的なイメージの変容を促すことは重要である。よってこのワークショップでは、アートに関する専門的な知識の教授よりもむしろ、個人が日常の中で培った知識を用いた作品解釈を助けるような仕掛けが必要であると考えた。

3-2　ワークショップの具体的なデザイン

　続いて、この3つのデザイン指針を落とし込んだワークショップの具体的なデザインについて、構成・活動・題材に分けて詳述する。

(1) ワークショップの構成

　このワークショップは二部構成になっており、前半では美術作品を、後半で美術作品ではない日常的な対象の「鑑賞」を行う。美術作品を「よくみる＝多様な視点を体験する」だけでなく、日常的な対象についても同じ手続きで「よくみる」ことの反復を促すという構成は、ワークショップのデザイン上の大きな特徴の一つである。

　古藤・清水・岡田（2020）では、美術の知識やものを見る際の方略を身近な対象に当てはめることで、対象を日常とは異なる仕方で知覚・理解していることが示唆された。すなわち、普段から目にしているような何気ない物も美術作品と同じようにみる

ことで、色や形の面白さ、物語性などの要素についての気づきが促されうるのである。こうした日常の対象が持つ美的な要素に関する気づきは、美術作品との構造的な類似性への認識（デザイン指針②）につながるものであると言える。また、日常の対象を普段とは異なる見方で捉えることにより、自分の普段のものの見方に関する再認識（デザイン指針① -c）も促されると考えられる。

(2) ワークショップにおける具体的な活動

　ワークショップにおいては、美術作品および日常の対象について「多様な視点の体験を促す」（デザイン指針①）ための活動を検討した。

　まず「美術に特有のものの見方の活性化」（デザイン指針① -a）のために、対象の視覚的な要素に注目するための「観察」、観察結果を踏まえて対象の意味や価値を考える「解釈」を順に行うよう設計した。また、活動はグループワーク形式で実施し、対象の観察や解釈という活動の中に他者との協働を要素として取り入れた。このことにより、メンバー間で共有されたいろいろな見方を試すことが促されるとともに、言語化と他者への共有を通して、観察結果や考えの精緻化や理解の深まり、自らの考えや理解に関するモニタリングが促され（e.g. Chi et al., 1989）、対象をより深くみることにもつながると考えた。こうした活動のポイントは、美術鑑賞教育の方法論の一つである Visual Thinking Strategies（Yenawine, 2013）においても重要な要素である。

　また、「作品を取り巻く他者のものの見方の追体験」（デザイン指針① -b）を促すため、前述の「解釈」の一つのゴールとして「対象の作品としての魅力を他の人に伝えるための文章を書く」という課題を設けた。対象の魅力を考えることは、作品を手がけた作者や、そこにアート作品としての価値を与えた専門家の視点の追体験を促すと考えた。また、その魅力を人に伝えるというシチュエーションにより、他の鑑賞者による作品の捉え方を想像することにもつながると考えた。この課題も「観察」等の他のプロセス同様、美術作品だけでなく日常の対象についても行うこととした。「本来は美術作品ではない日常の対象について、アート作品としての魅力を考える」という一見矛盾した課題への取り組みを通して、「アートとは何か」といった根本的な問い直しが引き起こされ、アート観の変容（デザイン指針③）にもつながると考えた。

　この活動においては、美術に関する専門知識ではなく、目の前にある対象についての観察結果を起点として解釈を進めるよう促すことを重視した。美術以外の領域の、参加者が日常の中で培ってきた知識を用いながら解釈をするよう促すことで、アート鑑賞の仕方に関する固定的なイメージに働きかけ、アート観の変容（デザイン指針③）にもつながると考えた。そのため、参加者には対象に関する情報（美術作品の場合はタイトル、作者、制作年、技法など）は明かさないこととした。

(3) ワークショップで扱う題材

　ワークショップで用いる題材の検討にあたっては、アート作品と日常的な対象との構造的な類似点への気づき（デザイン指針②）を効果的に促すことを重視した。様々

な類似点が考えうるが、このワークショップにおいては日常的な対象の中でも特に人工物に絞り、「痕跡」をキーワードに題材を選定した。

　アート作品の特徴の一つは、対象を作品として提示した作者の存在である。たとえ作者が直接手を加えていないとしても、美術作品として提示されるものには作者の意図やある種の制作活動が関わっていると言える。作品鑑賞においては、例えば絵筆の跡やものの配置といった、作者が残した（あるいは意図的に消した）行為の痕跡を視覚的な手がかりとして制作過程を読み解くという方略がしばしばとられる。このような制作過程や意図、それを読み解くための「痕跡」は、美術作品に限らず、日常的に身近にある人工物についても多かれ少なかれ存在する。しかしながら、日常的な対象についてこうした点が意識されることは多くない。

　こうした観点から、作者の制作過程や意図を探る手がかりとなる「痕跡」は、美術作品と日常的に身の回りにある多くの人工物との間に見られる構造的な類似点の一つであると考え、こうした「痕跡」を読み取ることができる題材を選定した。

4　ワークショップ実践

4-1　ねらい

　ここまでに整理したデザインを組み込んだワークショップ実践を行い、その効果を検討した。このワークショップのねらいは、身近な物事の新たな側面に関する発見を促すこと、ワークショップで体験したものの見方を日常場面で活かしてみるよう促すこと、またワークショップを通して美術に対する親近感の向上を促すことである。

4-2　実践の内容

　本ワークショップ実践は大学の授業の一部として、オンライン会議ツール「Zoom」を使用して行った。参加者は美術を専門としない大学生15名（うち男性1名。なお、高校生1名が特別参加。）である。

　ワークショップの詳細な手続きは表4-2に示すとおりである。導入として、ワークショップのテーマである「みる」ことに関する事前説明と、日常の中での「みる」行為を意識するためのウォーミングアップを行った。その後、まずは美術作品を題材として、作品の個人での観察と観察結果のグループでの共有、そして観察結果をもとにした作品解釈のためのグループワークを行った。ここでは「対象の美術作品としての魅力を人に伝えるための文章」の共同執筆を求めた。グループワークで執筆した文章は全体で共有し、その後休憩時間を設けた。後半では日常の対象を題材としたワークを行った。ワークの流れは前半と同様、個人での観察、観察結果の共有、観察結果をもととした解釈のグループワークというものである。グループワークのゴールも前半と同じく「対象の美術作品としての魅力を人に伝えるための文章」の共同執筆として、

図4-1　ワークショップの題材（左：美術作品 Vincent van Gogh,《Shoes》, 1888 ／
右：日常の対象 ドアの取っ手）

ここで執筆された文章に関しても全体での共有の時間を設けた。最後にまとめとして、グループワーク内でグループワークの内容や執筆された文章を取り上げながら、ワークショップを通して行ったことを整理した。

　題材とする美術作品および日常の対象については、前述した「痕跡」という構造的な類似点への気づきを促すため、この特徴がわかりやすく観察可能なものを選択した（図4-1）。美術作品としては、作者の筆致といった制作過程の痕跡と、脱ぎ捨てられた靴という作品世界における人物の痕跡とが表れている、ヴィンセント・ファン・ゴッホの《Shoes》を取り上げた。作品の観察を通してこうした痕跡を含む視覚的特徴への気づきが、また解釈の活動の中で制作過程や意図の読み解き、時代背景や作品世界に対する想像、作品の持つ意味や価値の構築といった多様な見方が促されると考えた。日常の対象としては、デザインの意図が込められた人工物であり、また使用者の手の痕跡が傷として残されているドアの取っ手を撮影し、題材とした。美術作品で行った観察・解釈という手続きをなぞることで、前述したような多様な見方が促されるとともに、身近な対象に改めて着目する中で、対象が何であるかという分類やその用途・機能への着目といった日常的なものの見方も活性化されると考えた。

5　ワークショップの効果の検討

　このワークショップ実践の効果を検討するために、ワークショップの前後で質問紙調査を行った。まずワークショップにおいて見られたプロセスを参加者の発話等を参照しながら概観し、その内容を踏まえて質問紙調査の結果を示す。

5-1　ワークショップ中のプロセス

　ワークショップ中の映像や参加者の執筆した文章等のデータをもとに、参加者の取り組みがどのようなものであったか、そのプロセスを概観する。ここでは主に美術作品と日常の対象それぞれに関する解釈を行うグループワーク（表4-2内5番・9番）

表 4-2　WS の大まかな内容とその詳細

	大まかな内容	各内容の詳細
1	事前説明（5分）	ワークショップのテーマである「みる」ことについて説明した。「みる」という言葉にあてはまる漢字（見る、観る、診る、看るなど）や英単語（look、watch、see、observe など）を挙げながら、日常における「みる」という行為の様々なモードとその使い分けへの意識を促した。
2	ウォーミングアップ（10分）	日常の中で「どれくらいよく物をみているか」を意識するためのワークを全員で行った。10円玉の表面を写した画像を見せ、裏面に何が描かれていたかを思い出し、その内容について言語化してお互いに共有することを促した。講師が参加者の発言内容をリアルタイムで絵に描きおこした。
3	個人ワーク「美術作品の観察」（5分）	前半で取り上げる美術作品として、ヴィンセント・ファン・ゴッホの《Shoes》を提示した。作品画像の個人での観察と、その結果の箇条書きでの記述を求めた。また、観察結果を踏まえた作品の魅力を「この作品の魅力は〇〇である」という文章の空欄を埋める形で記述するよう求めた。
4	グループワーク「観察結果の共有」（10分）	個人ワークで記述した作品の観察結果と魅力をグループメンバー同士で共有するよう求めた。
5	グループワーク「美術作品の解釈」（20分）	作品に関して、グループで「対象の美術作品としての魅力を人に伝えるための文章」を共同執筆するよう求めた。想定される鑑賞者（文章の読み手）については特に指定せず、必要に応じてグループ内で設定するよう教示した。
6	「美術作品の解釈」の共有（15分）	各グループで執筆した文章と、その文章に至るまでの経緯について全体に対して共有するよう求めた。
7	個人ワーク「日常的な対象の観察」（5分）	後半で取り上げる日常的な対象として、ドアの取っ手を写した画像を提示した。対象画像の個人での観察と、その結果の箇条書きでの記述を求めた。また、観察結果を踏まえた対象の魅力を「この作品の魅力は〇〇である」という文章の空欄を埋める形で記述するよう求めた。
8	グループワーク「観察結果の共有」（10分）	個人ワークで記述した日常的な対象の観察結果と魅力をグループメンバー同士で共有するよう求めた。
9	グループワーク「日常的な対象の解釈」（20分）	日常的な対象に関して、グループで「対象の美術作品としての魅力を人に伝えるための文章」を共同執筆するよう求めた。想定される鑑賞者（文章の読み手）については特に指定せず、必要に応じてグループ内で設定するよう教示した。
10	「日常的な対象の解釈」の共有（15分）	各グループで執筆した文章と、その文章に至るまでの経緯について全体に対して共有するよう求めた。
11	まとめ（10分）	グループワークの内容や執筆された文章を取り上げながら、ワークショップで行ったことを整理した。最後に質疑応答の時間を設け、参加者からの質問に講師が回答した。

のプロセスに注目し、ワーク中の発話データをもとに「対象の美術作品としての魅力を人に伝えるための文章」がどのように生成されたかを読み解く。グループワークは A・B・C の 3 グループに別れて行い、前半・後半ともに同じグループで進行した。

　グループワーク中の発話内容に関してボトムアップでカテゴリを作成した。その結果、①対象の視覚的要素や印象について言及した「知覚的な探索」、②作者の制作過程や意図に関する推測、作品世界の状況・出来事・人物等に関する想像を含む「エピソードの構築」、③対象の意味や美的な価値についての解釈・理解を含む「意味・価値の付与」の 3 つのカテゴリで発話を分類することができた。この 3 つのカテゴリは古藤・清水・岡田（2020）において整理した美的なものの見方に重なるものである。

　こうした発話はどのような流れの中でなされ、その内容がいかに変化していったのだろうか。特徴的なケースとして、グループ A の美術作品に関するワーク中の発話の一部を抜粋する。それぞれの発話が該当するカテゴリについては発話の末尾に括弧

書きで付記する。

D：ゆがみも良さっていうか。くたびれている感が、より表されている。疲れた感
　　というか。（知覚的な探索／意味・価値の付与）

A：なんて言いましょう。タイルの塗り方、質感？左右のタイルの表現の違い。（知
　　覚的な探索／背景）

D：表現方法、いいと思う。ゆがみの感じの。（知覚的な探索／背景）

E：まず、光と色に注目してほしい、みたいな。それで、細かく何を見てほしいか
　　を言って、こういう所がっていうふうに書く。（知覚的な探索）

B：美術館の音声案内みたい。（該当なし）

E：もう一回見に行きたい、見たいと思うような文章でしょ。（該当なし）

A：遠くから見るとただの茶色い靴だけど、近くでよく見ると、いろいろな色が入っ
　　てますよ、みたいな。（知覚的探索）

　この箇所では「くたびれている感」といった印象から「表現方法」に観点がうつり、
その後「光と色」に焦点を当てて文章を検討している。その中で、太字で強調してい
る箇所にみられるように、文章の作成にあたり読み手に引き起こしたい鑑賞プロセス
を意識していることは特徴的である。ここでは架空の読み手の見方を想像し、なぞる
ことにより「次になにを見るか」という視点の移行が行われている。前半のワークで
は基本的には「知覚的な探索」の中で注目する箇所を変更しているが、日常の対象に
関するワークの中では同様の過程が、より意識的かつダイナミックに生じている。

D：美術作品。なんだろう。ドアノブも後ろの壁みたいに、ちょっと古いというか、
　　ださい感じじゃなくて、一つのところだけを強調させて変化させることで、引き
　　締まる感じがあります、とか。（知覚的な探索／背景）

A：文章だもんね。なんか、皆さんはありますかね。さっきの私たちの班みたいに
　　視覚的な、見て判断できることを伝えるのもいいなって思うし、**他の班みたいな、**
　　内面的な想像力を引き起こすような。それこそ、実はこのドアノブ、新しく変え
　　たやつです、みたいな説明もいいなって思うし。皆さま、どんな感じですかね。（エ
　　ピソードの構築）

　この会話はワークの開始後比較的すぐに行われており、冒頭では「知覚的な探索」
や「背景」といった美術作品の鑑賞時にもみられた観点が言及されているが、その後、
「内面的な想像力を引き起こす」という読み手の鑑賞プロセスについての言及があり、
「エピソードの構築」へと観点のシフトがみられる。「他の班みたいな」という発言か
ら、前半のワークにおける他グループの作成した文章の中にみられた、作品世界への
想像を促すような内容を意識していることが窺われる。

　このグループ A の事例からは、グループワークの中では様々な「美的なものの見方」

が試されており、発話内容のカテゴリが移行する前後に着目すると、文章の読み手である他の鑑賞者や、他グループのメンバーといった他者のものの見方に関する想像がなされていることが示唆された。他のグループにおいても同様のプロセスはみられ、「多様なものの見方の認識と追体験を促す」というデザイン指針はある程度達成されたのではないかと考えられる。

5-2　ワークショップ前後の変化

　それでは、ワークショップにおける体験は、参加者にどのような変化をもたらしているのだろうか？ ワークショップ前後には、本ワークショップに期待される効果である「身近な物事の新たな側面の発見」「ワークショップで体験したものの見方の日常場面での適用」「美術に対するイメージの変化」に関して検討するための質問紙調査を行った。調査はwebアンケートフォームを用いて実施し、事前調査にはワークショップ2日前から当日まで、事後調査にはワークショップ4日後から7日後までの期間中での回答を求めた。以下、この調査の結果を示す。なお、分析対象としたのはデータの欠損があった6名を除く9名である。

(1)　身近な物事の新たな側面の発見

　「身近な物事の新たな側面の発見」に関しては、身近なものを見て感じたことや考えたことについて尋ねた項目に対する回答をもとに検討する。この項目への回答にあたっては、参加者自身が日々使用する身近なものを二つ選び、質問紙への回答時点でその対象を見て感じたことや考えたことを箇条書きで自由記述回答するよう求めた（「身近なもの」としては文房具や食器、服飾品などが挙げられた）。そして、事前・事後を合わせた計85件の箇条書きの記述について、全記述からボトムアップでカテゴリを作成し、各記述を計6つのカテゴリに分類した。各カテゴリに該当する事前・事後それぞれの回答の中央値と分布を図4-2に示す。各カテゴリに分類された参加

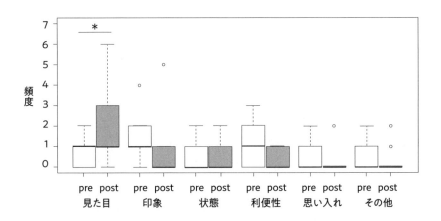

図4-2　「日常的な対象を見て気づいたこと・感じたこと」各カテゴリに分類された
箇条書き数の事前・事後の一人当たり平均値 ＊ *p*<.05

者ごとの記述数（頻度データ）を対象に一般化線形モデルによる解析を行った結果、「対象の色や形についての具体的な言及（見た目）」について事前・事後を反映した偏回帰係数が有意となり事後で増加する様子が見られた（pre median: 1（範囲: 0-2）、post median: 1（範囲: 0-6）、偏回帰係数: 0.94, $p = .03$）。一方ワークショップ前には、対象の外見について例えば「綺麗」「かわいい」等の「見た目から受ける印象（印象）」に関する記述が比較的多く見られた。

(2) ワークショップで体験したものの見方の日常場面での適用

　「ワークショップで体験したものの見方の日常場面での適用」に関しては、日常生活の中でものを見る際に意識している観点について尋ねた項目への回答をもとに検討する。この項目では、直近数日間のものを見る際の観点に関する参加者自身の認識を明らかにするため、「この数日間で家の中やよく行く場所の中にあるものを見るとき、○○に注目していた。」という質問文（全7項目）に対して、「1. 全くそう思わない」〜「5. 非常にそう思う」の五件法で回答するよう求めた。この7項目は、ワークショップ中に体験し、その後日常場面への適用を促されることが想定される様々なものの見方を反映するものとして、美術鑑賞時の認知過程や人工物のデザインに関する先行研究（e.g. Bullot & Reber, 2013; Leder et al., 2004; Norman, 2013）をもとに著者らが設定したものである。全項目に対する事前・事後それぞれの平均値を図4-3に示す。事前・事後の回答について、対応のあるt検定を用いて比較を行った●5。全7項目のうち、「ものの作り手や作られたプロセス（作り手・プロセス）」（pre mean: 1.33（$SD = 0.50$）、post mean: 2.78（$SD = 1.56$）、$t = 2.60$, $p = .03$, $g = 1.24$）、「ものがその状態にいたるまでの経緯（経緯）」（pre mean: 1.78（$SD = 0.97$）、post mean: 2.89（$SD = 1.36$）、$t = 2.63$, $p = .03$, $g = .94$）の2項目に有意差が、「ものの分類（分類）」（pre mean:

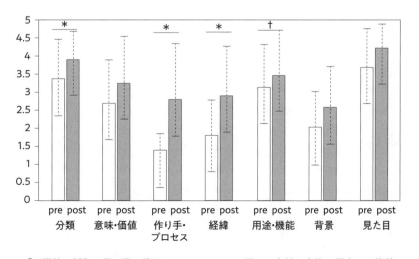

図4-3　「日常的な対象を見る際に注目していたこと」に関する事前・事後の得点の平均値
　　　 ＊ $p<.05$, † $p<.10$

●5　この分析では、7つの項目それぞれに対する事前・事後の回答の値をt検定で比較するという処理を行っている。その際、以下の考えに基づき、ここでは検定の多重性に基づくp値の調整を行わなかった。まず、検定の多重性に関しては、その検定の種類にかかわらず検定を繰り返すことで、研究として検定結果が有意になる確率が必然的に高まる点に問題があるとされている（森・吉田、1990）。こうした問題に対して検定結果が有意になる確率を調整することによって対処する場合、その調整を研究のどのレベルにおいて行うべきか、という点に関しては議論の必要がある（Hochberg & Tamhane, 1987）。この点に関して、多重比較の方法論を扱った書籍においては、Familyという概念に基づき、どのレベル

で第一種の過誤の程度を調整すべきかを議論している。その中では、少なくとも同一のデータを繰り返し検討に用いる場合は、データ自体が重複しているため多重比較の調整を行うべきである（例えば、分散分析後の多重比較やペアワイズによる相関分析など）、それ以上の多重比較の調整は各研究の目的（例えば、探索的な研究であるか、確証的な研究であるか）に基づく慎重な議論が本来は必要である、という議論がなされている（Hochberg & Tamhane, 1987）。以上の基準から本データを考えると、分析対象である7つの項目は、直近数日間のものを見る際の観点に関する参加者自身の認識に関して7つの異なる観点を抽出し、各観点について個別に尋ねる項目として設定したものである。その点において、上記項目はデータとして明確に同一でなく、同じデータに関して繰り返し検定にも用いていないため、本分析は多重比較が必要なケースには該当しないと考えた。

3.33（SD = 1.12），post mean: 3.89（SD = 0.78），t = 1.89，p = .10，g = .58）、「ものの用途や機能（用途・機能）」（pre mean: 3.11（SD = 1.17），post mean: 3.44（SD = 1.24），t = 2.00，p = .08，g = .28）の2項目に有意な傾向差が見られた。

(3) 美術に対するイメージの変化

　「美術に対するイメージの変化」については、縣・岡田（2010）における「アートに対するイメージ」に関する二つの因子から構成される8つの質問項目に対して、五件法で回答するよう求めた。因子ごとに事前・事後それぞれの回答の平均値を算出し（図4-4）、対応のある t 検定により検討した。その結果、「アートに対する難解・疎遠なイメージ」（3項目）（pre mean: 3.52（SD = 1.12），post mean: 2.48（SD = 0.84），t = 5.09，p < .01，g = 1.05）については有意差が、「アートの役割の認識」（5項目）（pre mean: 3.71（SD = 0.71），post mean: 4.08（SD = 0.41），t = 1.89，p = .10，g = .61）については有意な傾向差が見られた。

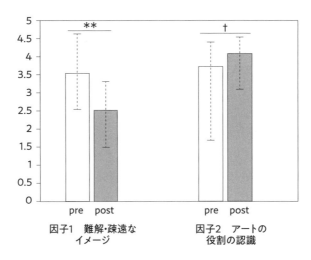

図4-4　「美術に対するイメージ」に関する因子ごとの事前・事後の得点の平均値 ＊＊ p<.01, † p<.10

⑥ まとめ

　以上の結果から、ワークショップを経た参加者の変化として、

・身の回りの対象の色や形に関する言及の増加
・日常場面における「ものの作り手やプロセス」「ものがその状態にいたるまでの経緯」「ものの分類」「ものの用途や機能」への注目

・アートの難解・疎遠なイメージの軽減、アートの役割の認識の向上

　という三点がみられた。この結果は、身近な物事の新たな側面に関する発見を促すこと、体験したものの見方を日常場面で活かしてみるよう促すこと、美術に対する親近感の向上を促すこと、というワークショップのねらいに沿うものであった。また、ワークショップのプロセスからは、「多様なものの見方の認識・追体験」が引き起こされていたことが示唆された。

　以上のように、今回のワークショップについては効果としては概ね狙いどおりのものが得られたと言えるであろう。一方で、事前・事後調査に関しては分析対象者が9名と少なく、一般化可能性については慎重な検討が必要である。また、ワークショップの中でのプロセスについてはあくまでケースの記述をもとにした推論に留まっており、今後は他のグループも含めた全体的な傾向を捉えることやグループ間の差異の検討、統計的検定等を用いた定量的な分析といったより詳細な分析を行うことが課題である。デザイン指針に関しても、「構造的な類似性への気づき」については正しく機能しているかという点の検証が十分にできていない。今回は三つのデザイン指針を個別に並列的に考えていたが、実際には引き起こされるプロセスには順番や因果関係があるように思われ、その点も今後整理が必要であろう。

　この実践においては、アートの鑑賞場面を私たちの日常と地続きのものとして捉え直し、その経験が私たちに与える影響について考えてきた。作品との出会いの場に潜むいろいろなものの見方に触れ、それを通して美術館の外の、自分の生きる世界をみてみる。作品鑑賞に触発されることで、身の回りの様々なものの背後にある物語への想像が促され、何気ない日常が今までとは違う鮮やかさをもって現れてくる。そんなふうに、アートと自分の日々の生活との関係をあらためて結び直すための一つの提案になれば幸いである。

（著者・企画：古藤陽（1）・清水大地（2）・岡田猛（1）　実践担当：古藤陽
所属等：（1）東京大学、（2）神戸大学）

【参考文献】

縣 拓充・岡田 猛（2010）．美術の創作活動に対するイメージが表現・鑑賞への動機づけに及ぼす影響　教育心理学研究, 58, 438-451.

Bullot, N. J., & Reber, R. (2013). The artful mind meets art history: Toward a psycho-historical framework for the science of art appreciation. *Behavioral and Brain Sciences*, 36, 123-180.

Chi, M. T., Bassok, M., Lewis, M. W., Reimann, P., & Glaser, R. (1989). Self-explanations: How students study and use examples in learning to solve problems. *Cognitive Science*, 13(2), 145-182.

Cupchik, G. C., Vartanian, O., Crawley, A., & Mikulis, D.J. (2009). Viewing artworks: Contributions of cognitive control and perceptual facilitation to aesthetic experience. *Brain and Cognition*, 70, 84-91.

Danto, A. (1964). The Artworld. *The Journal of Philosophy*, **61**(19), 571-584.

Dewey, J. (1934). *Art as experience*. NY: Perigree Books. (デューイ, J. ／栗田 修 (訳) (2010). 経験としての芸術　晃洋書房)

Dickie, G. (1984). *The Art Circle*, NY: Haven.

Gick, M. L., & Holyoak, K. J. (1980). Analogical problem solving. *Cognitive Psychology*, **12**(3), 306-355.

Glăveanu, V. P. (2015). Creativity as a sociocultural act. *The Journal of Creative Behavior*, **49**(3), 165-180.

早坂優子 (2006). 鑑賞のための西洋美術史入門　株式会社視覚デザイン研究所

早見 堯 (2000). ダダ的反抗と夢の開拓　末永照和 (監修)　増補新装カラー版 20 世紀の美術　美術出版社

Helguera, P. (2011). *Education for Socially Engaged Art: A Materials and Techniques Handbook*. Jorge Pinto Books Inc. (エルゲラ, P. ／アート＆ソサイエティ研究センター SEA 研究会 (訳) (2015). ソーシャリー・エンゲイジド・アート入門 アートが社会と深く関わるための 10 のポイント　フィルムアート社)

Hochberg, Y., & Tamhane, A. C. (1987). *Multiple comparison procedures*. John Wiley & Sons, Inc..

Hooper-Greenhill, E. (1992). *Museums and the shaping of knowledge*. London: Routledge.

城 一夫 (2012). 常識として知っておきたい「美」の概念 60　パイインターナショナル

国立西洋美術館・公益財団法人ポーラ美術進行財団 ポーラ美術館・TBS テレビ (編) (2013). モネ、風景をみる眼：19 世紀フランス風景画の革新　TBS テレビ

Lasher, M. D., Carroll, J. M., & Bever, T. G. (1983). The cognitive basis of aesthetic experience. *Leonardo*, **16**, 196-199.

Leder, H., Belke, B., Oeberst, A., & Augustin, D. (2004). A model of aesthetic appreciation and aesthetic judgments. *British Journal of Psychology*, **95**, 489-508.

森 敏昭・吉田寿夫 (1990). 心理学のためのデータ解析テクニカルブック　北大路書房

西村清和 (1995). 現代アートの哲学　産業図書

Norman, D. (2013). *The design of everyday things: Revised and expanded edition*. NY: Basic Books.

岡田 猛 (2016). 触発するコミュニケーションとミュージアム　中小路久美子・新藤浩伸・山本恭裕・岡田 猛 (編)　触発するミュージアム (pp.2-10)　あいり出版

植阪友理 (2010). 学習方略は教科間でいかに転移するか　教育心理学研究, **58**, 80-94.

Yenawine, P. (2013). *Visual thinking strategies*. Harvard University Press. (ヤノウィン, P. ／京都造形芸術大学アート・コミュニケーション研究センター (訳) (2015). どこからそう思う？学力をのばす美術鑑賞：ヴィジュアル・シンキング・ストラテジーズ　淡交社)

古藤 陽・清水大地・岡田 猛 (2020). 美術の既有知識の活性化による非美術の対象への美的な解釈の促進　認知科学, **27**(3), 356-376.

Column 3

赤ちゃんとびじゅつかんプロジェクト

乳児のアート鑑賞をデザインする

杉浦幸子（武蔵野美術大学芸術文化学科）

人は生まれてから亡くなるまで、多様な「もの、人、場」と出会い、触発され、絶え間なく学び続けている。筆者は、アートと教育が交わる分野に、フリーランスのギャラリーエデュケイター、美術館の教育担当学芸員、大学教員という異なる立場から携わり、様々な個性や特性、背景をもつ生涯学習を行う人々を対象に「アート鑑賞」という「こと」のデザインを行ってきた。

このコラムでは、彼らの中で最も若い学習者であり、人生の核を作り出す時期にある「赤ちゃん＝乳児」を対象者としたアート鑑賞のデザインを取り上げる。

この鑑賞のデザインは、2014 年に科学研究費挑戦的萌芽研究の助成を受け、「赤ちゃんとびじゅつかん」と名付けたプロジェクト型研究としてスタートした。初のプログラムを東京都現代美術館で実施し、現在まで 16 の美術館とのべ 27 回のプログラムを行い、184 名の乳児と 215 名の保護者に参加してもらった。

この研究の元となったのが、2000 年に 3 歳から 12 歳のお子さんをもつ方々約 1,000 人を対象に実施したアンケート調査である。約 8 割が子どもと美術館に行きたいと回答したが、実際に行ったのは 4 割で、残り 4 割は、美術館に嫌がられる、他の来館者に迷惑に思われるなどの理由で行きたいが行けていない、とわかった。

そうした人たちの存在をモチベーションとし、2001 年「第 1 回横浜トリエンナーレ」と、2003 年開館の森美術館で「バギー＝乳母車」に乗るような乳幼児の親を参加者とした「バギーツアー」というプログラムをデザインした。美術館のスタッフが子どもやバギーを預かり、作品についてなど様々なことについて親たちと会話をし、彼らができるだけ伸び伸びと自由にアート作品を鑑賞し、楽しむ環境を生み出した。筆者にとって「乳幼児」はこの時点では、鑑賞を楽しみ、満足した母親や父親から、間接的に何らかの恩恵を受ける人たちという認識にとどまっていた。

そこから約 10 年経った 2014 年に筆者が始めたのが、今回ご紹介する「赤ちゃんとびじゅつかん」プロジェクトである。この 10 年間に、美術館から美術大学に軸足を移す中で、小、中、高の美術教育が縮小し、中学校がアートと接する最後の場所となる人たちが非常に多いことに危機感を感じた。その危機感をさらなるモチベーションとして、このプロジェクトでは、バギーツアーでは影の存在だった「赤ちゃん＝乳児」を対象者と設定した。0 から 12 ヶ月の子どもを乳児と呼ぶが、この研究では 3 から 12 ヶ月の乳児に対象を絞った。この月齢だと外出でき、視覚も急速に発達するが、幼児と違いまだ自分では動けず、言語力も獲得していない。こうした特徴をもった乳児が、美術館という日常生活とは異なる環境の中で、アート作品を鑑賞し、多様な刺激を受けることで、より豊かな生涯を過ごせるのではないか、また、乳児という対象者からアートを考察することでアートの新たな可能性を示し、危機に瀕しているアートの未来に貢献できるのではないかと考えた。

アート作品の鑑賞をデザインする際に重要なポイントの一つが、鑑賞する「作品選び」である。アート作品が発信する情報は、大きく分けて、色や形、大きさ、手触り感、描かれているモチーフなど視覚を含めた五感で受け取る「一次情報」と、調べることで入手できる作者や作品についての情報といった「二次情報」で構成されるが、鑑賞のデザインを行う際には、対象者の年齢や生育歴、好みや知識、経験などから、対象者がこれら二種類の情報をどのように受け取り、学びを行うかを考慮し、鑑賞する作品を選ぶ。乳児の場合、二次情報はまだ理解できないので、一次情報に着目することになる。

近年の乳児研究から、乳児ははっきりした原色や金色、白と黒の境目、人の顔、立体や動くものに興味を惹かれやすいことが明らかになっている。プログラムをデザインする際には必ず会場の下見を行い、こうした研究結果に当てはまる作品に着目する。しかしそれはあくまで参考であり、事前に鑑賞する作品は決めつけず、当日の乳児一人一人が興味を惹かれている作品や方向に親が導かれるように進行する。そこに美術館スタッフや筆者が付き添い、乳児の様子を観察しながら言葉をかけたり、作品や作者の情報を適宜提供しながら展示室を巡る、自由なデザインを採用する。その

鑑賞のプロセスの中で、乳児たちはこちらが予想していなかった作品に触発され、反応したり、大人以上に長い時間作品を注視したりする。

また、彼らはまだ言語能力を身につけていないため、自分たちがアート作品の鑑賞からどのような刺激を受けたか言語化することはできない。しかし、彼らは鑑賞しながら、身振りや足ぶり、指差しをし、喃語といった言葉になる前の音を発する。親御さんに日常生活での振る舞いと比較していただくと、喜んでいる時、刺激を受けている時に、こうした反応をするという答えをいただくことが多い。こうしたことから、乳児たちが作品を鑑賞する中で、言葉にできなくても何らかの刺激を受けていることが推測され、彼らがアートの知識に左右されない、生の鑑賞を行っていると感じられる。

また、もう一つ重要な発見は、乳児が、アート作品だけでなく、照明や壁面や床面といった美術館の空間を構成する要素や、他の赤ちゃんや来館者といった、自分を取り巻く人的環境にも積極的に反応することだった。彼らにとって、アート作品の発する刺激と、美術館の空間やそこに存在する人々が発する刺激は、個々の好みはあるものの等価であり、そこに、作品至上主義から解放された新時代の美術館の可能性が感じられる。

また、「赤ちゃんとびじゅつかん」プロジェクトを手探りで行う中で見えてきたもう一つ重要なポイントが、乳児が鑑賞しやすい環境を作ることの重要性である。実施時間やプログラムの長さについても、何度も行う中で、午前中に最長45分が望ましいとわかってきた。また、乳児はまだ自分で動くことができないため、母親、父親といった彼らを運ぶ人たちに進む方向、見る方向を委ねることとなる。通常の抱っこをすると、親と乳児は胸を合わせ、逆の方向を向くことになり、乳児が何を見たいのか、見ているのかを親が知ることができず、乳児の求める鑑賞が提供できない。そのため、親にはできるだけ前向きに抱っこすることが望ましいことを伝え、事前に前向き抱っこができる抱っこ紐を用意することを告知するようになった。

また、川崎市岡本太郎美術館でプログラム後に取ったアンケートに、もう少し展覧会や作品について知りたかった、というコメントがあった。運び手となる親が安心し、満足している状態であることが、抱かれる乳児にも安心感を与え、彼らが伸び伸びと鑑賞をすることにつながると考え、プログラムの冒頭に展覧会などの簡単な説明を行い、彼らの知識欲や期待をある程度満たす、というデザイン変更を行った。

そして、学芸員や実施者だけでなく、受付や看視員、警備員といったスタッフがプログラムの趣旨を理解し、笑顔で乳児や親に対応し、プログラム中だけでなく、前後のふれあい、そしてお見送りまで含めたプログラム全体の運営のデザインも重要であることも見えてきた。表には見えてこない、学芸員やスタッフ間の事前の綿密な打ち合わせやコミュニケーションが、親の緊張感をほぐし、実施者たち自身の安心感も生み出し、最終的に乳児のアート作品の鑑賞をより良いものとすると考えている。

乳児の反応を計測できる条件が整った研究室ではなく、美術館という多様な刺激の存在する環境で、自由に動き回るプログラムであるため、乳児が美術館におけるアート作品の鑑賞でどの刺激に反応し、どういった影響を受けているかを詳細に明らかにすることは困難である。しかし、9年間このプロジェクトを通して、乳児の様子を観察する中で、彼らが生涯の間に受ける多種多様な刺激の一つとして、アート作品や美術館が発信する他とは異なる刺激を受けることには、何らか意味があると実感している。また、彼らの鑑賞環境を作ることを通して、親たちも自ずからアート作品を鑑賞し、美術館を楽しみ、身近に感じ、さらには、乳児の鑑賞を他の来館者が見ることで、一種の広報活動のように、美術館の新しい役割や可能性を伝えることにもなるという発見があった。

乳児を対象としたアート鑑賞のデザインは、乳児や彼らの家族だけでなく、プログラムを提供する側である学芸員やスタッフ、そしてその他の来館者に多様な刺激を与え、アートという概念やアート作品の鑑賞、美術館に纏わる固定概念を開放し、アートの可能性を拡張し、社会が豊かになるきっかけやヒントを提示していると考える。

イギリス、フランス、オーストラリア、台湾といった国々でも、乳児のアート鑑賞の実践が行われている。それらの実践にも学びながら、アート作品という学びの資源の宝庫である「美術館」を活用することで、人生最初期の、そして生涯続く学習を豊かにしていく可能性を今後も探究していきたい。

現代アートを体験するワークショップ

第 **5** 章

表現を触発する
現代アーティストによる3つのワークショップ

1 はじめに

　一般的に、現代アートはわかりにくい、難しいといったイメージを持たれている。それ故、現代アートの作品そのものに限らず、それを作り出したアーティストの考えていることや表現しようとしていることを理解したり、共感したりすることも難しいと思われている側面がある。

　現代アートは「現代に生きるアート」であり、時代の変化とともに、アートの形もその元になるアイデアも常に変化している。そのため、常とは異なる姿、形のアート作品が作られ、それを観る私たちを時に戸惑わせたり、目を背けさせたり、関わりを難しくさせたりすることがある（秋庭、2011 参照）。それは、はじめて見るもの、新しいものに対する、一種の防衛反応と言えるのかもしれない。しかし、変化の先端にあるものは、見慣れないが故の理解の難しさを有すると同時に、そこに内包される面白さや次の変化の可能性を見出す格好の材料でもある。だからこそ、少し時間をかけてじっくり作品に向き合ったり、それを創作したアーティスト自身の話を聞いてみたりすることが、新たな気づきや意外な発見をもたらしてくれるだろう。

　筆者らは、作品を制作したアーティストが創作の意図や発想の経緯を鑑賞者である私たちに紹介することに加えて、私たち自身がアーティストと同じように作品を創ってみることも、現代アートの面白さや可能性を見つけ出すきっかけになるのではないかと考えた。更に、現代アートの作品や現代アーティストという個人を身近に感じ、彼らに触発されることで、自分自身の中にアート表現の可能性を見つけ出す機会にもなるのではないかと考えた。このような考え方に基づき、現代アーティストを講師に迎え、3つのワークショップを実施した。1つ目のワークショップは、竹川宣彰氏（Column 4 参照）の作品《猫オリンピック》（2019）を題材に、参加者それぞれが思い思いの《猫プラカード》を制作するワークショップである（以下、猫オリンピック）。2つ目は、山本晶氏（Column 5 参照）による色と形に着目したワークショップ（以下、色と形のテラス）、3つ目は、篠原猛史氏（Column 6 参照）による《空飛ぶウサギ》と五感に着目したワークショップ（以下、空飛ぶウサギ）である。

② 鑑賞から触発、そして表現へ

　現代のアートは、アート作品を作り出す人とそれを鑑賞する人が分かれてしまっている。しかし、人間は長い歴史の中で、新たな何かを作ることを楽しみ、様々な交流・交易を通じて創り出されたものを人々と共有し大切にしてきた。こうした活動を、岡田（2013）などは、作品や表現行為を介した「触発するアート・コミュニケーション」と呼んでいる。

　触発するアート・コミュニケーションとは、作品を介したイマジネーション世界の交流を意味し（Okada, et al., 2020）、作品を作り出す人々とそれを鑑賞する人々が、互いに刺激を受けながら新たな創造を生み出す基盤であると想定されている。特に岡田と縣（2020）は、アート・コミュニケーションのあり方として、鑑賞者の自由な解釈が許容され、新たな創造が喚起される「触発」の重要性を取り上げており、石黒と岡田（例えば、Ishiguro & Okada, 2021）は、美術鑑賞から触発に到る過程の検討を行っている。

　こうした考え方は、学校教育場面で長年に渡り目標に掲げられてきた、「創造性」や「表現力」の育成とも関わっている。例えば、美術や音楽の教科では長年、鑑賞と表現を結び付けることの重要性が強調されており（例えば、金子、2003）、インプット（鑑賞）とアウトプット（表現）をつなぐ教育方法の工夫が積み重ねられてきた。その考え方は現在も重視されており、中学校学習指導要領解説（平成 29 年告示）（文部科学省、2017）における美術科の目標には、「表現及び鑑賞の幅広い活動を通して、造形的な見方・考え方を働かせ、生活や社会の中の美術や美術文化と豊かに関わる資質・能力」の育成を目指すと述べられている。

　ところで、これまで心理学の分野では、美術鑑賞に関する研究が数多く実施されている（例えば、Leder et al., 2004）。Leder ら（2004、2012）は、情報処理の観点から美術鑑賞のモデルを提示し、情動（感情）や好み、知識、理解などが鑑賞過程に関わっていることを示している。また、このモデルを発展させ鑑賞（インプット）から美的経験（アウトプット）の過程の説明を試みる研究もある（例えば、Pelowski, et al., 2016）。

　ところが、アウトプットの一つであるはずの表現活動は、作品鑑賞だけでは生じにくいことがわかっている。縣と岡田（2010）は、総合大学の学生を対象に表現や鑑賞に対する動機づけを調査し、作品やその制作過程を鑑賞するだけでは表現活動に対する動機づけは変化しないこと、それに対して、アーティストのワークショップに参加し実際の創作体験を経ることで、表現に対する動機づけが高まることを示している。

　近年は、表現への動機づけだけではなく、鑑賞の仕方を工夫することで自分も何かを表現してみたいといった触発が生じることが示されている。石黒と岡田（2019）は、表現への触発がどのように生じるのかを検討する中で、創作経験や表現活動に対する効力感（自分は上手く実行できるという信念）は、自分自身の表現に直接影響するの

ではなく、「他者の創作過程を推測しながら鑑賞（推測鑑賞）」したり、「他者と自己の表現を比較しながら鑑賞（比較鑑賞）」したりする態度を媒介して、間接的に影響することを示している。このことから、自己と他者の表現過程や意図などを相互に比較する活動が生じることが、触発の重要な鍵であると述べている。

　加えて、鑑賞の過程で自他の比較が積極的に生じるためには、実際に創作を経験することも有効である。松本と岡田（Matsumoto & Okada, 2021）は、創作を体験することで、作品の鑑賞の仕方や創作への動機づけが変化することを、心理実験を通じて示している。彼らは実験課題に創作折り紙を用い、実験参加者に創作折り紙をデザインし実際に作成してもらうことで、プロの創作折り紙作品を見た時に感嘆の度合いが高まったり、アイデアの生成過程に着目した評価が行われたりすることを示した。つまり、実際に自らアイデアを考え、手を動かして作ってみることで、鑑賞に際しても他者の制作過程や考え方を具体的に想像するようになったと言える。

　鑑賞と表現の関係についての実証的研究は始まったばかりであるが、鑑賞と表現をうまく結び付けることができれば、現代アートに馴染みのない私たち市民の、アートに対する見方や親しみ方に変化をもたらす可能性がある。例えば、私たち市民が現代アートの作品を作ってみることで、アートの意外な面白さや、アーティストと自分自身との共通点を見出したりすることが期待される。また、性格特性の一つとして知られる「経験への開放性（芸術や冒険、好奇心などを重視する傾向）」と創造性に関わりがあること（例えば、Hughes et al., 2013）を踏まえると、馴染みの薄いものと深く関わることで新たな視点の構築が促されることも期待される（Okada & Ishibashi, 2017）。ただし、創作経験が少ない市民に対しては、プロと同じレベルの技術を必要とせず、ちょっとした視点の転換や工夫によって、新たな発見が生じるような配慮が必要であろう。

③ アーティストを講師役とするワークショップ

　アートのワークショップでは、アートに関わる専門家（例えば学芸員やアーティスト、ミュージシャンなど）がファシリテーターとなって参加者の活動を導いていく。特に、絵を描いたり、写真を撮ったり、コラージュしたりするだけではなく、アーティスト自身が講師となり、自らの作品創作の意図やきっかけなどについて話し、自らの経験を踏まえながら参加者のイマジネーションや活動の幅を広げるヒントを提供するような役割を担ったりする。特に今回のアーティストによるワークショップでは、作品を鑑賞したり作家の話を聞いたりすることで受けた刺激を、自分自身の表現へと変化させられるような機会にしたいと考えた。

　そこで、創作の経験を豊富に有するアーティストを講師役としてワークショップを企画し、そのファシリテーションもアーティスト自身に行ってもらうこととした。ワー

クショップの参加者にとっては、アーティストから直接話を聞くことができる機会であり、現代アートの作品を身近に感じ理解することができるだろう。また、アート作品と同じものを実際に創作することで、作者が作品に込めた想いを理解したり、自分が表現したいことは何かを改めて考えたりする時間にもなるだろう。

4 ワークショップのねらいとデザインにおける基本的な考え方

　触発をテーマとしたワークショップを計画するにあたり、参加する市民を子どもから大人まで幅広く募ることとした。一般的なワークショップでは、参加対象者を子どもや親子に限定したり、大人に限定したりすることが多い。しかし今回のワークショップは、多様な市民が集い互いに触発されるような効果も期待し、幅広い年齢層の参加者を募ることとした。

　また、ワークショップの内容も、アーティストの作品から触発され、参加者自身が表現を楽しみ、自分なりの表現を見つめる機会となることも企図した。特に、講師を務めるアーティスト本人の作品を鑑賞し、アーティストから作品に関する話を聞いたり、参加者とアーティストが作品について直に対話したりすることで、触発するアート・コミュニケーション（岡田、2013）が活性化され、参加者が自らの表現を見つめ発展させるきっかけとなることを重視した。そのため、アーティストによるワークショップの内容をデザインする際、次のような条件を設定した。

①アーティスト本人の作品をじっくりと鑑賞する時間を持つこと。
②鑑賞の際、アーティスト本人が創作のきっかけや意図などを参加者に直接説明すること。
③参加者は、アーティストの作品やアーティストの考え方、見方、ものごとの捉え方などをヒントにしつつ、自分なりのものの見方、捉え方、感じ方を味わい、自分自身の表現方法を探ることができる「安全な場」で自由に活動できること。
④参加者は、互いに他の参加者の視点、気づき、感覚などに目を向け合い、多様な表現の中にあるそれぞれの可能性や個性を見出し合えること。

　これらの条件は、今回の3つのワークショップに共通しているものの、講師であるアーティスト自身の考え方や、これまでの制作活動や他所でのワークショップの実施経験を踏まえて、各ワークショップには少しずつ異なる条件が加えられている。それぞれのワークショップについては、後述の章で詳しく紹介する。

5　アーティストによるワークショップの効果測定の概要

5-1　効果測定の目的と測定の観点について

　今回デザインしたアーティストによるワークショップが目指したものの実現度を把握し、さらに今後のワークショップの改善に役立てるために、参加者による効果測定（アンケート調査）を実施した。効果測定では主に、外界からの触発、アートや表現に対する考え方や見方、鑑賞の態度などの側面について、ワークショップ参加前と終了後の2回にわたり参加者に尋ね、どのような変化が見られるのかを比較検討することとした。特に今回のワークショップは鑑賞と触発をデザインの中心に設定したことから、ワークショップを通じてこれらの側面がどのように変化したのかを調べることが効果測定の主眼となる。そこで、以下のようなアンケートを準備した。

5-2　アンケート調査の手続き・尺度構成・分析方針

(1) アンケート調査の回答者

　アーティストによるワークショップそれぞれのアンケート回答者の内訳は、以下の通りである。
- ・ワークショップ1「猫オリンピック」：参加者25名中、調査への協力が得られた成人15名（年齢20代から50代、性別不問）。内2名は、事前もしくは事後アンケートが未回答であったためその値のみ欠損値として分析から除外した。
- ・ワークショップ2「色と形のテラス」：参加者15名中、調査への協力が得られた成人12名（年齢20代から50代、性別不問）。内1名は、事前アンケートが未回答であったためその値のみ欠損値として分析から除外した。
- ・ワークショップ3「空飛ぶウサギ」：参加者10名中、調査への協力が得られた成人8名（年齢20代から50代、性別不問）。

(2) アンケート実施手順

　ワークショップの参加者に調査目的などの説明を行い、許諾が得られた対象者に、ワークショップが始まる前に事前アンケート、ワークショップ終了後に事後アンケートに回答してもらった。

(3) アンケートの尺度構成

　アンケートの質問項目は、次の4つの尺度を組み合わせて構成した（表5-1参照）。まず外界からの触発の頻度などを測るために、石黒と岡田（2017）の「触発尺度（5項目、5件法（1：全くない～5：とてもよくある））」と「鑑賞態度尺度（2因子構造、12項目、5件法（1：全く当てはまらない～5：非常に当てはまる））」を参照した。次に、外的環境に対してどの程度開かれているのかを測るために、横地ら（2014）の「開放性尺度（4項目、5件法（1：全く当てはまらない～5：非常に当てはまる））」を参照

表 5-1　アンケートの質問項目の一例

上位概念	事前	事後
アートに対するイメージ	1. 美術やアートに対して、"難しい" というイメージがある	
	2. 美術やアートの鑑賞を、どのように楽しめばよいかわからない	
触発尺度	1. 日常生活の中で、外界の出来事や他者の表現から触発を感じることがある	1. 外界の出来事や他者の表現に出会うための具体的な方法がわかった
	2. 外界の出来事や他者の表現から、新しいイメージやアイデアが湧くことがある	2. 外界の出来事や他者の表現から、新しいイメージやアイデアを思いつく具体的な方法がわかった
開放性尺度	1. 自分の気に入った作家以外の作品も鑑賞する	1. 自分の気に入った作家以外の作品も鑑賞したい
	2. 自分の興味・関心からは遠い表現であっても、意識して鑑賞するようにしている	2. 自分の興味・関心の薄い表現であっても鑑賞したい
鑑賞態度尺度 1. 比較鑑賞	1. 作品の中に自分の表現のヒントがないかを探す	1. 作品の中に自分の表現のヒントがないかを探してみたい
	2. 作者の使っている技術や方法が自分の表現にも役立つかを考える	2. 作者の使っている技術や方法が自分の表現にも役立つかを考えてみたい
鑑賞態度尺度 2. 推測鑑賞	1. 作者がなぜ作品を作ったのかを考える	1. 作者がなぜ作品を作ったのかを考えることには意味がある
	2. どのような人が作った作品なのかを考える	2. どのような人が作った作品なのかを考えることは意味がある
自覚性尺度（専門経験ありのみ）	1. 自分が表現したいと思うことやアイデアには、共通したテーマがある	
	2. 何かを作ろうとするとき、自分が表現したいことやアイデアを表すのにふさわしい制作方法を考えるようにしている	
感想		1. 作品を観るときの視点が広がったと思う
		2. 表現することが好きになった

注：鑑賞態度尺度（石黒・岡田、2017）における各因子の名称は、便宜上短く記した。正しい因子名は、「比較鑑賞」は「自分と他者の表現の比較を伴う鑑賞」、「推測鑑賞」は「他者の創作過程の推測や評価を伴う鑑賞」である。

した。また、ワークショップの参加者に仕事などで専門的な芸術活動を行っている人がいることを想定し、自分が表現したいことをどの程度自覚しているのかを測る「自覚性尺度（4 項目、5 件法（1：全く当てはまらない〜5：非常に当てはまる））」（横地ら、2014 参照）を設定した。その他、事前アンケートのみに、アートに対するイメージを尋ねる項目（縣・岡田、2010 参照）を設けた（6 項目、5 件法（1：全くそう思わない〜5：非常にそう思う））。また、事後アンケートのみに、ワークショップの感想を尋ねる項目を設けた（4 項目、5 件法）。なお、石黒・岡田（2017）では、触発尺度の各質問項目の選択肢を 7 件法に設定していたが、このアンケートでは事前事後の比較の容易性と回答者への負担軽減のため 5 件法に変更した。

　事前と事後のアンケート項目設計に際して配慮したのは、残留効果（キャリーオー

バー）の対策である。残留効果とは、事前に行ったことが事後の活動に影響を与えることで、具体的にはこのアンケートの場合、事前の回答と一致するように事後のアンケートに回答したり、「事前に回答したことと同じだから」と事後アンケートに回答しなくなったりすることが懸念された。特に今回の事後アンケートは、ワークショップ終了直後に回答してもらうため、数時間前に回答した事前アンケートの回答内容を覚えている可能性があり、こうした残留効果がある程度生じると想定された。そこで、表 5-1 に示すように、事前と事後で質問する内容を変更したり、共通の質問項目であっても語尾を事前と事後で変更したりするなどの工夫をした。また、大問の説明文も変更した。具体的には、事前のアンケートでは「普段の活動や考え方」を回答するよう求める説明文を示し、事後のアンケートでは「このワークショップを受ける前と比べてどう変わったと思うか」を回答するよう求める説明文にした。

　事前事後のアンケートのこうした変更は、たとえ質問内容の主旨は同じであっても各尺度の構成概念を変質させ、事前と事後の結果の単純な比較を妨げることになる。事前事後で大きな変質が起きていないかを確かめるには、事後のアンケート結果を改めて因子分析することが相応しいが、それが可能なサンプルサイズではない。少人数でのワークショップの効果測定には様々な課題があるものの、アーティストによるワークショップのデザインで意図したことがどの程度実現できたのかを確かめる手段として、今回はこのような構成でアンケートを設計した。

（4）アンケート結果の分析方針

　アンケート調査の回答者数は、3 つのワークショップとも 10 名前後と少なく、統計的検定に耐えるサンプルサイズではなかった。そのため、アンケートに用いた各尺度は先行研究が示す因子構造に基づいて質問項目の集計を行い（尺度得点の算出）、その記述統計（平均値と標準偏差）、統計的仮説検定（尺度得点毎に事前事後の平均値の差を検定するため、対応のある t 検定を有意水準 5% に設定の上実施、欠損値は変数毎に除去）と効果量、同検定についてのベイズ推測およびベイズファクターを求め、ワークショップによる効果の程度について検討を行った。また、自由記述への回答も参考にしながら、結果を量的・質的に検討することとした。

　なお統計解析ソフトは、HAD（清水、2016）と JASP（JASP Team, 2021）を用い、確認のために SPSS（IBM）も利用した。HAD も JASP も誰でも無料で入手でき、さらにマウスで必要な項目を選択するなどの比較的簡単な操作で高度な統計解析が行えるツールである。特に JASP は古典的な統計的検定と共にベイズ統計による推測も行える。南風原（2014）によると、「仮説に対する確信度などを、0% から 100% までの範囲で表現するのは実生活でも一般的に行われていることであり、これを確率と呼ぶことは可能（同 p.217）」であり、ベイズ統計はこうした一般的で自然な確率の理解（主観確率）を認めることで、「データに基づいて仮説を評価する、母集団に関して推論する（南風原、2014、p.217）」ことを条件付き確率によって可能にする理論体系であると説明している。また岡田（2018）は、ベイズファクターを用いた仮説とモ

デルの評価について詳しく述べており、例えば、（帰無）仮説1（H0：$\theta = 0$、事前と事後で差はない・効果はないなど）と（対立）仮説2（H1：$\theta \neq 0$、差がある・効果があるなど）がある時、ベイズファクターは「（各仮説やモデルについて）データをよく説明・予測する度合いの相対的比較を行うことができる（同 p.104）」と説明している。すなわち、ベイズファクターは、どちらの仮説やモデルの方がより起こりやすいのか（尤度）を比率（すなわち何倍か）で示してくれるため、直観的にも理解が容易である。そこで、今回のワークショップの効果があるか否かを判断するもう一つの指標となると考え、古典的仮説検定とベイズ推測を用いて統計解析とそれに基づく解釈を行うこととした。

5-3　記録方法

　ワークショップ当日は、筆者も参加して記録を行った。記録は参加者の邪魔にならないようにするため、活動内容をフィールドノートに記録する方法をとった。またアーティストによる作品解説などは、iPodで写真や動画撮影を行った。

　以降の頁では、3つのワークショップの詳細とアンケート結果などを紹介する。また、最後の第7章では、それぞれのワークショップの実践を踏まえた総合的な考察を行う。

（著者：横地早和子(1)・岡田猛(2)　所属等：(1)東京未来大学、(2)東京大学）

『猫になって猫オリンピックの開会式に行こう』

W1-1　講師　竹川宣彰氏および森美術館ラーニングの紹介

　竹川宣彰氏は、国内外で活躍する若手の現代アーティストである。近年は、あいちトリエンナーレ2016やワタリウム美術館、南京四方当代美術館、シンガポール美術館など、アジアを中心とした国々で作品発表を行っている。竹川氏の作品は、絵画などの平面作品に留まらず、立体作品、映像作品、パフォーマンス作品など、多岐にわたる。近年は特に、人種差別やマイノリティーへの差別など、社会的な問題をテーマとする表現が中心となっている。日本の現代アート・シーンでは社会・政治的な問題はあまり取り上げられないが、現代社会が抱える問題にまなざしを向け、表現する数少ないアーティストの一人である。作品のテーマは深刻な内容であっても、猿蟹合戦や昆虫などをモチーフにして比喩的に表現するなど、ユーモアを込めた創作を行っている。

　今回のワークショップは、森美術館で開催された『森美術館15周年記念展　六本木クロッシング2019展：つないでみる』（開催期間：2019年2月9日〜5月26日）に出展された、竹川氏の《猫オリンピック》(2019)（巻頭口絵1）を題材に、「猫になって猫オリンピックの開会式に行こう」との表題で実施された。本ワークショップの企画運営は、講師の竹川宣彰氏、森美術館ラーニングの白木栄世氏と高嶋純佳氏、および筆者2名が携わった。また、白木氏は当日の司会進行役も務め、竹川氏とともにワークショップの実践に携わった。

　森美術館ラーニングとは、主に美術館の来訪者の多様な活動をラーニング（学ぶ）という観点から様々にサポートする部門である。毎回の企画展などではラーニングの企画による鑑賞ツアーやワークショップが行われており、竹川氏を講師とする今回のワークショップも、当該展のイベントの一つとして開催された。参加者の募集などは森美術館のウェブサイトで行われ、ワークショップの募集案内には、「作品を鑑賞後、制作にまつわる話を聞き、招き猫を用いた作品を制作したり、参加者自身がメークアップして猫になり、「猫オリンピック」の開会式を体験します。」と概要を記し、対象は「子どもから大人までどなたでも」とした。なお、ワークショップ当日は、会場設営や参加者のサポートを行うスタッフ、スチール（写真）やビデオカメラでの記録を行うスタッフらが加わった。

　竹川氏の猫オリンピックのワークショップでは、アーティストの出展作品とほぼ同じ形をした招き猫の張り子を事前に準備し、参加者は着色や加工をするだけとした。それは、参加者が幅広い年齢層であり、誰でも簡単に制作が可能な素材や方法をワー

クショップで用いる必要があったためである。一般に美術などの専門的な技術の獲得には、ある程度の訓練が必要である。そういった経験がなくても、アーティストが制作した作品と同じような作品を作ることができたり、あるいは「自分ならもっとこうしたい」と考え、工夫に満ちた作品を気軽に仕上げたりすることができれば、参加者たちの表現に対する垣根も低くなると思われる。そのため、誰でも制作でき、かつ自分なりの工夫を施しやすい素材や方法となるように配慮して準備を行った。

W1-2　ワークショップの実践概要

2-1　作品を鑑賞する

　最初に講師の竹川宣彰氏の紹介が司会の白木氏からなされ、その後、参加者全員で《猫オリンピック》が展示されているエリアにおもむき、竹川氏の作品を鑑賞した（図W1-1参照）。《猫オリンピック》は複数の作品群で構成されており、展示空間でまず目に付くのは、陶器で作られた猫のミニチュアが観客席を埋め尽くすメイン競技場である。それを囲むように設置された3面の壁には、様々な猫のポスターやプラカードが展示されている。メイン競技場に向かって左側の壁には、ドイツ語で「私は世界の猫を呼ぶ」と書かれた大きなパネルがあり、開会式の様子が描かれている。向かって正面の壁には、様々な競技に臨む猫の姿が描かれたポスターが並び、それぞれには「誉められると伸びるタイプ」「えこひいきは諍いの源」などの言葉が中国語で書かれている。そして右側の壁には、招き猫スタイルの立体プラカードが展示され、ここにも「お風呂に入りたくない」「恋人のような飼い主が欲しい」などの言葉が書いてある。

　ほとんどの参加者は、竹川氏の作品を観るのは初めてであった。また、《猫オリンピック》が日本の美術館でまとまった形で展示されるのは初めてであった。まず参加者は、自由に作品を鑑賞した。その後、竹川氏が作品制作のきっかけや作品に込められたアイデアなどを説明した。また、竹川氏は作品に書かれた言葉も説明しながら、ワークショップで表現して欲しいことを参加者に説明した。その内容は以下の通りである。

図 W1-1　展示風景とワークショップの様子（筆者撮影）

　「猫たちがこうして欲しいと主張すること、その意志を受け継いで、みなさんも
　これだけは奪わないで欲しいと思うこと、こんな社会であって欲しいと願うこと、
　自分が大切に守りたいと思うことを書いてください」

　説明を終えた後も、竹川氏はしばらく参加者からの個別の質問に答えるなどしてお
り、参加者はそれぞれ納得いくまで作品を観た後、ワークショップの会場に戻り創作
に取りかかった。

2-2　創作する

　ワークショップで制作するのは、招き猫スタイルのプラカードである。参加者一人
に一つ、張り子の猫プラカードが準備され、それに自由に着色ができるように画材と
道具なども準備された。ワークショップのスペースには、ローテーブルと椅子に座っ
て作業するテーブルの2種類が配置され、どこでも好きな場所で自由に作業ができた。
発色がよく速乾性の高い絵具やクレヨン、数種類の筆や刷毛も準備された。配色を工
夫するために下書きをする参加者もいれば、下書きなしで直接色を塗り始める参加者
もいるなど、制作は思い思いのペースで進められた。なお、今回のスペースは展覧会
会場の最後の一角にあり、通路に面した出入り口側の壁面はガラス張りであるため、
来館者は通路から中の様子を自由に見ることが出来た。

　制作中は、竹川氏はそれぞれのテーブルを巡回し、参加者に話しかけたり、時々参
加者から質問を受けたりするなどの活動がみられた。また、同じテーブルで制作する
参加者同士の会話も活発で、自宅で猫を飼っている参加者が多かったこともあり、互
いの飼い猫の話で盛り上がる様子もみられた。参加した就学前の子どもたちは、同伴
した親やスタッフのサポートなどを受けながら、終始和やかな雰囲気の中で制作が進
められた。

2-3　変装する

　プラカードの制作が完了した後、参加者は猫のメークで変装した。竹川氏は、舞台
用の練りおしろいを用いてメークの仕方をデモンストレーションしつつ、自分を表
現する手段としてのメークの話を、自らのパフォーマンス作品《8 balls NOBUKO》
（2014）などと絡めながら説明した。参加者は、練りおしろいによるメークは初めて
であり、みな恐る恐るメークをはじめたが、徐々に要領がわかってくると自分の飼い
猫の模様を模したり、親に猫のヒゲを描いてもらったりしてメークを楽しんでいた。

　猫メークが出来上がった後、自分の制作した猫プラカードを持って展覧会場内を練
り歩き、《猫オリンピック》の展示エリアまで行進した。展示エリアに着くと、参加
者は竹川氏の作品の前に並び、展示された作品とできたばかりの自分の作品とを見比
べたり、写真を撮ったりした。

　再びワークショップのスペースに戻ると、最後に参加者一人ひとりが、他の参加者
に対して自分の制作した猫プラカードの紹介を行った。飼い猫をイメージした作品や、

パステルカラーの三毛猫の作品など、制作の意図を説明するとともに、プラカードに
記した言葉に込めた自分の想いも紹介した。以上を持って一連のワークショップは終
了となった。

W1-3　ワークショップの効果の検討

3-1　ワークショップの感想の結果

　まず、ワークショップの感想を尋ねた項目の平均値と標準偏差を求めた（表 W1-1
参照）。項目への回答は 5 段階評定（5 件法）であり、全体で平均 4.3 であったことか
ら、概ね高い評定値といえる。美術鑑賞だけでは表現への動機づけは高まらないとの
報告もあるが（縣・岡田、2010）、本ワークショップの参加者は、項目 2「表現する
ことが好きになった」、項目 3「表現したいという気持ちが強くなった」に高い評定
値を付けており、表現に対する動機づけが高まったと考えられる。さらに、項目 4「表
現には洗練されたテクニックや方法だけではなく、五感や感情なども大切だと感じた」
は、平均 4.6 であり、約 7 割の参加者が評定値 5 を付けていた。このことからも、表
現に対する新たな気づきがもたらされたワークショップであったと推察される。
　また、参加者の感想（自由記述）からも、本ワークショップは「楽しかった」「面白かっ

表 W1-1　ワークショップの感想項目の平均値と標準偏差（*SD*）

ワークショップの感想（4 項目、5 件法）	平均	*SD*
1. 作品を観るときの視点が広がったと思う	4.3	0.80
2. 表現することが好きになった	4.2	1.08
3. 表現したいという気持ちが強くなった	4.3	0.70
4. 表現には洗練されたテクニックや方法だけでなく、五感や感情等も大切だと感じた	4.6	0.82
項目全体	4.3	0.87

表 W1-2　ワークショップの感想（自由記述）

ID	感想（一部抜粋）
1	日本の美術はもっと身近なものですね。
2	自分の手を動かすことの楽しさの発見、アーティストがワークショップを通して新しい創作を行う行程を知る面白さなど、勉強になりました。
3	美術館の中で遊ぶ体験、作品と一体化できる体験ができてとても面白かったです。自分自身の作品を使って、何か、他の人とコラボとか、いろいろ妄想が広がりました。メークを普段全然しないのですが、とっても楽しかったです。
4	思い切り自分の思っていること、感じていることを素直に表現することが大切だと感じた。楽しむといいものが生まれるんじゃないか？
5	娘の体験の 1 つとして参加しましたが、親としてだけでなく、一個人として楽しませてもらいました。役割としての親だけでなく、人間として原始的にマインドフルに体験する楽しさを実感しました。
6	とっても面白かったです！創作が身近に感じられて良かったです。あまり怖がらずにもっと芸術に触れてみたいという気持ちになれました。

た」だけではなく、アーティストの創作を知ることで、アートが身近なものに感じられるようになったり、自分の表現の可能性や自分という個の存在を見つめるきっかけになったりしたことなどが記されており、参加者に様々な気づきをもたらした様子がうかがえる（表 W1-2 参照）。

3-2　ワークショップの事前事後比較

　次に、鑑賞の仕方や触発に関して、ワークショップを行う前（事前）と終了後（事後）でどのように変化したのかについて、アンケート結果を比較した。表 W1-3 と図 W1-2 は、アンケートで得られた 4 つの尺度得点（鑑賞態度尺度（比較鑑賞と推測鑑賞）、開放性尺度、触発尺度）の平均値を、事前と事後で比較できるようにしたものである。図表からわかるように、事後の尺度得点が事前よりも全て高くなっている。このことから、本ワークショップの参加者は、鑑賞の態度、作品や他者に対する開放性、触発の受けやすさなどが高まったと推察される。

　中でも比較鑑賞（自分と他者の表現の比較を伴う鑑賞）の平均値は、事前と事後で 1.4 ポイントの差があった。比較鑑賞は、自分がもし同じようなテーマで作品を作ったら

表 W1-3　各尺度の事前と事後の α 係数・平均値・標準偏差（*SD*）・平均値の 95% 信頼区間

尺度	α 係数	平均値	*SD*	平均値の 95% 信頼区間	
				下限	上限
比較鑑賞	事前（.881）	2.7	1.14	2.06	3.37
	事後（.808）	4.1	0.47	3.84	4.44
推測鑑賞	事前（.918）	3.3	0.94	2.71	3.84
	事後（.885）	4.2	0.67	3.81	4.67
開放性	事前（.846）	3.5	0.95	2.97	4.07
	事後（.888）	4.3	0.85	3.78	4.76
触発	事前（.940）	3.3	1.03	2.66	3.85
	事後（.864）	4.0	0.57	3.64	4.33

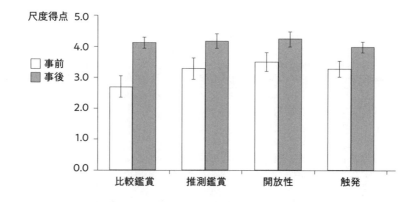

図 W1-2　各尺度得点（事前と事後）の平均値の比較（エラーバーは標準誤差）

どうなるかを想像したり、どう表現できるかを考えたりするなど、他者の作品を自分
に引きつけ、自分ならどうするかを考えながら作品を見ることでもある。この得点が
高まったことから、今回のワークショップでは、自己と他者や他者作品を比較するよ
うな思考が活発に行われたと考えられる。加えて、推測鑑賞（他者の創作過程の推測
や評価を伴う鑑賞）と開放性、触発についても事前より事後の方が高くなっていた（そ
れぞれ0.9、0.8、0.7ポイント）。

　参考のために尺度得点毎に事前事後を比較することを目的に統計的仮説検定（対応
のあるt検定・有意水準5%）を行ったところ、すべての尺度得点で有意な（意味のある）
差が認められた（それぞれ、$t(10) = 4.817$、$p < .001$、効果量$d = 1.452$；$t(11) = 3.347$、
$p = .003$、効果量$d = 0.966$；$t(12) = 2.528$、$p = .013$、効果量$d = 0.701$；$t(11) = 3.693$、
$p = .002$、効果量$d = 1.066$）。すなわち、ワークショップ後には、鑑賞（比較と推
測）、開放性、触発の側面が高まったと考えられる。効果量の大きさの目安（Cohen,
1988）を参照すると、サンプルサイズは小さいが、効果量は比較的大きいと考えられ
る。また、JASPを用いてベイズ推定を同様に行った所（対応のあるt検定・「事前よ
り事後が高い」モデルで実施）、ワークショップ前より後の値が高くなる確率は、そ
うでない場合の5～108倍となった（それぞれ、ベイズファクター$BF_{10} = 108.588$；
$BF_{10} = 16.69$；$BF_{10} = 5.193$；$BF_{10} = 27.655$）。

3-3　参加者の表現と触発の傾向

　本ワークショップの参加者は、募集開始初日に応募しており、いずれも動機づけが
高く、楽しんでワークショップに臨もうという心構えが既にあった。ワークショップ
の募集案内に記された内容から、参加者は作品を鑑賞し、招き猫を用いた作品を制作
し、メークアップして猫になることを事前に把握しているものの、実際にどのような
作品を鑑賞するのかは知らなかった。したがって、前もって制作のアイデアを練る機
会もなく、表現について具体的なイメージも湧いていなかったと思われる。

　しかし、実際にアーティスト本人の話を聞いたり、他の参加者と話したりその活動
を目にしたりすることで、参加者はそれぞれに様々な気づきを得たようである。制作
するのはアーティストの作品を模した招き猫のプラカードだが、自分の好きなように
加工し言葉を書き加えることや、猫メークをすることで、「自分が大切にしたいこと
を猫に託して表現」することが可能となり、自分の殻を破ったり表現の垣根を下げた
りする役割を果たしたと考えられる。

　例えば、制作の時、幼い子どもたちがためらうことなく紫一色、あるいはオレンジ
一色でプラカードを塗っていく様子を見て、猫のデザインを慎重に思案していた大人
の参加者が驚きを持って見つめる姿が垣間見られた。また、はじめ一色で塗っていた
ものの、カラフルに塗り分けた他者のパネルを見て、絵具が乾くのも待たずに別の色
を塗り重ねようとチャレンジする子どももいた。子どもと大人が同じ空間で作業をす
ることで、知らず知らずのうちに互いを触発し合っていたと考えられる。

　猫プラカードに書かれた言葉も様々であった。子どもたちの中には、習いたてのひ

らがなで「じてんしゃ」と書いたり、「犬がかえますように」「立派な一年生になれるように」と自分の願い事を書いたりする子がいる一方で、小学校中学年の参加者は、学校生活で直面している人間関係の問題を踏まえて、「平等」「あらそいのない世界」と書いたりしていた。大人の参加者は、「自由」「世界平和」「愛」と書いたり、ワークショップを通じて自分自身を見つめ本当に大切にすべきことは何かを自分なりの言葉で書いたりしていた。

　竹川氏は作品の説明の中で、猫の「こうして欲しい！」という想いをポスターやプラカードに書いていると述べており、ワークショップでもその意思を継ぐ形で「自分の大切なことを言葉にしてみる」ことを参加者に求めていた。自由、平等、世界平和などの標語やスローガンを改めて書こうとすると、どうしても形式的で見慣れたスタイルのものになりがちである。しかし、猫のプラカードを好きなように着色加工し、そこに普段は表立って語らないような自分の本当に大切にしたいことを猫に託して書くことで、形に囚われない自由な表現を可能にしたのではないだろうか。

　ワークショップの感想には、「思い切り自分の思っていること、感じていることを素直に表現することが大切だ」と書いた参加者がいた。また、竹川氏が終了の挨拶の中で「自分の作品がもう一段先まで完成したような気がして、嬉しかった」と語ったように、参加者の中には「自分の作品を使って他者とコラボ（レーション）」する可能性を見出した者もいた。このように、本ワークショップは、アート作品を模倣した制作に留まることなく、他者の作品から触発を受けて独自の表現を生み出したり、自分も何かをしてみたいという気持ちを刺激したり、今後の表現活動のヒントをアーティストと参加者が相互に提供しあったりするものになったと思われる●1。

●1　アーティストによるワークショップの実践を踏まえた総合考察は、第7章も参照のこと。

（著者・企画：横地早和子・岡田猛　企画・実践担当：竹川宣彰(1)・白木栄世(2)
所属等：(1)現代アーティスト、(2)森美術館ラーニング）

Column
4

ワークショップ『猫になって猫オリンピックの開会式に行こう』

現代アーティスト・竹川宣彰氏インタビュー／聞き手：横地早和子

このコラムでは、ワークショップを実施してくださったアーティストの方に、どのような意図でワークショップを行ったのか、ワークショップを行う中で得た気づきや触発、今後のワークショップのヒントなどについて伺ったお話を紹介する。

＊＊＊＊＊

聞き手　「猫になって猫オリンピックの開会式に行こう」というタイトルで、どのようなワークショップにしたいと思われたのかを教えてください。

竹川　普段、ぼくは絵描いたりオブジェを作ったりしています。だけど、作品を展覧会に出して、それを人が見てというのは「接点」が硬い気がしていました。「面」で接しているというか…。見た人が「良かったですよ」と言ってくれたとしても、どう感じて、何を考えたのかは全然わからないんです。だから、ワークショップでそういうところが柔らかくなって、作品の世界にお客さんを誘いたいなと思いました。その上で、自分の作品自体の輪郭も柔らかくなっていくようなことがあると、面白いかなと思っていました。普段からあまり難しい作品を作らないようにしようと考えていたのですが、もっともっと柔らかくできるんじゃないかなと思って、楽しみにしていました。

聞き手　今回は、子どもから大人までいろいろな人が参加したワークショップでしたが、どのようなことを感じましたか。

竹川　期待以上の感じになって、びっくりしました。すごく楽しそうにしていて、楽しい雰囲気が充満して、お互い盛り上がっていく感じで。そうなるとは自分で想像していなかったです。はじめは、みなさん、おっかなびっくりで、つられていくような感じになるのかなと思っていたら、結構、爆発していて（笑）。「そういうふうに塗っちゃうのかー」というぐらいに、潔く塗ったり、大胆だったりと、悩まず、潔く作っていたと思います。みなさんがクリエイティブな気持ちになっていく時に、やっぱり楽しさは重要だなと、すごく思いました。期待の上をいく感じで、みなさん、すごくクリエイティブでした。
　アートをやっていると、クリエイティブさみたいなことを比較したりします。でも、ワークショップで見えたのはそういうものではなくて、個性に近いものが見えたような気がします。そもそも個性自体、クリエイティブなことだと思うし、比較するものでもありません。今回も、人と比べられない、面白い創作をみなさんが出してきたと思います。最後のお披露目の時も、それが言葉でちゃんと伝わってきました。そこが本当に予想を超えていました。それぞれきっと、悩む部分もあったと思いますが、ちゃんと（自分の表現を）出してくるところにびっくりしました。

聞き手　参加者の様子を見て、自分自身に跳ね返ってくることや、考えたりすることはありましたか。

竹川　ありますね、もちろん。やっぱり創作の原点みたいなものが見えたと思います。コンセプトから作って作品を美術館に展示するまでの間のどこにクリエイティブな原点があるのか、きっとどこかにあると思うのですが、ぼくは正直、わからないんですよ。でも、そういうものが、今回のワークショップで取り出されて見えました。みなさんのクリエイティブな何かが、ポッとかたちで見えた感じがしたので、そのことに純粋に刺激を受けました。

聞き手　ワークショップでは、猫のプラカードを作り、その後、猫メイクをしましたが、「メイクをすることもひとつの表現だよ」とおっしゃっていましたよね。

竹川　ワークショップの場を借りて、押し付けにならない感じで、自分の作品の狙いをみなさんと共有したい、作品で説明しきれない部分を一緒にやってもらいたと思っていました。そのために、ハードルを下げたいという想いもあったんです。「自分の意見の表明」であるプラカードを手に持って歩く時に、顔にメイクをして猫になることで、意見の表明がしやすくなるといいなと思ったんです。でも顔を塗るのは、結構ハードルが高いことだし、「どうなるかな」と心配していました。でも、みなさん、ちゃんと上手に面白くやってくれたと思います。

聞き手　竹川さんからご覧になって、みなさんが猫のプラカードに書いた言葉や、猫の表現の中で、印象に残るものはありますか。

竹川　印象に残った言葉というよりも、本当にバラバラだなと思いました。確か、子どもさんが『犬が飼

いたい』と書いていましたし、子どもも大人も、「自由」や「平等」と書いていましたね。『獣フレンズ』と中国語で書いていた人もいましたね。

普段、作品を作る時、どのくらいのことがぼくの作品を見てくれる人に届いているのか気になっていたし、自分なりに想像もしていました。その一方で、あまり見え方を強制しないような優しい作品を作りたいなとも思っています。そう考えてきた中で、今回のみなさんの言葉の自由度やバリエーションにびっくりしましたし、ちょっと悪い言葉に聞こえちゃうかもしれないですが、壁がすごく分厚いなと思ったんです。作品を見てくれる人と作っている人の間（の壁）が。でも、隔たりがあるからこそ、発想が刺激されて遠くまで飛んでいくようなところがあると思ったんです。

いい体験ができた感覚があるんです、ぼくにとって。作品を見てくれる人との間にどのぐらいの壁の厚みがあって、影響を与え合っているのかとか、見る人がどう感じて何を考えているのかとか、そのことが体験として見ることが出来た気がします。

だから、「自分のこういう思いがあって、こういう肉付けをして、こういう作品を作って」としているけれども、人は全然違う所を齧って、穴を開けて、そこにある果肉を齧っている。それは、自分の齧って欲しい所とは限らないんです。みなさんがそれぞれ自分の好きな所を開けて、齧っていく感じが、今回見えて。しかも、それを全く否定的に思わなくていいという感じも得たと思います。それが個性というか、その人のクリエイティブな出し方なのだと…。作品の作り手の個性と見る人の個性が響いて、何かがそこで伝わったという感じです。

あの場に居た時は、本当に楽しいというか、戸惑いというか、そういう感じでしたけど、ちょっと時間たってからは、今言ったような体験が自分の中に残っています。

聞き手 塗る色の相談を受けたりしましたか。

竹川 ありましたね。相談する人としない人がいました。絵の具で塗るということに、おっかなびっくりの人もいました。でも、本当に「お好きなように」としか言えないです。

音楽だと難しそうじゃないですか。押し間違えたら違う音が出ちゃうとか、不協和音になっちゃうとか…。でもアートだと、やれば結果が出て、塗れたことになるから、「怖がらないでいいんだよ」

ということだけ伝えれば、それで十分だと思います。

聞き手 今後、ご自分の作品にまつわるワークショップをする機会があれば、どんなことを意識しながら取り組んでみたいですか。

竹川 どこに齧りついてくるかわからないことを踏まえてやりたいなと思います。自分の作品のコンセプト部分を、ワークショップの核に据えないでやってみたいですね。そこは噛みついてこない人が多いから、それほど重要じゃないのかなと思ったりします。それよりも、参加しながら楽しく、刺激しあえるような、そういう媒介になれれば…。例えば、版画の作品を発表する時になったら、「版画をしましょう」ということがいいかもしれないです。

だから、そのバランスをもうちょっと調整したい、ワークショップのためにちゃんと構成したいです。今回は、出発点が『猫オリンピック』で、そのコンセプトにぼくはすごくこだわったので、それはそれで面白い結果になったけど、そこで得た実感をあえて外してみて、その感触を見てみたいなと思います。

聞き手 最後に、参加者のみなさんから受けた刺激や、改めて今感じることなど、お話しいただけますか。

竹川 自分自身が、作ることの原点に帰れる感じがありました。安心できる感じというか…。みなさんと作品を作り、自分も猫に扮したことで、自分の作品の境界線が大分ゆるいものになった気がします。自分の作品の中に、みなさんが猫オリンピックの参加者になって溶けているような状態になって…。みなさん、自分の言葉をしっかりと持っていて、それは最後のお披露目の時に話してくれた言葉だけではなく、どういうふうに自分の顔をメイクするかとか、プラカードをどう塗って、何のメッセージを書くかというところで、子どもから大人まで、即興ではあるけれども、みなさん、ちゃんと（自分の言葉や表現を）出してくる。みなさんのクリエイティブの原点が出てくる、みなさんのクリエイティブな個性が発露される、そういうフラットさみたいなところに安心感を得られたと思います。本当に、作る楽しさ（という原点）に集まることができて、自分自身も参加者の1人になっていたと思うと、それも受け取ったことのひとつだと思います。

第**6**章

現代アート・ワークショップ２
『色と形のテラス』

W2-1　講師　山本晶氏と代官山ヒルサイドテラスの紹介●1

　山本晶氏は、自身が見た風景をもとに、窓や建造物の構造、樹木、丘など、様々な形、光や影を鮮やかな色使いで画面上に再構成するようにして絵を描く画家である（巻頭口絵2）。東京の代官山や渋谷のギャラリーでの個展はもちろんのこと、2005年には文化庁在外研修員として渡米し、Domani展（国立新美術館）やVOCA展（上野の森美術館）、ART TODAY（セゾン現代美術館）などの展覧会に参加している。また、東京丸の内のあるホテルや、企業が山本氏の作品を所有、展示しており、様々なシチュエーションで人々の目を楽しませている。

　山本氏は、近年、一つの画面に同時に多くの視点を介在させた表現や、地図に示された県境や、地域と地域、国と国を隔てる境界線の概念に触発された表現の試みを行っている。表現手法も、絵画に留まらず、糸やフェルトを用いたインスタレーション、透明アクリル板にシルクスクリーンなど、多様な表現を用いており、長年美術大学でも学生の指導に携わっている。また、様々な経験を活かして、アートのワークショップを行っており、参加者のポテンシャルと個性を引き出していく、多彩なアイデアの持ち主でもある。

　今回のワークショップは、代官山ヒルサイドテラスの一角にあるスペースを借りて実施した。代官山ヒルサイドテラスには、山本氏が所属するアートフロントギャラリーがあり、本ワークショップの実施にあたって、山本氏の作品展示や観覧に協力していただいた。また代官山は、日本近代建築の代表でもあるヒルサイドテラスの建物や、山のような台地の地形、目黒川（中目黒駅方面）を見下ろす風景、旧山手通り沿いの町並みといった様々な要素が重なり合う場でもあり、山本氏と共に参加者がワークショップのアクティビティーを存分に楽しむことができると期待された。また今回は、武蔵野芸術大学の大学院生だった山本明日香さんと近藤太郎さんにワークショップの助手として参加してもらい、参加者の技術的なサポートなどを担ってもらった。

●1　第5章から引き続き、本章もアーティストによるワークショップの実践報告である。ワークショップのねらいやデザイン、効果測定の概要等については第5章を参照のこと。

W2-2　ワークショップの実践概要

2-1　色を準備する

　山本氏から、ワークショップで用いる画材などが指定された。色鉛筆（カリスマカラー72色）、色画用紙（ミューズコットン約40色）、カラーセロファン、各種展覧会のポスターである。これらは、参加者が自由に色や形を選び、自由に遊ぶことができるように、表現手段を可能な限り多く提供するためであった。同時に、色彩を扱う困難さを回避するためでもあった。教材などで用いられる汎用品は原色（赤・青・緑など）が中心だが、日常生活にはそうした原色は存在せず、曖昧な中間色がほとんどであり、彩度も非常に低い。日常の中にある色を自分で作ることはハードルが高いため、なるべく多様で曖昧な色（薄桜・薄浅黄・若草など）を揃えることとした。

　また、美術の創作で用いられる本物の画材を揃えることも、山本氏に求められたことである。安価な汎用品と比べると、高品位な素材は質感や筆触、描きやすさなどが変わることから、心地よく創作する上でも素材の選定は欠かせないものでもあった。加えて、実際に美術の制作で用いられている素材を使ってみることで、作品鑑賞の際にアーティストがどのような素材を用いて制作を行っているのかに興味を持つことにつながる。こうした理由から、色数も素材も、これまでにないほど潤沢な準備が整えられた。

　色鉛筆や色画用紙などの素材を全て入れ物から取り出し、気軽に手に取って使えるようにテーブルの上に広げてみると、驚くほどカラフルでわくわくするような空間になった。テラスを臨む一面が総ガラス張りのスペースの眺めのよさも相まって、「この場所では、どんなことでも思いのままに表せる」と感じられる場になった。

2-2　覗き穴を作り、風景を探索する

　山本氏は、いつも使っている小さなスケッチ帳を取り出して、1枚1枚参加者に見せていった。そこには、旅先で目にした風景や、山、森の木々などが描かれている。一瞬の間に目に写った形をさっと描いただけの、極めてシンプルな線画である。そうした線画の中から山本氏は山のスケッチを選び、画用紙に形を写しとり、線に沿って形を切り抜いたものを見せた。最初の活動で使うのは、切り抜いた後に残る外側の画用紙である。くりぬいた画用紙の穴から、世界を覗き見るために用いるのである（図W2-1～W2-4）。

　続いて山本氏は参加者に、紙を丸めたり、紙コップを潰したりしてできる変な形や面白い形を作り、その形をくりぬいた「覗き穴」を準備して欲しいと説明した。形にこだわる必要がないとわかった参加者は、それぞれ工夫を凝らした面白い形の「覗き穴」を作っていった。

　出来上がるとすぐに、覗き穴を持って代官山の散策に出かけた。散策では色や形に着目して自由に歩き回った後、それぞれが覗き穴で見つけたものを伝え合う時間が持たれた。駐車上の車、猿楽塚、煉瓦敷きの敷地、郵便ポスト、消火栓、通用口など、

図 W2-1　無数の素材の前で話をする山本晶氏
　　　　（右から 2 人目）（筆者撮影）

図 W2-2　形を切り抜いた「覗き穴」を見せる（筆者撮影）

図 W2-3　画用紙に「覗き穴」を作る（筆者撮影）

図 W2-4　「覗き穴」で代官山を探索する（筆者撮影）

自分が面白いと思う形や色を見つけては他の参加者に楽しげに伝えたり、同じ穴から
覗きあったりと、活発なやり取りが展開した。

2-3　作品を鑑賞する

　昼休みの後、ワークショップ会場に隣接するアートフロントギャラリーで山本氏の
作品を鑑賞した。はじめに、今回の展示に協力してくださったアートフロントギャラ
リーの坪井みどりさんから、山本氏の作品や常設されている他作家の作品について簡
単に説明がなされた。山本氏は、いつものように作品を観るだけではなく、覗き穴か
ら覗いたり、覗き穴でフレーミングしたりして作品の中に新たな形や色の組み合わせ

を探しながら見ることも面白いと思う、と参加者に語りかけた。

　参加者は、時に自分の覗き穴から作品を見たり、距離を取って見たり、接近して見たりと、じっくり時間をかけて視点を様々に変えながら作品を観ていた。ある程度作品を自由に観た後で、山本氏は自身の作品について何を思いながら制作しているのかを話していった。人は常に「見ているものと、見ていないもの」があること、その関係がどうなっているのかを不思議に感じていること、その不思議さを絵で表すことができないかと思いながら描き続けていることなどであった。

　参加者からも様々な質問や感想、目にするものに対する印象や感じ方などについて自然と発言が起こり、想像以上に作者と作品、そして鑑賞者による複層的な対話が繰り広げられていった。その中で、山本氏は、自身の絵が人々の記憶のイメージを引き出すような役目も果たすのではないかと思いながら描いていると語った。確かに、参加者たちは、「○○に見える」とか、「そういえば、あのときの○○に似ている」といった、自分が抱いたイメージについても語り合っており、山本氏の作品を介して参加者のイメージが呼び覚まされていたと思われる（図 W2-5）。

図 W2-5　山本氏の話を聞きながら作品を鑑賞する（筆者撮影）

2-4　創作する

　ワークショップ会場に戻ると、山本氏からは新たな活動の説明がなされた。それは、自分の「覗き穴」とそこから見えたものを元にして、自分なりの色や形を作って行くというものであった。

　台紙となるハレパネ（粒子の細かい発泡スチロールでできており、表面が接着剤でコーティングされた薄くて軽いパネル）を見せながら、再度覗き穴の形をくりぬき、くりぬかれた形と残ったパネルのそれぞれに、ふさわしい模様や形の重なり、色のグラデーションなどを自由に探って、色紙などを貼ってみるようにと説明した。

　この部屋にある素材はどのように加工しても構わないことや、色画用紙やポスターなどを自由に切り取るだけでなく、色紙に色鉛筆で色を塗り重ねて自分の好みの色を作り出せることや、造作に困った時には助手の山本明日香さんと近藤さんに助けを求めてみることなどのアドバイスも提供された。そして、今日の散策や作品鑑賞で見つけた色や

図 W2-6　色とりどりの素材で制作する・自分の作品を紹介する（筆者撮影）

形をイメージしながら、自分なりの作品を作り出して欲しいと語りかけた（図 W2-6）。

　制作には1時間半ほどが費やされたが、参加者は熱中して作業に没頭していた。無数の色と形がそれぞれのパネルの上に貼り重ねられ、様々なコラージュが生み出されていった。具体的な形をした作品もあれば、抽象的だが森や自然の風景などをイメージさせる作品や、奇妙な形だが愛嬌のある生き物のような作品など、実に多様な色と形の作品が作り出された。

　制作後は、各自が好きな場所に自分の作品を展示し、どのようなことをイメージして表現したのかなどを紹介し合い、感想を述べ合ったりした。今日の散策で見つけた形をイメージして表現した人もいれば、旅先で見た風景を思い出しながら表現した人もいるなど、囚われることなく自由に自分のイメージを駆使して作られた作品ばかりであった。

W2-3　ワークショップの効果の検討

3-1　ワークショップの感想の結果

　まず、ワークショップの感想を尋ねた項目の平均値と標準偏差を求めた（表 W2-1 参照）。項目への回答は5段階評定であり、全体で平均 4.5 であったことから、概ね高い評定値といえる。また、本ワークショップの参加者の回答の内、項目4「表現には洗練されたテクニックや方法だけではなく、五感や感情等も大切だと感じた」が最

表 W2-1　ワークショップの感想項目の平均値と標準偏差（*SD*）

ワークショップの感想（4項目、5件法）	平均	*SD*
1. 作品を観るときの視点が広がったと思う	4.5	0.50
2. 表現することが好きになった	4.4	0.64
3. 表現したいという気持ちが強くなった	4.3	0.83
4. 表現には洗練されたテクニックや方法だけでなく、五感や感情等も大切だと感じた	4.8	0.43
項目全体	4.5	0.65

表 W2-2 ワークショップの感想（自由記述）

ID	感想（一部抜粋）
1	形からのアプローチ、時間感覚の話が参考になりました。ちょっとしたことで面白いアイデアは生まれるのだなと感じました！
2	「覗き見」という言葉、作っている時にワクワクしました。先生の話を聞いて、色の見方が変わりました。一つの色の中にもよく見るといろいろな色があることがわかりました。
5	自分で切り取ったフレームから世界を見ることはとても面白かった。そこから覗く風景、色、カタチ。世界は面白さにあふれていると感じた。
6	自分では思いつかない表現方法で制作することが出来て楽しかった。自分の幅を広げられたと思う。先生の作品鑑賞もよかった。
7	自分の持っているある対象に対するイメージや枠組みを壊していくことの意味をあらためて考えるきっかけになりました。
8	自分では難しいかな？と思っていた美術表現も、やってみると楽しく、深いなと思いました。手に取って考えて形にすることを楽しみながら行えてよかったです。

も高い評定値であり、続いて項目1「作品を観るときの視点が広がったと思う」、項目2「表現することが好きになった」が高い評定値となった。このことから、今回の参加者は表現技術に対する捉え方や、作品を観るときの自身の視点などに変化を感じていたものと思われる。

　また、参加者の感想（自由記述）からも、本ワークショップは「楽しかった」「面白かった」だけではなく、アーティストの創作を知ることで、アートが身近なものに感じられるようになったり、身の回りにある色に対する感受性や、不定型な形に対する受容性などを高めるきっかけになったりしたことなどが記されていた（表 W2-2 参照）。これらのことから、山本氏自身がワークショップのねらいとして抱いていた、「色や形に対する思い込みを壊すこと」が実際に起きていたと考えられる。

3-2　ワークショップの事前事後比較

　次に、鑑賞の仕方や触発に関して、ワークショップを行う前（事前）と終了後（事後）でどのように変化したのかについて、アンケート結果を比較した。表 W2-3 と図 W2-7 は、アンケートで得られた4つの尺度得点（鑑賞態度尺度（比較鑑賞と推測鑑賞）、

表 W2-3　各尺度の事前と事後の α 係数・平均値・標準偏差 (SD)・平均値の 95% 信頼区間

尺度	α 係数	平均値	SD	平均値の 95% 信頼区間	
				下限	上限
比較鑑賞	事前 (.890)	3.3	1.06	2.64	4.06
	事後 (.933)	4.5	0.57	4.13	4.90
推測鑑賞	事前 (.422)	3.9	0.42	3.55	4.20
	事後 (738)	4.3	0.39	4.08	4.57
開放性	事前 (.653)	3.6	0.73	3.15	4.13
	事後 (.569)	4.4	0.47	4.12	4.71
触発	事前 (.878)	3.9	0.90	3.27	4.47
	事後 (827)	4.3	0.60	3.93	4.70

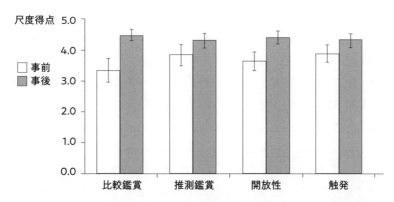

図 W2-7　各尺度得点（事前と事後）の平均値の比較（エラーバーは標準誤差）

開放性尺度、触発尺度）の平均値を、事前と事後で比較できるようにしたものである。図表からわかるように、触発と推測鑑賞の事前事後の差分は 0.4 ポイントで変化は小さい。一方、比較鑑賞と開放性の得点は事後の方が事前より高くなっていた（それぞれ 1.2、0.8 ポイント）。

　参考のために尺度得点毎に事前事後を比較することを目的に統計的仮説検定（対応のある t 検定・有意水準 5％）を行ったところ、比較鑑賞と推測鑑賞、そして開放性において事後に有意な（意味のある）差があることが示された（それぞれ、$t(10) =$ 5.916、$p < .001$、効果量 $d = 1.784$；$t(8) = 5.617$、$p < .001$、効果量 $d = 1.890$；$t(10) =$ 5.051、$p < .001$、効果量 $d = 1.523$）。すなわち、ワークショップ後には、鑑賞（比較と推測）、開放性の側面が高まったと考えられる。効果量の大きさの目安（Cohen, 1988）を参照すると、サンプルサイズは小さいが、効果量は比較的大きいと考えられる。また、JASP を用いてベイズ推定を同様に行った所（対応のある t 検定・「事前より事後が高い」モデルで実施）、ワークショップ前より後の値が高くなる確率は、そうでない場合の 1〜411 倍となった（それぞれ、ベイズファクター $BF_{10} = 411.059$；$BF_{10} = 153.793$；$BF_{10} = 145.691$；$BF_{10} = 1.424$）。

3-3　参加者の殻を壊すこと：触発を活かすための準備

　参加者の感想から推察されるように、山本氏の「色や形に対する思い込みを壊す」試みは、触発されたことを活かしながら参加者が伸び伸びと表現する上で重要であった。
　そもそも本ワークショップは、山本氏の作品や山本氏自身の考え方、ものの見方などに触れることで、参加者に何らかの触発が起きることを期待したわけだが、折角触発を受けて表現のヒントを何かしら得たとしても、それを形にして表す際に、乗り越えなくてはいけない様々なハードル（制約）があるのも事実である。特に、美術の作品を作る経験をあまり持たない参加者にとっては、正確に形を描いたり、出したい色を作り出したりすることは技術的に難しい。
　ところが、「美術の制作には技術だけでなく、五感や感情等も大切だ」とほとんど

の参加者が強く感じたことからわかるように、技術に対する構え（苦手意識）が外れたのではないかと考えられる。膨大な色数の中から好きな色を選ぶことができ、形も不定形で構わないとなると、技術のハードルはぐっと下がる。技術的な側面の実現に時間や労力を取られることなく、自分自身の感じ方や感情、イメージなどを素直に表現できたという実感が得られたのではないだろうか。

長年、美術系大学や専門学校で美術を教え、ワークショップを実践してきた経験から、山本氏は表現をする時に制約となる「殻（思い込みなど）」をどうやって壊すかについて様々な経験知を得てきている。ワークショップの準備で打合せを行う過程で、山本氏は「普通の形を作らせない」、「如何に殻を壊すか」といったことを話していた。また、「ワークショップはこちらが想定したとおりにはならない」ことも念頭においておく必要があることも話していた。

実際に、最初に工作する「覗き穴の形」をどうするかで少し戸惑う参加者もおり、助手を務めた明日香さんと近藤さんに助言を求める場面が見られた。一方、様々なアクティビティーを経た後は、山本氏の説明の枠を越え、独自の考えや工夫に基づいて制作を行う参加者たちが現れた。代官山の散策で見つけたものをモチーフにするだけではなく、旅先で目にした風景をモチーフにしたり、自分の今の気持ちをコラージュで表したりと、「覗き穴」の枠そのものを越えた表現が生まれていった。

本ワークショップにおいてもう一つ重要であったのは、山本氏が参加者と作り出していった関係性である。それは、信頼感と安心感を伴うものであったように思う。アンケートを設計した段階では、参加者とアーティストがどのような関係性を築いていくのかといった観点は検討していなかった。そのため参加者の「触発」と「鑑賞」の変化を捉える項目のみでアンケートは成り立っていたわけだが、どのような触発を受けたのかや、何に触発されたのかまでは捉えることはできていない。ましてや、関係性の構築の様子も、現場で参与観察した筆者の主観的な印象に過ぎない。

ただ、今回のワークショップの全体的な雰囲気には、参加者もアーティストも助手も、それぞれの表現を試したくなるような何かがあったように思う。多様な表現が生まれる土台を丁寧に準備すること、そして安心して表現を生み出すことができる場と関係性を作り出すことが、触発を活かしていくために必要な要素の一つであるのかもしれない。参加者の殻を壊す工夫と共に、殻を破った参加者たちの活動を受容できるような準備が、ワークショップを実施する側には必要である。そのことを痛感させられた機会であった●2。

●2　アーティストによるワークショップの実践を踏まえた総合考察は、第7章も参照のこと。

（著者・企画：横地早和子・岡田猛　企画・実践担当：山本晶（1）　所属等：（1）画家）

Column
5

ワークショップは空き地をつくる

山本 晶（画家）

絵を描くときは、気持ちさえあれば特別な場所はいらない、なんてことはない。紙を広げる床の確保、道具を広げる作業台、絵の具を出すパレットの位置も重要だ。弘法筆を選ばず、私は筆を選ぶ。紙をつなげて拡張すれば、身体を使えば、線はどこまでも引くことだってできる。

今までの経験から言うと、養護学校でのワークショップは体育館や美術・音楽室、教室のどこで行うかを先生たちと考える。身体に合わせて、気持ちに合わせて、場所を選ぶことが必要。美術館では机も椅子も棚も全てワークショップのために設計デザインされていたり、版画設備が充実していたり、日常空間から切り離された場所は集中することができる。大抵は公園が併設されているので、自然を観察することもできる。何より展示されている作品を直に鑑賞して、ギャラリートークを盛り込むこともできる。復元された江戸時代の旅籠屋では、光や匂いの雰囲気があった。その町に住んでいる人にとっては現在と江戸時代のパラレルワールドで作品を作ってしまうことになる。

作品と日常生活との関係、気持ちのオン・オフ、場所はとても大事な制作の要素なのだ。

「色」と「形」に「テラス」を加えたのもその理由からだ。

武蔵野美術大学の授業で、和光大学現代人間学部人間科学科教授、堂前雅史さんに1日限定の流域フィールドワークをお願いしたことがある。それは大学の近隣の湧水の豊富な国分寺崖線を平面と空間で体験してみる、というもの。動物行動学が専門で、和光大学の授業では鶴見川流域のフィールドワークを行っている。在学中、四季を通じて河川敷に分け入る自然観察は、生態系を身体で体験することになる。以前から聞いてはいたのだがその様子をFacebookで読んでいるうちに興味が湧いてきた。本来なら長いスパンで行うべきフィールドワークを、無理を言ってタイトな枠組みにしてもらい出張していただいたのは、堂前さんのイメージと実践を重ねる方法が面白いと思ったからだ。

観察の導入方法は独特。まず初めにその地域の江戸時代に残された浮世絵を見る。絵師が選び取る風光明媚な風景は現在の地形と変わらない。そして現在の地図を配り、それぞれ等高線を見ながら山折り、谷折りをして高低差をつくり、平面上の情報を立体に起こす。

これは川を軸にして広がる「流域」をベースにした土地の区分け方で、別な視点の地図を現在の地図の上にマッピングすることができる[1]。時間・平面・立体による複数のイメージを作った後、実際にこの地図を持って歩く。

玉川上水、分水、用水、湧水、国分寺崖線、野川。いつも歩く道、いつも乗る西武線から見える景色は大地と水と時間が関わっていることに身体で理解されてゆく。いつもの場所、自分のテリトリーだと信じている大学とその周辺の場所に、違う視点が導入されるとどのような風景を発見することができるのだろうか。絵描きは見えたものを上手にスケッチすることを目的とはしていない。絵の方法論はもっと自由で多様であることを、どうやったら気がつくことができるのだろうか。

ダイレクトに色と場所について考える機会になったのは、武蔵野美術大学通信教育課程の授業で行っている色の演習で、身の周りの物質、例えば植物や河原の小石、古着など24種類採取して4センチの正方形に貼り付け、色チップをつくるという課題だ。日本各地にいる学生から送られてくる24色のチップが作る色調は地域の特徴が現れる。育った原風景や暮らしている土地の湿気や天候の特徴が反映されている。湿度が低く自然が豊かな地域は透明感、海沿いで湿気の多い場所は複雑なグレー・トーンを作り出すなど、挙げたらきりがない。表現の豊かさは個人の指先からでているが、色は見ている風景から吸収されている、という事実に驚く。

旧山手通りの道の形状に沿って建てられた白い低層の、店舗や住居、事務所など、入口と出口と小さな広場が連続し、複数の動線に誘導される槇文彦氏設計のヒルサイドテラス。あ、行き止まりか、え、ここに古墳があるの？　流れが滞留する時間も組み込まれている。古墳時代から住み良い地形の猿楽町・鉢山町の丘の中腹をあたかも自分が発見した場所のように練り歩く。小学生の頃、塀の隙間から惹きよせられて空き地に飛び降りると、四角く切り取られた空っぽの土地の、立ち塞がる塀の隙間に、型取られる別々の家の風景が同時に目に入る、あの感覚。のら猫と目が合い、ひらひら舞う洗濯物の柄が建物と木の形に切りとられる、窓の中のおじさんがあくびをする、現在進行形が滞留する風景。

　無機的な四角い消火栓は、「火」だけが残り、可愛らしいポットのような形に切りとられ、ロゴの周りに広がったサビにより、銀色のダンスのように見え、排水溝の分厚い鉄の重そうな格子は軽やかでリズミカルな表情に変化する。色の意味から解き放たれ、形の欠落は形の意味から解き放たれる。焦点が変化する度にパッチワークのようにつなぎあわさって風景は作られてゆく。

　ワークショップは決定したゴールはない。よーい、ドン！　で、みんな勝手に走る。ゴールを決めないでいいと解ると美術の枠組みから離れて自分自身の日常に戻る人もいる。例えば養護学校で「好きなものの形を描いて」と言ったら、一人の生徒がそらで鉄道の踏切を描きだし、先生も今まで見たことのなかった一面が現れることがあった。作品の完成ではなく、今見ているものや描きたいものが作品として現れてくることが面白い。そもそも完成とは何ぞや？と、常に探究しているアーティストとしては、一緒にうんうん考え、もぞもぞすることが唯一できることだと思っている。

　そして重要なのはアシストしてくれる若いアーティストたち。あちこち好き勝手に伴走してもらい、参加者がそれぞれ違う風景を見つけ出す手助けをしてくれる。ある美術館でのワークショップで突然若いアーティストにギャラリートークを振ってみた。彼らの中には作品に対する分析がすでに用意されているので、ほお、やっぱりな、と思ったことがある。私自身にも発見があり新鮮な解釈の切り口は非常に刺激的である。経験が今後のワークショップの骨子を形成してゆくし、自身の発した言葉の中に浮かび上がった可能性を自覚できる機会になる。若いアーティストたちはその後それぞれワークショップを展開している。今の場所は次のワークショップの場に繋がっている。

　散らばる別々の風景をテラスに集めて鑑賞すると作品がゆるやかにつながって、星座のようになる。見る人によって受け取り方も違うので、読み解く言葉も一つとは限らない。
　とはいえ、豊かな場がないとワークショップは成立しないのかという課題がぶらさがっている。オンラインのワークショップも並走するようになってきた中、「豊か」という言葉よりも、美術そのものも動いている中で、ますます「場」が問われるようになるだろう。けれど、やはり空き地のようなポカンと広がる空間を見出すことは全く不可能ではないのだと、日常の生活から嗅ぎ取ることは、まだできている。

● 1　川の流れをベースにした土地の区分け方については、岸由二の『流域地図の作り方』（ちくまプリマー新書）に詳しい。

第 **7** 章

現代アート・ワークショップ3

『空飛ぶウサギに乗ってみるかい？』

W3-1　講師　篠原猛史氏の紹介●¹

　篠原猛史氏は、1970年代から絵画や版画、環境彫刻やインスタレーション、映像作品など、自然界の様々な要素を取り入れた多彩な造形表現を展開し続ける現代アーティストである（巻頭口絵3）。長年にわたる創作活動の中で生み出された作品群は、同じ作家の手によるものとは思えないほど多様であり、『篠原猛史：ビオトープの場展』（美濃加茂市民ミュージアム、2006）や、『サイクルとリサイクル展』（愛知県美術館、2007）などで展示された膨大な作品群は、人生のほとんどの時間を芸術のために費やしてきたことを示すものであった。これまでの創作は、自然や環境をテーマとしつつ、そこに生き「今、ここ」に在る自分と向き合い、わずかな変化や見過ごしがちなものごとに目を向け、自らを取り巻く環境から受ける感覚を芸術表現に昇華させる姿勢を貫いている。

●1　第5、6章から引き続き、本章もアーティストによるワークショップの実践報告である。ワークショップのねらいやデザイン、効果測定の概要等については第5章を参照のこと。

W3-2　ワークショップの実践概要

2-1　作品を鑑賞する

　今回のワークショップは、東京大学教育学部で実施したため、篠原氏本人に作品を会場に持ち込んでもらい、参加者に鑑賞してもらった。持ち込まれた5つの作品は、絵画や立体であり、前日に完成したばかりの最新作もあった。

　まず篠原氏は簡単に自己紹介をした後、参加者に「普通に作品を見てください」と言い、しばらくしてから「この中に新作がありますが、それはどれだと思いますか」と問いかけた。どれが新作だと思うかを参加者にたずねた後、篠原氏は正解を伝えると共にその作品を参加者に持ってもらった。写真にあるように、その作品を持って傾けてみると、中に入っている植物の種が転がってさざ波のような音を立てることに参加者は気がつき、他の参加者に作品を手渡してその音や種が転がる感触を確かめ合ったりした（図W3-1）。

　篠原氏は、どのような発想に基づいて個々の作品を制作したのかを話しながら、見

図 W3-1　篠原氏の作品を鑑賞する（筆者撮影）

ること、聞くこと、イメージすること、自分の状況を正確につかむことなど、自分自身の制作において常に意識している事柄について話を深めていった。

2-2　感覚を探索する

　次のアクティビティーでは、「見ること」などを様々な方法で試していった。その1つが「石を水に投げ入れる」ことであり、もう1つが「落ち葉の上を歩く」ことであった。参加者は、たくさんの石の中から好きなものを一つ手にし、タライの水に石を投げ入れていった。遠くから投げ入れる人、水面付近からそっと水に潜り込ませる人、真上から落とす人、それぞれ異なる方法で水の音や水面の揺らめき、石の動きなどに注意を向けていた。

　次に、篠原氏は用意した落ち葉を床に広げると、参加者にその上を自由に歩くように指示し、その時の音や感触に気持ちを向けて欲しいと伝えた。参加者は、裸足になってゆっくり歩くなど、自分なりのペースで落ち葉の上を歩いて行った。それぞれのアクティビティーの後、参加者が感じたことや、そこから連想したことなどについて話してもらった（図 W3-2）。

図 W3-2　石や落ち葉を使ったアクティビティー（筆者撮影）

2-3　創作する・組み合わせる・語り合う

　今度は、先ほど自分が選んだ石を思い出して作品にして欲しいと伝えた。その際、「描く前の儀式」として、指、手、肘に意識を向けて筆を持ち、ゆっくり腕を動かしてみましょうと呼びかけた。篠原氏自身もデモンストレーションしながら、描く前にまずこのように手を動かしてから「線ではなく、筆を紙に置くように」描いていく感じで取り組みましょうと話した。

　用いた画材は黒の水彩絵の具のみで、参加者は細筆で画用紙に線を描き入れていった。筆を置くことを意識しながら取り組む様子の人もいれば、薄墨を画面に垂らして息を吹きかけるようにして描く人もいるなど、様々な線による表現が作られていった。

　制作はそこで終わらず、できた人から壁面に貼っていった。絵は自分の好きな場所に貼るのだが、既に壁に貼られている絵の一辺と接するように自分の絵を貼る、というルールが提示された。それによって、大きな不定形の1つの絵が構成されたが、篠原氏はさらに各自で線を描き入れて欲しいと伝えた。長い柄の先に細筆を取り付け、参加者は恐る恐る、少しぎこちない動きで大きくなった絵の上にさらに線を加えていった。線が加えられる度に、前とは少しずつ違った雰囲気の絵になっていった（図W3-3）。

　参加者が一通り線を入れ終わった後、一人ずつ最初に描いた時の考えや、絵を組み合わせた後に描き加えた時の考えを話してもらった。その際、参加者から質問や感想が出された。例えば、「人に表現を見せることはあまりなく、周りの人の存在が気になった」ことや、反対に「感覚を言葉にすることにためらいがあったが、今日はそれが少し変わった」ことであった。また、「普通の人が表現する意味について」や、「人に伝える時、嘘くさくなるかもしれない。篠原さんはどうしているのか」、「自分の価値観を崩壊させるような出来事に出会うことが大切なのかどうか」といった質問が出され、それに対して篠原氏は自分の考えや経験を話していった。

　最後に篠原氏は、「自分のイメージが他者のイメージと組み合わさり、再構築され

図W3-3　黒一色の線画を組み合わせ、そこに線を加えていく（筆者撮影）

ることに意味があること」、「終わりは完成ではなく、また変わっていくこと」、そして「一度破壊して、またやり直す勇気、力、エネルギーが必要なこと」などを参加者に語りかけ、ワークショップを終了した。

W3-3　ワークショップの効果の検討

3-1　ワークショップの感想の結果

　まず、ワークショップの感想を尋ねた項目の平均値と標準偏差を求めた（表 W3-1 参照）。項目への回答は 5 段階評定であり、全体で平均 4.4 であったことから、概ね高い評定値といえる。その内、項目 4「表現には洗練されたテクニックや方法だけではなく、五感や感情等も大切だと感じた」は、平均 4.6 であり、約 7 割の参加者が評定値 5 を付けていた。また、項目 1「作品を観るときの視点が広がった」、項目 2「表現することが好きになった」、項目 3「表現したいという気持ちが強くなった」も比較的高い評定値になり、表現に対する動機づけが高まったと考えられる。これらのことからも、表現に対する新たな気づきや動機づけが生まれたワークショップであったと推察される。

表 W3-1　ワークショップの感想項目の平均値と標準偏差 (*SD*)

ワークショップの感想（4 項目、5 件法）	平均	*SD*
1. 作品を観るときの視点が広がったと思う	4.4	0.99
2. 表現することが好きになった	4.4	0.70
3. 表現したいという気持ちが強くなった	4.4	0.70
4. 表現には洗練されたテクニックや方法だけでなく、五感や感情等も大切だと感じた	4.6	0.70
項目全体	4.4	0.79

表 W3-2　ワークショップの感想（自由記述）

ID	感想（一部抜粋）
1	五感や感じたことを自由にそのまま表現すること、その安心安全な場を整えることを仕事としているので、またぜひご一緒したい。自分を開放すること、言葉を超えたコミュニケーションであるアートを、これからも必要な方々にお伝えする活動をして行きたい。
2	様々な表現方法がある中で、それぞれに何を伝えたり、うったえたりするのに長けているかという特徴があることを感じた。また、同じ表現方法の中でも、人によってそれをどう活かすのかに違いが見られて興味深かった。
4	ここの所スランプで、何を作っても違うといった感情しかなかったが、今回ワークショップへ参加して、またもう一度作ろうと前向きになれた。一度、なぜ作るのか、表現するのかを問い直すきっかけになった。
5	とても楽しかった。感覚を言葉にすることも大切、感覚を大切にするのも大切。少し時間をかけて消化していきたい。
7	破壊し、再構成するというプロセスが初めてだったので、大きな学びになった。妥協せず、より自分や自分の感情を表現する方法を探していきたいと思う。

　参加者の感想（自由記述）からも、本ワークショップは「楽しかった」「面白かった」だけではなく、五感や感覚を大切にしたり、感じた感覚を言葉にしたり、作ったものを一度壊してまた作るという過程に新鮮さを感じたりと、自分自身の感覚に注意を向け、さらに、他者と共にある自分の存在を見つめるきっかけになったりしたことなどが記されており、参加者に様々な気づきをもたらした様子がうかがえる（表W3-2 参照）。

3-2　ワークショップの事前事後比較

　次に、鑑賞の仕方や触発に関して、ワークショップを行う前（事前）と終了後（事後）でどのように変化したのかについて、アンケート結果を比較した。表 W3-3 と図 W3-4 は、アンケートで得られた4つの尺度得点（鑑賞態度尺度（比較鑑賞と推測鑑賞）、開放性尺度、触発尺度）の平均値を、事前と事後で比較できるようにしたものである。図表からわかるように、触発尺度は事前の時点から高く、事後の得点は 0.3 の差であり、参加者は元々触発を大切にする、あるいは普段から触発をよく受ける人たちであったと考えられる。一方、それ以外は、事前より事後の得点が高くなっていた（比較鑑賞：0.8、推測鑑賞：0.7、開放性：1.1 ポイント）。

　参考のために尺度得点毎に事前事後を比較することを目的に統計的仮説検定（対応のある t 検定・有意水準 5％）を行ったところ、比較鑑賞と推測鑑賞、そして開放性において事後に有意な（意味のある）差があることが示された（それぞれ、$t(7) = 1.947$、$p = .046$、効果量 $d = 0.688$；$t(5) = 2.666$、$p = .022$、効果量 $d = 1.088$；$t(7) = 3.930$、$p = .003$、効果量 $d = 1.389$）。すなわち、ワークショップ後には、鑑賞（比較と推測）、開放性の側面が高まったと考えられる。効果量の大きさの目安（Cohen, 1988）を参照すると、サンプルサイズは小さいが、効果量は比較的大きいと考えられる。また、JASP を用いてベイズ推定を同様に行った所（対応のある t 検定・「事前より事後が高い」モデルで実施）、ワークショップ前より後の値が高くなる確率は、そうでない場合の 1 〜 20 倍となった（それぞれ、ベイズファクター $BF_{10} = 2.269$；$BF_{10} = 4.381$；$BF_{10} = 20.298$；$BF_{10} = 1.142$）。

表 W3-3　各尺度の事前と事後の α 係数・平均値・標準偏差（*SD*）・平均値の 95％ 信頼区間

尺度	α 係数	平均値	*SD*	平均値の 95％ 信頼区間	
				下限	上限
比較鑑賞	事前（.887）	3.6	0.94	2.82	4.39
	事後（.948）	4.4	0.88	3.64	5.11
推測鑑賞	事前（.769）	3.3	0.74	2.52	4.07
	事後（.929）	4.0	0.69	3.45	4.61
開放性	事前（.779）	3.3	0.90	2.60	4.09
	事後（.919）	4.4	0.73	3.80	5.02
触発	事前（.834）	4.2	0.72	3.55	4.75
	事後（.800）	4.5	0.49	4.08	4.99

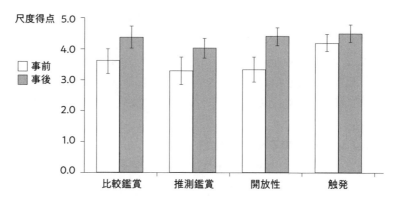

図 W3-4 各尺度得点（事前と事後）の平均値の比較（エラーバーは標準誤差）

3-3 参加者の「今、ここ」：感覚を見つめることからの触発

　今回のワークショップでは、アーティストの作品を鑑賞し、どういった意図で作品を制作したのかの話を聞くのに加えて、創作の為の準備に相当する活動が多く行われた。それは 2-2 節で概要を示した「感覚を探索する」活動である。選び取った石をよく観察し、手触りを確認し、「石は自分の分身である」と見なして水の中に石を入れ、その様子をじっくり観察したりした。もう一つは、落ち葉の上を歩き、その時の感覚に注意を向けてみることもした。

　石や落ち葉を使ったこれらの活動は、子どもの頃には毎日の遊びの一つとしてよく行ったことだっただろう。しかし、大人になった今は、日常の中では石や落ち葉に注意を向けることはほとんどないし、それを使って何かをするといったこともほとんどないだろう。しかし、石も落ち葉も自然にあるもので、身の回りにあるものだ。こうした見過ごしてしまっているものやことに改めて眼を向け、それと関わってみることで生まれる感覚を表現の出発点にしたワークショップだったと言える。

　篠原氏は、長年にわたる芸術活動において、「今、ここ」の感覚を大切にしながら、作品制作を行うことを中心に据えてきた（横地・岡田、2007；横地、2020）。研究のために篠原氏のドローイングを観察させてもらったり、心理実験に協力してもらったりしてきたが、ほとんど必ずと言っていいほど、篠原氏は描きはじめる前に素材が発する音や手触りなどを確かめる。そのことについてドローイングの直後の内省報告で話してもらったところ、「今、ここに自分自身があるということ、そのことをどのように感じて受け止めて作品に向かっていけるか、ということを常に意識しています」と語っていた。

　篠原氏が、今ここで感じる自分自身の感覚を、身近にある素材を媒介にして感じ取り、その感覚を大切にしながら一筆一筆を描いていく過程を、ワークショップの参加者にも実施しやすいように工夫して取り入れたのが、石と落ち葉を使ったアクティビティーであった。こうした活動を経ることで、自分自身の感覚を見つめ、それに素直に向き合うことで自分なりの表現の道筋を作って行くことにつながるであろうし、目で見たり覚えているものの形に囚われることなく、今ここで感じている感覚を手がか

りにした表現が可能であることに気づく機会になったと思われる。

　こうした感覚を探索するようなアクティビティーを取り入れることで、つまり、外界からの何らかの刺激を受け取ることで、作品鑑賞やアーティストの解説を聞くこととは異なる触発が生まれていた可能性がある。今回は、アーティストの創作のエッセンスを取り入れ、感覚と向き合うアクティビティーが介在したことで、鑑賞の効果そのものを単体で検討することはできないが、ワークショップ2の山本晶氏と同様に、「自分の表現を行うための準備」の重要性を忘れてはならないだろう。

　ただし、今回のワークショップで若干観察されたが、集団でのワークショップでは、自分の行為（石を水に入れたり、落ち葉の上を歩いたりすること）を他者に見られるため、そのことに不自由さを感じた人もいたと思われる。他者の存在に意識が向いてしまうと、本当の自分の感覚に気づいたり向き合ったりする上で、マイナスに働いてしまうだろう。自分はこうしたいと思っても、周りの人の行動に合わせてしまったり（心理学では「同調行動」として知られる）、自分が感じたことを相応しい言葉にして話せなかったりする場合もあり得る。他者がいることで戸惑いや恥じらいなどの感覚が生じたとしても、自分なりの表現が妨げられないような工夫も必要であろう。それは例えば、他者の目が気にならない場所でアクティビティーを各自で行ったり、感じたことをメモなどで書き出し誰の書いたものかはわからないがそれぞれが感じたことを共有したりできるようするといった方法が考えられる。

　いずれにせよ、自分自身の感覚を探索し、その感覚を手がかりとして表現を行うといったアクティビティーを経ることで、触発を活かす方法そのものを検討する必要性も見えてきたように思う。

W3-4　総合考察：現代アーティストによるワークショップの意義と可能性

　本ワークショップでは、アート作品を鑑賞し、さらに制作者であるアーティスト本人の話を聞くことで、参加者の表現が触発され、「自分ならどうするか」「どう表現するか」という視点で創作に取り組むことが期待された。アンケート調査の結果と観察の様子からは、当初のねらいは概ね実現されたと考えられる。

　これまでも、アーティストによるワークショップは、様々な場面で盛んに実施されており（例えば、高橋ら、2011）、私たちが今回実施したワークショップもその一つと言える。ただし、今回実施したワークショップは、参加者の表現を触発し、自分の表現が好きになったり、今後も表現に取り組んでみたいと思う気持ちを育んだりすることを目指して計画されており、アーティストの指示通りに物を作るようなワークショップにならないような工夫が必要であった。その一つが、アート作品を鑑賞し、その作品を手がけたアーティストから話を聞くということであった。

　ワークショップ1「猫オリンピック」は、一見するとアーティストの作品を模倣するような活動であり、その活動の中で独自の表現が生まれているのか疑問に思われる節もあるだろう。しかしながら、岡田と石橋（Okada & Ishibashi, 2017）が心理実験で示したように、他者作品の模倣が他者の創作意図の推測を促し、それと対比する形で自分なりの着眼点の構築が促されることを踏まえると、このワークショップでも、アーティストが自らの創作意図などを参加者に説明し、作品のエッセンスとなる部分を提示することで、参加者はそれぞれに自分の表現を意識して創作に取り組むことができたと思われる。

　特に、竹川氏のワークショップでは、事前に竹川氏によって猫のプラカードの型が準備されていたため、参加者は着色に専念すればよく、創作のハードルが高くなかったことも功を奏したのかもしれない。それは創作の御膳立てをするということではなく、参加者がスムーズにそれぞれの創造性を発揮できるような仕掛けとなっていたと捉えることもできるだろう。このワークショップが、参加者それぞれの持ち味が活かされるような場になっていたとすれば、それは、①特別な技術や技法を必要としない創作活動をし、②形や画材などが準備されており自分で工夫したいことを考える時間的・作業的余裕があり、③メークで変装して自分とは別の存在として表現し、④年齢や職業・経験の違いを気にする必要がない、といったことが関わっていたかもしれない。これらの要素は、他のワークショップの実践においても応用できるポイントと言えるだろう。ただし、これらの要素が実際にどのように参加者の創作活動に影響したのか、こうした工夫以外にどのようなものが影響していたのかは、十分に検討できていない。また、ワークショップに参加したことで、創作活動などをどの程度日常の中で行うようになったのかについても検討していない。そのため、触発の効果の持続性や影響の度合いなどについても、今後の検討課題である。

　ワークショップ2「色と形のテラス」は、刺激にあふれる場（アート作品、人、素材、会場、街）でのワークショップとなり、参加者がそれと気づかぬうちに多くの情報のインプットがなされたと推察される。インプットされた情報はアウトプットのための資源になると共に、自分の見ている世界の輪郭とその外側にあるものにも意識を向ける機会になる。また、同じ風景の中から覗き穴で見出した世界は人それぞれであり、異なる発見を共有することは自分だけでは得られない情報のインプットにもなる。場合によっては、自分の視点と他者の視点を相対化することにもつながるだろう。

　心理学においては、外界に潜在する無数の情報の中から、個人が直面する問題の解決や意思決定などに用いる適切な情報を選び取る上で、「制約」が重要な役割を果たすと捉えてきた（例えば、三宅・波多野、1991）。つまり制約は、人々の適切な情報や行動の選択において、フィルターやガイドラインの機能を果たすといった、ポジティブな側面を有すると見なしている。もちろん、一般的な認識と同様に、制約は何かを制限したり、妨げたりするネガティブな側面もある。美術の制作を例に考えれば、描く技術や、色を作る知識などが制約となって、創作に対する苦手意識を高めたり、気楽な創作活動を阻んだりする。それだけに限らず、正確に描かなくてはいけない、対

象の形を見たままに表さなくてはいけないといった、描く事に対する自身の思い込み
も制約になってしまう（例えば、石橋・岡田、2010；Okada & Ishibashi, 2017）。

　こういった既存の見方や考え方の制約が外れる、あるいは緩和することは、自分な
りの表現を作り出す上で重要であることを、上述の岡田と石橋（Okada & Ishibashi,
2017）が心理実験を用いて示している。心理実験では、他者の絵を模写することで、
写実的に描くという思い込み（制約）が緩和されるだけでなく、他者の考え方を推測
しながら自分自身の着眼点を変化させて行く様子が捉えられている。これらの現象が、
このワークショップでも同様に生じていたと思われる。覗き穴で見る世界を他の参加
者と共有し、アーティストの見る世界を共有し、他者の表現した世界を共有する。こ
のワークショップは、制約を外すことに加えて自己と他者の視点を相対化するような
活動が暗黙裏に機能していたのではないかと思われる。

　一方で、効果測定の結果からも示唆されるように、３つのワークショップとも事前
より事後で鑑賞態度と外界への開放性は高くなるが、触発については意味のある差は
見られなかった。では、どのように「触発」を活かす場を作り出したらよいのだろう
か。ワークショップ２「色と形のテラス」を振り返って改めて感じることは、アート
作品を鑑賞しアーティストの話を聞くだけでなく、安心して自分の思い込みや殻を破
り、他者の世界と自己の世界を等しく受け止められるような仕組みも必要だというこ
とである。触発を受けるためにも、受けた触発を活かすためにも、「制約の緩和」と「視
点の相対化」の要素をワークショップに取り入れていくことも意味があるだろう。

　ワークショップ３「空飛ぶウサギ」では、アーティスト自身が日頃の制作活動にお
いて実践していることや大切にしていることのエッセンス（感覚を探索すること）を
体験し、それを踏まえて自分なりの表現を探る活動が行われた。また、ワークショッ
プに参加した他者の表現と自分の表現を組み合わせ、さらにそこに新たな表現を加え
ていくといった活動も行われた。感覚を探索したり、他者を取り入れた表現にしたり
することの方が、作品鑑賞から受ける触発よりも、実質的に強い触発となった可能性
がある。ワークショップの感想には、「感覚」や「五感」、「破壊」、「再構成」というキー
ワードが書かれたことを踏まえても、これらの活動のインパクトは大きかったと思わ
れる。

　芸術的な表現活動において、五感は極めて役割を担う。それにもかかわらず、視覚
のみに依存した表現に陥りがちである。目で見たものを忠実に再現しようとしたり（石
橋・岡田、2010；Okada & Ishibashi, 2017）、形の美しさや色合いのバランスなどの
見た目を重視しようとしたりする。しかしながら、芸術的な表現は本来、多種多様で
あり、美醜の区別もなく、視覚はもちろん触覚、聴覚、嗅覚、味覚、場合によっては
体性感覚や内臓感覚、運動感覚といった諸感覚にうったえてくるものだろう。

　秋庭（2010）は、美は世界のどこに位置づけられるのかを現代科学と対話しながら
論考し、「あたらしい美学の在処」を提案する中で、「美学的人間」について次のよう
に述べている。

「自然科学的な探究と、その探究の対象である自然のなかでわたしたちはどう生きるべきかを同時に考えさせてくれる場所をつくる人、それによって個々の自然科学から見たさまざまな自然の姿が、わたしたちの生き方について何を教えてくれるのか考えるよう促す人たちがいます。こうした人たちもまた、美学的人間です。」 （『あたらしい美学をつくる』、p.190-191）

　自然の中、日常生活の中で見過ごしてしまいそうなもの達や、それを感じとる自分自身の感覚に注意を向け、表現し続けてきたアーティストも、「美学的人間」として、私たちはどのように生きるべきかを考えさせてくれるはずである。そして、芸術表現の本来の姿を追い続けてきたアーティストが考え、工夫したワークショップは、私たち市民に芸術についての新たな気づきと自分自身の新たな可能性へと意識を向けさせてくれるはずである。その意味では、ワークショップのデザイン段階で意図したもの以上の何かが生まれる、そういったワークショップの可能性を示唆する試みであった。

（著者・企画：横地早和子・岡田猛　企画・実施担当：篠原猛史(1)
所属等：(1)現代アーティスト）

［謝辞］日頃の制作活動を活かしたワークショップのアイデアを考え、参加者と共に活動してくださった竹川宣彰さん、山本晶さん、篠原猛史さんに深く感謝いたします。そして、竹川宣彰氏のワークショップの実施場所を提供してくださった、森美術館ラーニングのスタッフ及び関係者の皆様、山本晶氏のワークショップの作品鑑賞に協力してくださった、アートフロントギャラリー、坪井みどりさんに心から感謝申し上げます。

【引用文献】

縣 拓充・岡田 猛 (2010). 美術の創作活動に対するイメージが表現・鑑賞への動機づけに及ぼす影響　教育心理学研究, 58, 438-451.

秋庭史典 (2011). あたらしい美学をつくる　みすず書房

Cohen, J. (1988). *Statistical power analysis for the behavioral sciences* (2nd ed.). Lawrence Erlbaum.

金子一夫 (2003). 美術科教育の方法論と歴史　中央公論美術出版

南風原朝和 (2014). 新・心理統計学の基礎：統合的理解を広げ深める　有斐閣

Hughes, D. J., Furnham, A., & Batey, M. (2013). The structure of personality predictors of self-rated creativity. *Thinking Skills and Creativity*, 9, 76-84.

JASP Team (2021). JASP (Version 0.16.1) [Computer software].

Leder, H., Belke, B., Oeberst, A., & Augustin, D. (2004). A model of aesthetic appreciation and aesthetic judgements. *British Journal of Psychology*, 95, 489-508.

Leder, H., Gerger, G., Dressler, S. G., & Schabmann, A. (2012). How art is appreciated. *Psychology of Aesthetics, Creativity, and the Art*, 6, 2-10.

石橋健太郎・岡田 猛 (2010). 他者作品の模写による描画創造の促進　認知科学, 17, 196-223.

石黒千晶・岡田 猛 (2017). 芸術学習と外界や他者による触発：美術専攻・非専攻学生の比較　心理学研究, 88, 442-451.

石黒千晶・岡田 猛 (2019). 絵画鑑賞はどのように表現への触発を促進するのか？　心理学研究, 90, 21-31.

Ishiguro, C., & Okada, T. (2021). How does art viewing inspire creativity? *The Journal of Creative Behavior*, **55**, 489-500.

Matsumoto, K., & Okada, T. (2021). Viewers recognize the process of creating artworks with admiration: Evidence from experimental manipulation of prior experience. *Psychology of Aesthetics, Creativity, and the Arts*, **15**, 352-362.

三宅なほみ・波多野誼余夫 (1991). 日常的認知活動の社会文化的制約　日本認知科学会 (編) 学習：特集　認知科学の発展4(pp.105-131)　講談社

文部科学省 (2017). 美術編　中学校学習指導要領 (平成29年告示) 解説　https://www.mext.go.jp/a_menu/shotou/new-cs/1387016.htm

岡田謙介 (2018). ベイズファクターによる心理学的仮説・モデルの評価　心理学評論, **16**, 101-115.

岡田 猛 (2013). 芸術表現の捉え方についての一考察：「芸術の認知科学」特集号の序に代えて　認知科学, **20**, 10-18.

岡田 猛・縣 拓充 (2020). 芸術表現の創造と鑑賞、およびその学びの支援　教育心理学年報, **59**, 144-169.

Okada, T., Agata, T., Ishiguro, C., & Nakano, Y. (2020). Art appreciation for inspiration and creation. In K. Knutson, T. Okada, & K. Crowley(Eds.), *Multidisciplinary approaches to art learning & creativity: Fostering artistic exploration in formal and informal settings* (pp.3-21). Routledge.

Okada, T., & Ishibashi, K. (2017). Imitation, inspiration, and creation: Cognitive process of creative drawing by copying others' artworks. *Cognitive Science*, **41**, 1804-1837.

Pelowski, M., Markey, P. S., Lauring, J. O., & Leder, H. (2016). Visualizing the impact of art: An update and comparison of current psychological models of art experience. *Frontiers in Human Neuroscience*, **10**.　https://doi.org/10.3389/fnhum.2016.00160

清水裕士 (2016). フリーの統計分析ソフトHAD：機能の紹介と統計学習・教育，研究実践における利用方法の提案　メディア・情報・コミュニケーション研究, **1**, 59-73.

高橋直裕編 (2011). 美術館のワークショップ：世田谷美術館25年間の軌跡　武蔵野美術大学出版

横地早和子 (著) 日本認知科学会 (編) (2020). 創造するエキスパートたち：アーティストと創作ビジョン　共立出版

横地早和子・岡田 猛 (2007). 現代芸術家の創造的熟達の過程　認知科学, **14**, 437-454.

横地早和子・八桁 健・小澤基弘・岡田 猛 (2014). 教員養成学部の絵画教育における省察的実践についての研究III：授業アンケートによる授業実践の効果の検討　美術教育学研究, **46**, 285-292.

Column 6

ワークショップ『空飛ぶウサギに乗ってみるかい？』

現代アーティスト・篠原猛史氏インタビュー／聞き手：横地早和子

　このコラムでは、ワークショップを実施してくださったアーティストの方に、どのような意図でワークショップを行ったのか、ワークショップを行う中で得た気づきや触発、今後のワークショップのヒントなどについて伺ったお話を紹介する。

聞き手　今回のワークショップのタイトルはどのような意図でつけられたのかや、どのようなワークショップにしたいと思われたのかを教えていただけますか。

篠原　僕自身のライフワークでもありますが、月を観察することを日々続けています。普段、何気なく月を見ていますが、例えば１キロ離れた人、100キロ離れた人を見ることは物理的には不可能です。点でしか見えなかったり、まったく見えなかったりするのに、３万キロ以上も離れている月は見える。物理的に遠くにあるものを、今現在、見られることを不思議だなと思った日がありました。その日の夜に、ある人のことも思い出しました。「あの人、どうしているかな」と思い描くと、何キロか何百メートルかわからないですが、その人のことが想起されてきて、「こういう人だったな」と見えて来ました。ですから、距離感というのは不思議だなと思っていました。

　そして、月を見ていたら、そこに行けるような、そういう可能性みたいなものもふと感じました。実際は、生身の体でそのまま月には行けません。絶対に無理ですが、月に行くイメージを思い描くことで移動できたり、見えないものが見えたりする。イメージの不思議さみたいなものをとても感じて、イメージに垣根や壁をつくらないでいることで、すべてのものが可能になってくるのではないかと思いました。

　それでまた、ふと小さいころのことを思い出しましてね。小さいころ、「月にはウサギがいて餅つきをしている」という話を聞いて月をずっと見ていると、本当に餅つきをしているような状況が見えてきて、心が弾む気持ちになってきた。そのことを思い出しました。

　月を見ていて心が弾むのは、ウサギという具体的なイメージを重ねることが関わっているのではないかと思うのです。ある方向に向かっていくという意志を持つこと、そちらに行けるというイメージを描くことはすごく大事で、それによっていろいろなことが可能になってくると思っています。ですから今回は、見えないものをイメージしてそちらに行くことができないか、イメージを豊かにできないかという考えが大きくありました。

　それで、イメージを描くのを導いてくれるのは、ひょっとしたらウサギじゃないかと、ふと思いました。子どものころからずっと見ていた月を重ね合わせて、「みんな、ウサギに乗ってイメージの世界に行こうよ」と。全ての壁を乗り越えて、イメージの規制を取り外して、自由にイメージの方に飛んでいこうよという考えで、このタイトルをつけました。

　自分がイメージしたものを具現化して、形にすることはかなり難しいことです。難しいと思ってしまうと難しい。でも、難しくないと思えば、枠とか壁とかを取り払って、自由にイメージの方に向かっていけます。このことは、とても大事なことです。多くの場合、何かしら規制のようなものを無意識にかけてしまったり、「これはできない」と思ってしまったりすると、そこでストップしてしまいます。ですから、自分がイメージするものに向かっていけるという思いを持ってもらえればと考えました。

　もう１つ、考えたことがあります。１つの表現をする時に、特定のメソッドや方法に囚われてしまうと、表現自体が狭くなって、イメージも狭くなってしまいます。ですが、描くという１つの方法でも、筆で描く、指で描くなど、いろいろな方法があります。いろいろな方法論の中で、自分自身が一番表現したいものに近づけていくようにすると、より強いイメージの再現、表現の再現になっていくと思います。表現にはいろいろな入口や通り道があって、それを自分で見つけながらイメージするものに到達していくことが実は近道だと思います。それに、できるだけ体験したり、音やにおいを感じたり、いろいろな感覚的な要素も加味していくと、より強くなっていくのではないかと思います。ですから、そういった体験や経験をしてもらい、表現を豊かにしてもらえればという考えもありました。

聞き手　今回は、鑑賞のために作品を持参してくださいましたが、どのような理由で作品を選ばれたのかを教えてください。

篠原　1つは、キャンバスにウサギが描いてあり、左上に丸い月のようなものが貼りつけてある、何げない作品です。この作品は、確かF8号のキャンバスを使ったと思います。それを見た人は、おそらく規格サイズの枠内で作品を捉えると思います。でも実際の作品は、微妙に縦横の寸法を変えて作りました。もちろん、「寸法が変えてありますよ」とは言いません。当たり前の寸法に絵が描かれていると無意識に思ってしまう人が多いでしょうが、人によっては、「いつものキャンバスの寸法と微妙に違うな」という違和感を持つかもしれません。ひょっとすると、寸法が変化することで意外性というか、よりしっかり見ておこうと集中するかもしれない。見る側の意志に、潜在的に何かが伝わっていくのではないかなと思って、変形キャンバスに描いた絵を選びました。

　　他には、直方体の作品も選びました。この作品でまず目に入ってくるものは、色だと思います。ブルーとグレーと黒があり、そのほか、イエローとレッドもありますが、感じ方はそれぞれ違うと思います。色や形から、暖かい感じがするとか、冷たい感じがするとか、自分自身の概念や観念を総動員して見ると思います。ですが、作品にはほかの要素もあります。傾けるとこの作品自体から音がします。目に見える色と形だけの概念から、音の概念に移行して、ある意味、イメージを広げてくれると思います。今まで「こう」としか見えなかった自分の概念に、違う概念が入ってくると、1つのものを規定、規制された概念で見てはいけないと思うようになるのではないでしょうか。今自分は何を見て、今何が聞こえいて、今自分はどうなんだという、今の時点を意識することによって、よりイメージ力が広がっていくと思います。

　　本来、作品は、心や頭のどこか断片にでも残れば、自由に動き出したり、何かの手助けになったりするものだと思います。潜在意識に染み込んでいくことが、作品の可能性でもあると思います。そうしたことは、生き方にも関係してくると思います。今、この作品を見て、この音を聞いて、色を感じてという行為は、ご飯を食べること、シャワーを浴びること、走ることなど、様々な事柄の中にも生きてくると思います。すると、生きていることの楽しさや深さにもつながってくると思いますし、イメージしたり表現したりすることの意識が芽生えてくるのではないかと思います。

　　話はズレるかもしれませんが、観天望気といって、漁師の人が海の表面の波の立ち方を見て、あしたは大漁になるなとか、雲を見て、あすは雨だなと知る、観天望気の思考があります。これは、ある意味、絵や表現行為にも反映されるものです。1つの作品を見たときに、「これはこうなんだな」と感じ取れたりすることがあると、1つの作品を見ても見

え方が変わってきます。それはすごくおもしろくて、自分自身の経験値とか体験値が1つの絵を見ることにも反映してくることがわかると、表現自体も変わってきます。

聞き手　作品鑑賞では、最初は普通に見る、次に新作を探しながら見る、そしてBGMをかけながら見る、という3つのパターンがありましたね。

篠原　自分の生活を考えてみると、例えばラジオやCDで、音楽を聞きたいと思って聞いているときに、急に新聞配達の人が集金に来て、突然の「キンコン」という音に意識を阻害されて、玄関まで行って支払いをしたりします。やっとまた音楽を聴こうと思って、もう1回意識して集中して音楽を聴こうとしますが、また、突然救急車の音が聞こえたりして。

　　ひょっとしたら、生きることというのは音のコラージュの中で生活しなくてはいけないものかもしれません。近所の人が雑談している大きな声が聞こえたり、鳥の鳴き声が聞こえたり、いろいろあります。ですが、一番聞きたい音を聞こうと意識すると、その音だけが聞こえて、それ以外の音は聞こえているけれども、ある意味聞こえなくなる気がします。

　　このように、コンセントレーションすることは、ある意味、真実に近いぐらい正確に聞き取ろうとすることであって、表現するときにもコンセントレーションをすることは、細かいことを全部退けて、よりそのものに入っていけるのではないかと思います。それが人間の生き方の1つだと思うと、表現することも話をすることも考えることも、すべてある意味コンセントレーションじゃないかと思います。

　　ただ、例えば救急車の音が聞こえて、そのイメージが浮かぶことが、プラスに置き換えられて、次の展開や発展に何かしら役立つこともあります。玄関のブザー、近所の雑談、鳥の声、いろいろなものすべてを受け入れれば、ある意味、自分自身が保てるのではないかとも思います。コンセントレーションとは逆のことかもしれませんが、表現がより豊かになっていくと思います。作ったもの、描かれたものも大事ですが、作っている最中の自分自身、この日、この時間、この場所にいること、いろいろなことを考え、見て、受け入れることで、よりイメージが広がっていくのではないかと。何かのきっかけでぱっとイメージが広がったりする、そうした経験を多く持ってもらえないかなということも、ワークショップの主題にありました。

聞き手　石を水の中に入れたり、落ち葉を広げてその上を歩いたりしましたね。また、フェルデンクライスの身体操法を参考に腕を動かしたりしましたね。

篠原　手を意識せずに動かしてください、腕を動かしてくださいと伝えました。意識して腕や手を動かすのと、無意識に動かすのとでは動きがまったく違います。鉛筆で何かを表現しようとしたときに、今、

この腕で、この指で鉛筆を持って動かそうと意識すると、1本の線を引いた場合でも大きく違うことがあります。鉛筆の芯が紙を通過するときの振動までも感じてきますし、イメージやいろいろな感覚が広がっていくのではないかと思います。ですから、感情的に表現した線と意識して表現した線とでは、大きく違ってくるということを伝えて、みなさんにもそうした意識で描いてもらいました。

　今までの経験上、何かに取りかかるときに、一呼吸入れることが大事な気がしています。実際、絵を描こうといきなり絵の具を出してぱっと描き出すよりも、一度呼吸することで何か発見があったり、出来上がったものがちょっと変わってきたりします。想像できなかったものが生まれてきたりするので、一度間を持たせる、深呼吸する、そういったことが経験上すごく大事だなと思っています。いきなり絵の具を出して描いたら、後で「こういうものじゃなかった」と思うかもしれない。それで、参加者にもいきなり描くのではなく、深呼吸してもらって、今から腕と手と指で動かしながら筆で描きますよと、一度頭に入れてもらって描いてもらいました。そうすると、表現がより明確になってくるのではないかと思います。

聞き手　一人ひとりが描いたものを、壁に自由に貼り合わせて大きな画面を作り、さらに長いホウキの先に筆をつけて自由に描き加えていくこともしましたね。

篠原　自分の絵の隣や、上や下に、人の絵が加わると、大概は困ったものだなと感じると思います。確かに、意志を持って自分が描いた絵というのは、すごく大切なもの、重要なものだと思います。ですが、人間が生きていくとき、「自分はこうだ」「これが正しい」と思って、それに向かって表現しようとしても、思いどおりにならないことが多々あります。急に用事ができたり、邪魔されたり、描いてみると何か違ったりと、いろいろな要素がありながら、絵が完成に近づいていくと思います。それは、人間の生きていることと同じです。いろいろなことをどう認めてどういう方向性を持って表現していくかと考えていければ、生きること自体の意味が理解できたり、表現の楽しさを感じたり、イメージが広がったりすることにつながっていくのではないかと思います。

　それと、自分とは意見の違う人が横にいても、それを受け入れたり、いろいろな方法で解消していくのと同じように、壁に貼った絵に人が線を加えたりしていくことは、ある意味でコミュニケーションだと思います。自分の隣に人の作品が来たり、ましてや誰かが自分の作品に線を描き加えた

り、色を塗ったりと想定外のことが起きても、それを受入れながら自分が表現したものの意味は何かを真に考えるチャンスだと思います。

　表現というものは、思うとおりの100％のものが必ずできるわけでもないし、表しきれないことがあると思います。時には120％になって、すごくうれしい体験をすることもあるでしょう。いろいろなことに遭遇したときに、自分自身にゆとりや、豊かさみたいなものがプラスされてくる。表現するからこそコミュニケーションが生まれてくるので、表現についていろいろな方法で考えてみたいと思いました。

　線を描いておられた参加者がいて、その人は、真っすぐな線に近いものを描きたいと思っていたのがなかなかできず、歪んだような線になって困ったものだとおっしゃっていました。それで、「曲線でもいいのではないか」と思いながら線を引いているうちに、ちょっとはみ出たりし、太さもちょっと変わったりして、線の動きがおもしろいなと感じて、「おもしろい線を描きたい」という意思に変わったそうです。ただ、ぐにゅぐにゅの線を描いていくだけではなくて、もっと本数を多くしてみようと思って画面を半分に折って、ぺたんとひっつけて紙を開いたら、「これはおもしろい、こういうものを描きたかったんだ」と発見して、また何本か線を加えて自分の思うものができたと話していました。まさしくそのときに、何か浮かんできたのでしょうね。何かプラスになったのかなと感じました。

聞き手　最後に、今後のワークショップや表現活動でやってみたいことを教えてください。

篠原　個人的なことですが、けがをしたりいろいろなことが重なって、何かやっておかないといけないことがあるのではないかと、時間がとても大切だとより思うようになっています。それで最近は、表現の世界をより豊かにし、多くの人に伝えるために、新しい表現世界を示唆できるような作品を作っていきたいなと、すごく思っています。

　また、自分で表現する機会やきっかけを持たない人が多いと思いますが、何かを体験したり、経験したりすると変わる人がすごく多くいるのを感じたりしているので、表現してみることの意味や大事さをもっと広げたいなと思っています。

　新聞などを見ると、悲惨な事件があったり、世界がどうなっていくのかと不安を感じたり、落ち込んだりすることもあると思います。ですが、少しでもいい方向に世界が動いていけるように、表現を通じて負の要素を昇華していく方法がないかなと思ったりしています。

感覚や分野を融合するワークショップ

第 **8** 章

諸感覚を横断する芸術表現ワークショップ
『音からはじまるムーブメント』

1 はじめに：イマジネーションを広げる感覚の横断

1-1 複数の感覚にまたがる体験

　黄色く染まった銀杏並木に秋を思う時、それは視覚に入るものだけではなく、足下の枯れ葉を踏む音や、頬にあたる少しひやっとした風を感じるといった事柄が、融合されるプロセスの中で人は季節を楽しんでいる。季節を感じるそれぞれの感覚を切り分けて味わっているわけではなく、意図せず感覚をまたいだ体験を通じて秋そのものを楽しんでいるのである。その様な体験の時に、思わず気持ちが晴れ晴れしたり、いつもは通り過ぎる街路樹の葉に触ったりと自然に行為が変わることもあるだろう。

　このような感覚を横断する体験は、視覚、聴覚、触覚などを即時、かつ、同時に機能させていく芸術創造に関わる重要な一面を持ち、作品を生み出す活動にも、芸術鑑賞といった受け止める活動にも肝要なものである。それにもかかわらず、感覚を横断するということに意識を向けたり、日常の中でじっくりと向き合うことは少ない。あるいは、一般人が持つ芸術に対する先入観などの構えが感覚への自由な横断を妨げることもある。

　諸感覚を横断する芸術表現ワークショップ（以下ワークショップは WS と表記）は、複数の感覚（モダリティ）にまたがる体験をすることで、自分では気づかない思い込みが外れ、自発的に表現が生まれてくることを狙いとする（先行研究は 1-2 に詳述）。複数の感覚を横断する体験を通じて、物事に対する身体行為が変わり、意図せず受け入れる情報が変化することで、表現する身体が新たに生まれる。それが物事に対する思い込みを外すことにつながり、ものごとの捉え方が変化し、例えば、芸術に対する構えが外れてイマジネーションの拡張へとつながっていく。これは、例えば芸術のある領域の経験者であったとしても、このプロセスの体験を通じて専門家のもつ制約を意識し、自分の創作活動に新たな視点をもたらす可能性もある。

　本稿では、感覚を横断する体験がアートの創造活動とどのように関係するのかの理論に触れ、感覚横断の体験をすることで WS 参加者の自発的な表現が促され、芸術活動に対する考えといったものがいかに変化するのかを検討する。

1-2　思い込みを外す身体行為としての感覚横断

　学校教育の現場や絵画教室では、講師や教師の教示的介入において、具象的な絵を描くための色・形の選択といった学びが主眼となることが多い。また、ピアノやヴァイオリンなどのレッスンの場では、聴覚的な情報として音程や旋律、また、リズムや音の響きを正しく捉えることを学んだ上で、楽譜に記載された情報通りに弾くことが学びの中心となる。感覚横断ワークショップの主眼とすることは、聴覚・視覚・触覚を融合した体験を通じ、無意識に持つ先入観が外れることで環境や他者とのコミュニケーションが促進され、結果的に自発的な表現が促進されることである。諸感覚への働きかけは、身体感覚の鋭敏化に関係することが脳神経科学領域から指摘されている（Proulx, Brown, Pasqualotto, & Meijer, 2014）。また創造的な活動と性格特性である開放性（Openness）との関わりもこれまでの心理学の研究で示されている（例えば、Hughes et al., 2013）。イマジネーションの賦活、身体を通した環境との相互作用、自己受容（Rogers & Dymond, 1954；伊藤、1991）といったありのままの自己を捉えるプロセスを促し、自発的な表現が生み出され、その表現を発展させていくのである。このような感覚を横断した体験による自発的な表現やアイデアの受け入れは、創造性を促す方法として重要視されている。そのキーとなるものとして馴染みのない新しい経験がある。よく知らない、馴染みのないものとの出会いは、表現活動をより創造的に推し進める方法として重要であることが指摘されている（石橋・岡田、2010；Okada & Ishibashi, 2017；田中・松本、2013）。諸感覚の横断を通じて馴染みのないものを創造活動に取り入れる方法としては、例えば図形楽譜（Wikimedia Commons, 2022）といったもので扱われている。図形楽譜とは、伝統的な五線記譜法とは異なる記号が図形によって表現された楽譜である（浅香、1991）。楽譜の既成概念に囚われない行為によって、二度と同じ音楽にならない場合が多く、おのずと即興性も高くなる。石田（2014）は教育の場に図形楽譜を導入し、様々な音の要素（音の響き、リズム、旋律の動きなど）を感じ取り、それらを色や形の違いとして表現する活動は、創造的なアイデアが促進されると示唆する。つまり、聴覚と視覚の融合はそれぞれの感覚イメージを深化させ、その結果として表現力が豊かになると言及する。

　このような感覚を横断した体験は、一体どのようにして創造的なアイデアを促進させるのであろうか。例えば、美術領域においては、初心者は、絵画に描かれた事物の特定に固執する傾向があり、これは写実性制約として指摘されている（石橋・岡田、2010；田中・松本、2013）。これは個人が事前に持っている先入観によって起きている。先入観のような事前知識が不利な結果をもたらす原因の一つは、そのような知識へのアクセスが無意識のうちに行われていることにある。これについては個人が新しい情報に出会った場合、その情報はトップダウンプロセスによってスキーマとして処理され、新しい情報が古い情報に自動的にマッチすることが報告されている（例えば、Anderson, 2020；Carter, 2019）。創造的な場面においても、人は過去の経験から得た解決策を用いたり、例を利用するといった傾向がある。例えば、Ward（1994）の実験によると、地球外生命体を想像する課題で自由な発想を求められても、地球上の

動物に典型的な性質である両側対称性や手足などの付属肢といった既存のカテゴリーに影響されていることが明らかになっている。Ward は、このような結果を説明するために構造化されたイマジネーション（Structured Imagination）という概念を提唱し、これが新しいアイデアの生成を妨げる可能性があると主張した。このように先入観が無意識で制約として働いているために、人は自発的に新しいアイデアを出すことや、発展させることが難しくなってしまう。このような無意識で働く事前の知識や経験といった制約に対峙し乗り越えるために、熟達者は思考だけではなく、身体行為の側にも様々な改変を行い、新しいアイデアの創出に利用している。例えば熟達したビジュアルアーティストは利き手ではない手を使ってドローイングをしたり、手元も見ずに鏡の中を見ながらドローイングをするといったことを行うなど意図的な身体行為の改変を行い、探索につなげている（髙木・岡田・横地、2013；Takagi, Yokochi, & Okada, 2019）。身体感覚を通じて得られる馴染みのない体験は、このように先入観という制約を外すための方法として重要となるのである。馴染みのない体験を得るには様々な手法があるが、感覚横断 WS では主に視覚、聴覚、身体感覚を横断するワークを組み合わせて体験することで、身体行為の側面を中心に先入観を外していくことを狙いとする。それにより、過去の経験に基づく先入観による制約を乗り越え、自由な表現やイマジネーションが自発的に生み出され発展することを促す。

② 感覚横断ワークショップのデザイン

　一般人を対象とした感覚横断ワークショップ（以下、感覚横断 WS）の実践は、2019 年に上野の国立西洋美術館において聴覚と視覚を横断するという意図で「耳で見よう、目で聴こう！」と題した実践を行った。その結果から得られた知見を踏まえてデザインベースドリサーチを行い、翌 2020 年に同じく上野の東京都美術館において聴覚と身体感覚を横断する「音からはじまるムーブメント」を行った。デザインベースドリサーチ（DBR）は研究手法のひとつであり、現場で何がどのように行われているのかということを理解するための方法である。具体的にはデザイン、実践、分析、そして再デザインを繰り返して精緻化する（Collins, Joseph, & Bielaczyc, 2004）。本章では後者の 2020 年の WS 実践を中心に記述する。

　「諸感覚を横断する芸術表現ワークショップ　音からはじまるムーブメント 『鑑賞・触発・表現に向けて』」というタイトルの下、2020 年 2 月 24 日の 10 時から 13 時（計 3 時間）まで、上野の東京都美術館の館内にあるスタジオにおいて、実施した。ファシリテーションは 2 名が担当した。第二著者の髙田由利子は、ロジャーズ, C. R.(2005)の人間性心理学に基づき、即興音楽を臨床場面に用いる音楽療法士としての豊かな経験と知識に基づき、芸術表現のワークショップを行った。第一著者の髙木紀久子は、美術家としての経験も踏まえ、展示作品の鑑賞を担当し、ワークショップ全体のサポー

トを行った。

　感覚横断 WS は諸感覚を横断した即興的な身体行為を通じて、他者や外界とのインタラクションを促し、先入観にとらわれない自発的な表現の体験をする。それにより自発的に表現する身体を得ることで新しい観点をもたらすことを提案する。聴覚や身体感覚の横断による即興的なワークは馴染みのない経験を参加者に開く。段階を追って先入観と言った制約に揺さぶりをかけ、自発的に表現する身体を作る。表現する身体が環境との出会い方を変化させ、受け入れる情報が変わり、イマジネーションの広がりをもたらす自由で豊かな表現へと誘うことを狙いとした。

　ワークは大まかに3つのフェイズに分かれ、個人ワーク、ペアワーク、小集団のワークで構成された。具体的な内容は次節で詳述する（2-1）。なお、感染予防対策として会場で使用する机や椅子、機材、楽器の消毒を事前事後で行い、実施中は換気を十分にした。ワークショップ参加者は、ポスターを作成し、大学生と一般を対象に募集した。

2-1　感覚横断 WS の実践概要

　鑑賞体験が深められることを到達目標として、聴覚・視覚・触覚を融合した抽象的な表現体験を通して、自己の身体と感情の気づきを高めること、そして、他者とのやり取りや外界との接触での馴染みの無い体験を通じて、イマジネーションを活性化させ自発的な観点を生成することを目的とした。

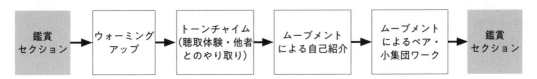

図 8-1　ワークショップの構成

　本ワークショップの構成は図 8-1 のとおりであった。ワークの進行上、参加者は予め二つのグループにランダムに分けられた。活動場所は屋内のスタジオであったが、始まりと終わりの鑑賞セクションについては、野外設置されている常設展示作品を鑑賞するためにグループごとに屋外に移動した。鑑賞作品は、はじまりと終わりで異なり、一つは、最上壽之の作品『イロハニホヘトチリヌルヲワカヨタレツネ‥‥‥ン』(1979)、もう一つは、保田春彦作の作品『堰の見える遠景』(1975) であった。本ワークショップは、鑑賞セクションを最初と最後に挟んだ内容であった。冒頭の鑑賞後は、自分の身体に意識を向けながら諸感覚を鋭敏にするためのウォーミングアップを行った。次に、トーンチャイムを用いた聴取体験や参加者同士の即時的なやり取りを行った。ムーブメントによる自己紹介をした後、参加者はペアとなり、相互に見合う形で様々なムーブメントを行った。さらに、5、6名から成る小集団のムーブメントを通してタイトルを付けた。そして最後は、鑑賞という流れで進めていった。実践の内容は 3-2 に詳述する（表 8-1）。

表 8-1　ワークショップの内容

時間	内容
3分	主催者の挨拶、全体の流れ、鑑賞体験についての説明
15分	2つのグループに分かれて、鑑賞対象の展示作品への移動および鑑賞【10分】
10分	アンケート回答、回答後、スタジオに戻る
5分	休憩
5分	芸術表現ワークショップの説明
15分	ウォーミングアップ
7分	トーンチャイム（一音ずつに耳を傾ける）
3分	AとBのグループに分け、Aグループによるトーンチャイム表現
5分	Bグループの聴取体験のフィードバック
5分	Bグループによるトーンチャイム表現
5分	Aグループの聴取体験のフィードバック
3分半	Aグループによるトーンチャイムを使った音のキャッチボール
3分	振り返り
3分	Bグループによるトーンチャイムを使った音のキャッチボール
3分	振り返り
10分	ムーブメントによる自己紹介
10分	ペアワーク
20分	人間彫刻
15分	2つのグループに分かれて、鑑賞対象の展示作品への移動および鑑賞【10分】
10分	アンケート回答、回答後、スタジオに戻る

2-2　感覚横断 WS のねらいとその効果

(1) 目的

　感覚横断 WS を通じて何がもたらされるのかについて考えてみる。本ワークショップでは、参加者が 1) 他者や外界に触発される、2) 表現への抵抗感を和らげる、3) 多様なイマジネーションによる自発的な観点の生成というねらいに気づくことができたのかを検討するために、事前事後にアンケート調査を実施し、WS 中の発話については上記の観点に基づき、内容を検討した。

(2) 手続き

■ 対象者：当日のワークショップ参加者は、13 名全員が研究協力同意の上で参加した。年齢は 10 代から 50 代（$M = 34.0, SD = 12.1$）、男性 4 名　女性 9 名であった。芸術表現活動の有無については、1 名を除く 12 名（92.3%）に何らかの表現活動の経験があった。具体的には、6 名に美術の経験があり、9 名はダンスなどの経験があった（表 8-2）。

■ アンケート実施手順：ワークショップの参加者にはインターネット上のオンラインフォームで申し込み手続きを依頼した。申し込みの時点で調査目的等の説明を行い、

表 8-2 ワークショップ参加者の芸術表現活動経験

芸術経験活動の有無（全参加者数 13 名）	人数（％）
芸術表現活動の有	12（92.3）
音楽系活動の経験	12（92.3）
美術系活動の経験	6（46.1）
その他の経験（演劇・ダンスなど）	8（61.5）

研究参加の許諾を得た。申し込みフォームでは、参加者に芸術の経験などについて回答してもらった。当日はワークショップが始まる前に事前アンケート、ワークショップ終了後に事後アンケートに回答してもらった。なお、A グループはワークショップ前に最上作品、ワークショップ後に保田作品を鑑賞し、B グループは逆順に鑑賞した。

■ **アンケートの尺度構成**：アンケートの項目は、次の 4 つの尺度を組み合わせて構成した（表 8-3 参照）。まず、芸術に対するイメージを尋ねる項目（縣・岡田、2010 参照）を設けた（8 項目、5 件法）次に、外的環境に対してどの程度開かれているのかを測るために、横地ら（横地・八桁・小澤・岡田、2014）の「開放性尺度（4 項目、5 件法）」を参照した。次に、外界からの触発の強度を測るために、石黒と岡田（石黒・岡田、2017）の「触発尺度（5 項目、7 件法）」と「鑑賞態度尺度（2 因子構造、15 項目、5 件法）」を参照した。この 2 つの項目は実践の前後に美術館の実際の作品を鑑賞した後に行った。先立って行われた国立西洋美術館の実践では、美術館内の実際の展示作品である絵画を対象として鑑賞を実施したところ、鑑賞者と作品との距離に変化が生じたことが映像記録の調査により示唆された。本実践では立体作品でも同様に鑑賞に変化が生じるのかを検討するために対象を彫刻作品とした。東京都美術館の屋外には美術館が所蔵する彫刻作品が展示されている。その彫刻作品 2 点（2-1 参照）を鑑賞の対象として WS の事前・事後に鑑賞行った。また、事後アンケートのみに、ワー

表 8-3　アンケート項目の例

尺度		項目
芸術への親近感		1) 芸術に対して難しいというイメージがある 2) 作品制作や表現は一部の天才的な人が行うことだと思う
開放性尺度		できるだけ、幅広いジャンルの芸術表現を鑑賞するようにしている
触発の強度		1) インスピレーションを感じる 2) わくわくする 3) 新しいイメージやアイデアが湧く
鑑賞尺度	自分と他者の比較を伴う鑑賞	1) 自分ならどう表現できるのかを考える 2) 自分の表現を発展させるために他人の作品を見る
	他者の創作過程の推測や評価を伴う鑑賞	1) どのような人が作った作品なのかを考える 2) 作品の社会的価値について考える
感想（事後のみ）		1) ワークショップに満足した 2) 他の参加者と良い交流ができた 3) 作品を見る視点が広がった

クショップの感想を尋ねる項目を設けた（4項目、5件法）。感想には自由記述の項目
も含めた。

■ データの記録：ワークショップ当日は、筆者2名のファシリテーターの他、会場設
営や参加者のサポートを行うスタッフ、iPhoneでの写真撮影やビデオカメラによる
動画撮影を行うスタッフらが加わった。ファシリテーターと参加者はそれぞれICレ
コーダーを身につけ全活動の発話の音声を記録した。

③ 結果と考察

3-1　質問紙の結果

(1) ワークショップの感想

　本WS終了後の質問紙において感想を尋ねた項目の平均値と標準偏差を求めた（表
8-4参照）。全項目の平均値は5件法で4.5であったことから、このWSの参加者から
は高い評定がされたと言えるであろう。全項目とも4以上と高い評定値であったが、
項目1満足度、項目7表現には技術やアイデアだけではなく五感や感情なども大切だ
と思うには、平均4.8が示され、頭で考えるだけではなく身体活動を通じて得られる
ことの重要性が意識に残ったと推察される。また項目4表現を楽しめた、項目6今回
の経験は今後の活動（仕事や趣味）に活かせそうだ、項目8.自分にとって気づきがあっ
たには、平均4.5と高い値を付けており、本WSで得た気づきを能動的に利用しよう
とする動機づけが得られたと考えられる。これらの感想から、本WSでは表現に対
する抵抗感が弱まり、それぞれの日常や領域に持ち帰る自発的な観点をもたらしたと
推察される。

表 8-4　ワークショップ後の感想項目の平均（*M*）と標準偏差（*SD*）

質問項目（5件法8項目）	*M*	*SD*	質問項目（5件法8項目）	*M*	*SD*
1. ワークショップに満足した	4.8	0.42	5. 今回の経験は美術鑑賞に活かせそうだ	4.0	0.68
2. 他の参加者と良い交流ができた	4.3	0.82	6. 今回の経験は今後の活動（仕事や趣味）に活かせそうだ	4.5	0.50
3. 作品を見る視点が広がった	4.2	0.70	7. 表現には技術やアイデアだけではなく五感や感情なども大切だと思う	4.8	0.36
4. 表現を楽しめた	4.5	0.63	8. 自分にとって気づきがあった	4.5	0.63
			全項目の平均とSD	4.5	0.66

(2) 尺度得点の結果

　次に、芸術への親近感や触発、鑑賞方法がワークショップの事前事後でどのように
変化したのかについて、質問紙の各項目の結果を検討した。表8-5は、4つの尺度得

表8-5　ＷＳ事前事後の尺度得点の平均値（*M*）・標準偏差（*SD*）の結果

尺度名	事前 *M*（*SD*）	事後 *M*（*SD*）
芸術への親近感	3.43（1.305）	3.84（1.080）
開放性	3.58（1.144）	3.73（1.069）
触発の強度	4.11（1.491）	4.72（1.606）
鑑賞（比較鑑賞）	3.34（1.392）	3.27（1.242）
（推測鑑賞）	3.79（1.355）	3.81（1.426）

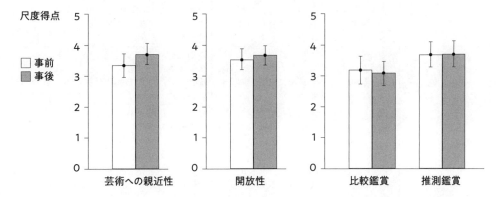

図8-2　各尺度得点の平均値の比較（芸術への親近性・開放性・鑑賞（比較鑑賞・推測鑑賞）

点（芸術への親近性尺度、開放性尺度、触発の強度、鑑賞態度尺度（比較鑑賞と推測鑑賞）の結果の平均値と標準偏差を示している。図8-2、図8-3には、質問紙で得られた各尺度得点の平均値の差を事前と事後で比較できるようにしたものである。なお、触発の強度の尺度はオリジナルが7件法で作成されている（石黒ら、2017）。先行研究との比較のために図を切り分けて提示してある。

　表8-5からは、芸術の親近感はWS事前より事後で平均値が上がっており、芸術への構えが和らぎ、芸術に親近感を持つようになったことが示された。また、作品鑑賞における触発の強度もWS前より後の方が高くなっていることが示された。このWSを体験した後では、芸術への親近感が増し、すなわちアートへの抵抗感が減少することで作品鑑賞においてインスピレーションを感じたり、新しいイメージやアイデアが湧くようなことが活発に意識されたことが推察できる。なお、作品について知っているかを尋ねた質問については、全員が事前・事後の両作品とも知らないと答えていた。

（3）自由記述の考察

　質問紙の自由記述は記載してあるテキストからカテゴリーを作成して検討した。WSを通じて他者や環境といった外界からの触

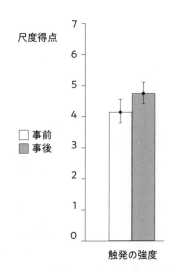

図8-3　触発の強度の平均値の比較

表 8-5　WS 参加者の発話のカテゴリーと感想例

カテゴリー		カテゴリー定義	感想の例	人数 (13)
大項目	小項目			
触発	表現への触発	WSや鑑賞を通して、作品を作り表現をする動機づけが得られたことの記述	ペアの時に「○」というのを相手の方が表現した方法がすごく面白く、その発想こそがアートだなとおどろいた。ちょっと自分も人とやってみて、他の人達がどんな発想を持ってるのか、知りたい。	8
	外界からの触発	WSや鑑賞を通して、五感を通じた外界への意識・言葉にできない体感	フォーカシングで自分の身体の端々に意識を向けたことで、日常的な表現と身体との関係性への気付きがあった。	9
ストレス	緊張からの緩和	WSを通じてリラックスできたことや、気持ちが楽になったことの記述	最初は緊張していましたが、「どんな表現をしても受け入れてくれる」ということで抵抗がなくなりました。	5
芸術・表現へのイメージ	芸術・表現への抵抗感	作品解釈や表現に対して抵抗があることの記述	どこかに正解があると思って見ていた所があった。	8
	芸術・表現への流暢性	作品解釈や表現を肯定的に捉え、積極的に生まれることへの記述	うまくやろうとか何かしようとかなく、自然と体が動き出して、そこにはずかしさとか、ちゅうちょがなかった。	6
イマジネーション	自発的な観点の生成	WSを通して自発的な観点がもたらされたことの記述	普段の生活では、無意識に避けているようなことがあるんだなと感じ、それを意識しようと思った。	5
	自由な発想	WSを通して発想が自由に広がり多様なイマジネーションが流暢に生まれることへの記述	WS後は作品を前により自由な想像を広げることができた。	5
鑑賞	比較を伴う鑑賞	自分と他者の比較を伴う鑑賞についての記述	主観・客観両方を盛り込んで芸術と向き合うようになった。	4
	推測を伴う鑑賞	他者の創作過程の推測や評価を伴う鑑賞についての記述	作る側の思い、視点をもつことができた。	2
	比較・推測以外の鑑賞	比較・推測以外の観賞についての記述	良し悪しを仕分ける基準がなくなった。	5
動機づけ	日常や仕事へのモチベーション	WSを通じた経験を能動的に日常、仕事、学習に利用する動機づけが得られたことへの記述	自分自身を表現することが難しい人にも、相手の気持ちを考えることが苦手な人にも、それらを克服する方法としてとても有効だと思う。音楽療法を学んでいるが、音のない世界での表現についても学びを深めたいと感じた。	9

発により表現への触発を得たり（8名）、五感への注意が活発化したことや言語化できない体験をしたこと（9名）が半数以上の参加者の記述に見られた。また、WSで得られた気づきを日常や仕事に活用するモチベーションを得たと答えた人が9名いた。自由記述からは、感覚を横断する体験によって、思考のみに偏ることのない身体感覚を契機に情動豊かな触発を活発に得たことが推察できる。なお、一部のカテゴリーに該当する回答は、重複を許してコーディングした。

3-2　参加者における触発と自発的な観点の生成

　ここからは、芸術表現ワークショップの流れと参加者の発話について記述する。流れについては、それぞれのワークのねらいと主な内容を記した。発話については参加者のワーク中の発話を質的に検討したもののうち、トーンチャイムのワークについてのみ取り上げる。

(1) 導入

　芸術表現 WS は、自分が直感で感じたことが、表現という媒体を介して無意識に表出されやすい特徴があることを説明した。その上で、安心してワークに取り組むために、表現への抵抗がある場合は無理をしないことを伝えた。

(2) ウォーミングアップ

　ねらい：視覚以外の他の諸感覚（触覚、聴覚、嗅覚）に意識を向け、感覚を鋭敏にする。
　主な内容：身体の様々な部位（頭、肩、手のひら、胸、背中、足など）に順番に意識を向けていく。

(3) トーンチャイム[1] を用いた即興体験

■ ねらい：音色の聴取によって心身の緊張の緩和を目指す。イマジネーションの活性化と、そこから自分にとっての大切なメタファーに気づく。自己表現をより拡張し、深める。

■ 主な内容：光源を落とした空間で、参加者の半分は、トーンチャイムを持ちながら部屋を歩き回り、自分が鳴らしたい時にトーンチャイムを鳴らす。残響に耳を傾けながら、自分の身体の使い方やそれに伴う感情の変化について探求する。トーンチャイムを持たない参加者は音に意識を向けるため、目を閉じて聴取する（図8-4）。

●1　トーンチャイムとは、鈴木楽器製作所が制作したハンドベルのような音階をもつチャイムのこと。独自のハンマー機構と厳選された材料（高級アルミ合金）から、鳴らすと柔らかく美しい響きを特徴とする (https://www.gakki.com/shop3/tone_chime.html)（最終閲覧日2023年1月30日）

図8-4　トーンチャイムを用いた即興体験

(4) ムーブメントによる自己紹介

■ ねらい：自分の表現が他者に受容されることにより、自己肯定感を高める。

図 8-5　ムーブメントによる自己紹介

■ **主な内容**：円陣となり、自分のフルネームないしは苗字か名前を選び、名前をイメージした動き（ムーブメント）を即興で考える。参加者は自分の名前を身体を使って表現し、他の参加者はそのムーブメントを模倣する（図 8-5）。

(5) ペアワークとしてのムーブメント

■ **ねらい**：模倣やイマジネーションの共有において、他者への共感を高める。また、相手に伝わるための自己表現を意識することで、表現の幅を広げる。

■ **主な内容**：①ペアの一方が、相手の動きやしぐさを模倣する。その後交代する。②ペアの一方がテーマを与えられ、即興的に表現し、もう一人は静観する。その後交代する。与えられた表現の主なテーマは、「さんかく　と　まる」のように具体的な対照から「白と黒」や「鋭いと滑らか」など、抽象的な対照もあった。

(6) 小集団での人間彫刻

■ **ねらい**：小集団におけるグループダイナミクスを体感する。自身が表現したことを他者によって意味付けされることで、メタ認知を促進する。

■ **主な内容**：参加者の半分がムーブメントをし、彫刻のようにポーズを作る。残りの

図 8-6　小集団での人間彫刻

参加者は、ポーズが作られていくプロセスを観察する。具体的には、1番目の人がムーブメントをしながらポーズを作った後、2番目の人が動き出し、1番目の人が作ったポーズに関わるようにポーズする。3番目の人は、1番目と2番目の人が作ったポーズに関わるようにポーズする。その繰り返しで最後の人まで終わったら、残りの参加者は、そのポーズから醸し出される雰囲気を捉え、タイトルをつける（図8-6）。

(7) トーンチャイムの聴取体験における参加者の振り返り

　参加者の半数は、トーンチャイムを一本（各自の音程は異なる）手に取り、スタジオを歩き回りながら自由に鳴らした。トーンチャイムを持たない参加者は、着席して目を閉じた状態で、トーンチャイムの音を聴取した。活動直後に、聴取した参加者にフィードバックを求めたところ、以下のような振り返りがあった（表8-6）。

表8-6　トーンチャイムの聴取体験における各参加者の発話

ID	発話内容
A	森の中で鳥のツガイが会話をしているようだった。
B	一人一人が全く違う動きをしていて、それぞれに違うんですけど、出している音は個性があって、それがまたいいなと思いました。
C	水たまり（のようで、そこに）しずくが落ちている感じ。目を閉じていても、人が目の前を通ると、光が陰ったりするのを感じて面白かった。
D	お母さんのお腹の中を泳いでいるみたいな感覚でした。
E	宇宙にいるような感じで、みんなそれぞれがバラバラに鳴らしている音が一つになっていくようでした。
F	最初は自分がどういうシーンで使うかっていうことに考えがいっていたんですけど、たとえば物語を作るとき、どんな場面でこの音がしていたら面白いかということを考えながら音をきいていた。―中略―　（音が）遠くにあるときは自分の考えで捉えられるんですけど、（音が）近くにくると、ものすごい即物感じで迫ってくるというか・・・そうなってしまうとあまり言葉が出てこない。―中略―　なので体感の方にフォーカスして、あまり思考でまとめるということよりは、単純に感覚的に気持ちいいとか、揺らぎをもっとここでほしいとか・・・そんな風にイメージが湧きました。
G	（音の響きが）もわー、もわーと、（笑）音が聞こえてきた。すごく不思議な感じだなと思ったのが、音が私に来ているはずなのに、私から音の方に（行く感じで）・・・まるで霧の光線が出る方に（私が）引きずられていくような変な感覚でした。
H	海の中で魚が泳いでいる感じがしました。残響があるじゃないですか、その残響が海底って感じ。ランダムに鳴らしているんでしょうけれど、でも、なんかどことなく繋がっているなという感じがしました。
I	目を開けたり閉じたりしていたんですけど、閉じているときは、頭の中に勝手な映像が見えたりして、具体的にはジブリ映画でした。それは前半のことで、一度目を開けて閉じたら、今度はイメージが変わって、多分、低い音の方が気になり出して、お寺にいるようでした。
J	全然違う音なのに、一つ一つの音が柔らかくて、聞いていると安心できるなと思いました。安心できる場所なんだなと。心が穏やかになりました。
K	夜のノルウェーの森のイメージです。行ったことないですけど、オーロラの下の・・・映画でいうと、是枝監督のワンダフルライフ。死後の世界で自分の一番思い出を探すといって、それを考えていました。初恋の人が一番素敵な思い出だなと。
L	私はずっと目を閉じて聞いていたんですけど、一人一人が自由に音を出しているのに、なぜか、こう、一つに音がまとまっているような感じで、この部屋にいることを忘れて、この壁が溶けて、自分が本当に宇宙の中に漂っているような、すごく、心地よさがあった。あと、なぜか、こどもの頃読んだ、国語の教科書にあった、"やまなし"の映像がでてきて、なんかあの・・・きらきら光っているという映像が出てきました。

　多くの参加者が、目を閉じた状態でトーンチャイムの音を聴取することによって、平穏さや安心感といった、肯定的な感情の変化が見られた。また、ほぼ全員において、聴覚的・視覚的・空間的・体感的など何らかのイメージが喚起されたことがわかった。イメージそのものの抽象度は様々であったが、感覚的な体験から湧き出たイメージ、感覚についてメタ認知されたイメージ、さらに、自己洞察による自身の回想といった回顧的なイメージなど、それぞれのイメージは異なっていた。

　例えば、Ⅰの発話からは、当初ジブリのアニメーションの映像をイメージしていたが、途中から低音に注意を向けたあとにお寺のイメージに変化している。またⅬの発話からは、宇宙に漂うような気持ちよさから、子供の頃の教科書のイメージを想起し、そこからキラキラひかる映像にイメージが変化している。このように音から得た感覚から、イメージが広がったり、飛躍していることがわかる。

　この振り返り時、参加者は一人一人の発言を傾聴していた。そこから安心して発言できる場が形成されていたことは印象深い。感覚的なワークで喚起されるイメージは、時として、無意識の自己のメッセージがイメージとして無防備に出てくることもある。そこには人に晒したくないメッセージが含まれることもあるが、安心できる場で自身を開示していくことは、自己肯定感が高められたり、自尊心が促進されると思われる。そのことにより、自分の表現したいことが明確になり、表現の一つ一つに意図性が生まれることもある。表現に意図性が生まれると、自分が何をしたいのか、何をしたらいいのかといった意志が明確になるため、作品の鑑賞時においても、主体的に自己と作品を関与させようとする動きが見られることが推察される。

4 まとめ

　ここまで述べてきた量的・質的な検討により、感覚横断WSを通じて参加者が他者や外界に触発されて表現への抵抗が和らいだ結果、外界や他者から多くの触発を得たことが示された。そこから多様なイメージが喚起され、自発的に多様な観点が生み出されてイマジネーションの広がりが起きたと示唆される。

　本WSはコロナ禍が始まった当初に実施され、身体的なワークを中心に行うことに多くの制約があった。時間も約3時間という限られた中での取り組みであったが、聴覚と身体行為を横断した体験は、参加者が思い込みの思考に囚われることなく、自発的な観点の生成に寄与したと言える。

　今回の実践は、主に音楽療法で使用されているワークを効果的に利用するため、参加者がストレスなく芸術表現に取り組めるよう専門家により注意深くデザインされている。しかし本稿で紹介したワークは、美術・音楽といった領域横断で得られる効果を学校の授業などのフォーマルな教育現場や、生涯教育や美術・博物館・公民館など多様なインフォーマルな教育の場に盛り込むヒントとなるであろう。一般人は馴染み

の無い体験に触れると、教示が無い場合はその体験に向き合うことなく意識から遮断してしまうことが実験で指摘されている（Wang, Takagi, & Okada, 2022）。この点は熟達したアーティストらが、予期せぬ驚きの体験を効果的に利用することと大きく異なる点である（髙木ら、2013; Takagi et al. 2019）。これまで感覚横断WSは、支援学校、公立小学校、芸術を専門としない大学や一般を対象とした多様な場で実施してきたが、このような身体感覚を横断することにフォーカスした実践は、物事への先入観を外し、これまでに無い体験に対して無理なく向き合うことに誘う。これが馴染みの少ない作品の鑑賞においても一般人が豊かにイマジネーションを広げる効果を引き出すと考えられる。

　今回は質問紙と発話を分析してその効果を検討したが、彫刻作品のような立体物の鑑賞プロセスを十分捉えたとは言い難い。今後は、映像の詳細な分析により、そこで何が起きているのかを見る必要がある。また、個人の言語化できない情動的な変化は意識下で起きることも大きく、心拍といった生態指標も考慮してプロセスを理解していくことが今後は必要と思われる。

　自分の身体感覚や行為の改変を通じて他者や環境と出会うことにより、表現する身体を得ることは、すでにエキスパートの表現者は各領域でそれぞれ行っている（髙木ら、2013; Takagi et al., 2019; 中野・岡田、2015; Shimizu & Okada, 2018）。今回のWS参加者は何らかの芸術表現の経験がある人が13名中12名と9割以上を占めた。質問紙の感想でWSへの満足度などが極めて高く評価されたのも、この実践には領域をまたいで理解できる点があるのかもしれない。今後は、芸術の経験を持たない人にも実践が効果的かどうかの検討が求められる。そのため、様々な場や領域で取り組めるように、ワークショップのエッセンスをデザイン指針として、より精緻化させていくことが必要と考えられる。

（著者・企画・実践：髙木紀久子（1）・高田由利子（2）
所属等：（1）東京大学、（2）札幌大谷大学）

　［謝辞］今回のワークショップ開催の場として受け入れて下さった東京都美術館には心より感謝の意をお伝えします。

【引用文献】

縣 拓充・岡田 猛（2010）. 美術の創作活動に対するイメージが表現・鑑賞への動機づけに及ぼす影響　教育心理学研究, **58**, 438-451.

Anderson, J. R.（2005）. *Cognitive psychology and its implications*. Macmillan.

浅香 淳（編）（1991）. 新訂 標準音楽辞典　音楽之友社

Carter, R.（2019）. *The human brain book: An illustrated guide to its structure, function, and disorders*. Penguin.

Collins, A., Joseph, D., and Bielaczyc, K.（2004）. Design research: Theoretical and methodological issues, *The Journal of the Learning Sciences*, **13**, 15-42.

Hughes, D. J., Furnham, A., & Batey, M.（2013）. The structure and personality predictors of self-rated creativity. *Thinking Skills and Creativity*, **9**, 76-84.

石橋健太郎・岡田 猛 (2010). 他者作品の模写による 描画創造の促進　認知科学, **17**, 196-223.

石田陽子 (2014). 色彩や形に響きを聴く：図形楽譜を用いた音楽表現活動の試み　四天王寺大学紀要, **57**, 257-268.

石黒千晶・岡田 猛 (2017). 芸術学習と外界や他者による触発：美術専攻・非専攻学生の比較　心理学研究, **88**, 442-451.

伊藤美奈子 (1991). 自己受容尺度作成と青年期自己受容の発達的変化：2 次元から見た自己受容発達プロセス　発達心理学研究, **2**, 70-77.

中野優子・岡田 猛 (2015). コンテンポラリーダンスにおける振付創作過程の解明　舞踊學, **2015**(38), 43-55.

Okada, T., & Ishibashi, K. (2017). Imitation, inspiration, and creation: Cognitive process of creative drawing by copying others' artworks. *Cognitive Science*, **41**, 1804-1837.

Pelowski, M., Markey, P. S., Forster, M., Gerger, G., & Leder, H. (2017). Move me, astonish me…delight my eyes and brain: The Vienna integrated model of top-down and bottom-up processes in art perception (VIMAP) and corresponding affective, evaluative, and neurophysiological correlates. *Physics of Life Reviews,* **21**, 80-125.

Proulx, M. J., Brown, D. J., Pasqualotto, A., & Meijer, P. (2014). Multisensory perceptual learning and sensory substitution. *Neuroscience & Biobehavioral Reviews*, **41**, 16-25.

Rogers, C. R., & Dymond, R. F. (1954). *Psychotherapy and personality change.* University of Chicago Press.

ロジャーズ，C. R.／保坂 亨・諸富祥彦・末武康弘 (訳) (2005) ロジャーズ主要著作集 2　クライアント中心療法　岩崎学術出版社

Shimizu, D., & Okada, T. (2018). How do creative experts practice new skills? Exploratory practice in breakdancers. *Cognitive Science*, **42**(7), 2364-2396.

髙木紀久子・岡田 猛・横地早和子 (2013). 美術家の作品コンセプトの生成過程に関するケーススタディ 写真情報の利用と概念生成との関係に着目して　認知科学, **20**, 59-78.

Takagi, K., Okada, T., & Yokochi, S. (2019). A case study of formation of an art concept by a contemporary artist: Analysis of the utilization of drawing in the early phase. *Proceedings of the 41st Annual Meeting of the Cognitive Science Society* (p.3367). Montreal, Canada: Cognitive Science Society.

田中吉史・松本彩希 (2013). 絵画鑑賞における認知的制約とその緩和　認知科学, **20**, 130-151.

Wang, S., Takagi, K., & Okada, T. (2022). Effects of Modifying the Process of Creating on Novices' Creativity in Drawing. *Thinking Skills and Creativity*, 101008.

Ward, T. B. (1994). Structured imagination: The role of category structure in exemplar generation. *Cognitive Psychology,* **27**, 1-40.

Wikimedia Commons. (2022). Graphic notation. https://commons.wikimedia.org/wiki/Category:Graphic_notation（最終閲覧日 2022 年 5 月 3 日）

横地早和子・八桁 健・小澤基弘・岡田 猛 (2014). 教員養成学部の絵画教育における省察的実践についての研究 III：授業アンケートによる授業実践の効果の検討　美術教育学研究, **46**, 285-292.

第 **9** 章

ワークショップ『Discover your Duchamp!! ：大ガラスを踊ろう』
触発を引き起こすワークショップのデザイン原則の提案

1 はじめに：すべての人は表現者

あなたは、自分のことを芸術家や表現者だと考えているだろうか？自信をもってそうだと答える人もいれば、まったくそうは思っていない人もいるかもしれない。しかし、我々は全ての人が素晴らしい芸術家・表現者だと考えている。人々が「未知なるもの」（自分の価値判断の枠をこえているもの）に出会ったとき、反応はそれぞれ違う。表現者であるあなたは、その「出会い」を「触発」にかえて新しい表現を生み出すことができる。

そうした思いから、我々は様々な人が現代美術作品や芸術家（ここではコンテンポラリーダンサー）●¹という「未知なるもの」に出会い、それに関わることから触発されて表現し、気がついたら自分もダンサーになっていたという体験を生み出すワークショップ（以下 WS）に挑戦した。本章では、創造や触発の理論をもとに、WS をデザインするための原則を提案する。同時に、それに基づいて開発した WS が参加者や芸術家にどのような影響を及ぼしたのかを詳述する。

1-1 コンテンポラリーダンスを創るということ：DAW アプローチ

表現や創作●² とはどのような営みだろうか。岡田（2013、2016）によると、芸術創作は、芸術領域の文化との関わりの中で、創作者が「知覚と行為のサイクル」と「行為と省察のサイクル」を繰り返して展開する。具体的に説明すると、例えば、コンテンポラリーダンスの創作では、ダンサーは、音楽や共演者といった外界や自分自身など今ここにあるものごとを着想のきっかけとして捉え（知覚・省察し）、それを身体表現（行為）として具現化するのである（中野・岡田、2015）。この創作過程を、普段ダンスをしない人にも体験してもらうには、どのように感じ考えるかについての「知覚・省察」、それに基づきどう動くかに関する「行為・発信」、外界との相互作用に関する「外界との関わり」、の３つの観点をプログラム内容に組み込むことが重要である（図 9-1：中野、2018；Nakano &Okada, 2022）。このアプローチのことを、自分の心と体だからこそできるダンスをみつけていくという意味で、我々は「DAW

●1 本研究では、WSのデザイン・実施を現役の芸術家と協働で行った。それゆえ概念的に議論する際は、WSを行う人を「芸術家」と呼ぶ。一方、実際のWSでは参加者の、WSを行う芸術家（Cュタツヤ氏）と現代美術作品の作者である芸術家（マルセル・デュシャン氏（1887-1968））との混同を避けるため、前者には「講師」という言葉を使用した。

●2 本章では、表現と創作という言葉について「目には見えない何ものかにそれを行う者が形を与える」という点で同義と捉える。したがって、文脈に合わせて適宜使い分けることにした。

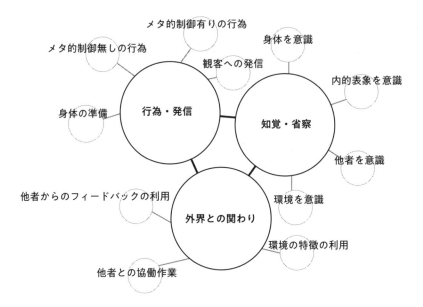

図9-1　コンテンポラリーダンス創作を引き起こすための内容
（中野、2018 ; Nakano &Okada, 2022）

（Discovering the Artist Within）」アプローチと呼び、実践を展開してきた。本章では、現代美術作品や芸術家といった「未知なるもの」との出会いをデザインするために、DAW アプローチにおける「外界との関わり」という観点に触発という概念を取り入れる実践を行った。

1-2　触発という観点からの出会いのデザイン

触発とは、「表現者が外的世界と触れあう際に起こる内的プロセスの一つであり、他者の作品などの外界の事物に刺激されて、表現者の中に新しいイメージやアイデアが喚起されたり、感情が動いたり動機づけが高まったり、省察等の活動が引き起こされたりするようなプロセス（岡田、2013, p.15）」である。表現者として「未知なるもの」に出会っていくことは、「触発」の一つのステップとして位置づけることができる。触発には「創作過程にふれるような体験をする」こと、「自分と他者を比較できるような機会をつくる」ことが重要な要素として挙げられている（Ishiguro & Okada, 2020 ; Okada, Agata, Ishiguro, & Nakano, 2021）。

1-3　表現者として「未知なるもの」に触発をもって出会うには

まとめると、WS の参加者が表現者（コンテンポラリーダンサー）として、現代美術作品や WS を行う芸術家に触発を受けるように出会うには、以下の要素を内容としてデザインに組み込むことが重要だと考えられる。まず、コンテンポラリーダンサーとしての表現創作を促すために、DAW アプローチに基づき、①今ここにあるものを知覚・省察すること、②知覚・省察したものを行為・発信すること、③外界と関わることの3つの観点を内容としてデザインに組み込む。なお、③外界との関わりによる

触発を促すために、「創作過程にふれるような体験をする」こと、「自分と他者を比較できるような機会をつくる」ことという2点も重視する。

1-4　理論を踏まえた WS のデザイン原則

　以上の議論を踏まえて、WS のデザイン原則を表9-1 のように設定した。デザイン原則は大きく「場」、「内容」、「コミュニケーション」のデザインの3つの観点からなる。上述した創作や触発を促すための要素は「内容」のデザインに該当するが、「内容」に入る前の前提条件として、「場」をデザインする必要がある。ここでは、WS 自体を一つのパフォーマンス作品として、参加者をその内部に引き込み、参加者がいつの間にか表現者になる場をデザインする。そのため、WS のコンセプトの設定や、文脈の設定、創作の世界へ引き込む工夫を行う。

　「内容」のデザインでは、参加者が WS を行う芸術家の創作過程を追体験しながら自身の表現を創作できるように、コンテンポラリーダンス創作を引き起こす観点、①今ここにあるものを【知覚・省察】すること、②知覚・省察したものを【行為・発信】すること、③【外界と関わる】ことを組み合わせて体験してもらう。このとき触発に必要な「創作過程に触れる」ことや、「自分と他者を比較する」ことも体験できる。具体的には、①【知覚・省察】のために、参加者の対象（現代美術）や自身の身体、動きとそれに伴う内的過程への意識を促す。また、②【行為・発信】のために、参加者に身体を準備してもらい、出会う対象の特徴を利用して動くことと、観客にむけた表現の発信を促す。最後に③【外界との関わり】のために、②と同様に出会う対象の特徴を利用して動くことと、他者との協働作業を促す。以上の介入により、参加者は芸術家の創作過程を追体験しながら、自らの表現を創作することができる。

　最後に「コミュニケーション」のデザインでは、上述の内容を参加者がより効果的

表9-1　WS のデザイン原則

デザインの観点	内容	具体例
場	参加者がいつの間にか表現者になるための場の仕掛け	(1) WS のコンセプトを設定する (2) 文脈を設定する (3) 創作の世界へ引き込む工夫をする
内容	芸術家の創作過程を追体験できるように、①【知覚・省察】、②【行為・発信】、③【外界との関わり】の観点を組み合わせた内容	①【知覚・省察】 (1) 出会う対象に対する意識を促す (2) 身体に対する意識を促す (3) 動きとそれに伴う内的過程への意識を促す ②【行為・発信】 (1) 身体の準備を促す (2) 出会う対象の特徴を利用して動くことを促す (3) 観客への発信を促す ③【外界との関わり】 (1) 出会う対象の特徴を利用して動くことを促す (2) 他者との協働作業を促す
コミュニケーション	その場にいる全員が表現者として互いに刺激し合える関係	(1) 参加者の表現を歓迎する (2) 芸術家も誠実に表現する (3) 参加者同士のコミュニケーションを促す (4) 緩急をつけて進行する

に体験するために、WS で繰り広げられるコミュニケーションを工夫する。WS では芸術家も参加者も関係なく、表現者として対等に刺激し合える関係をデザインし、参加者が表現者として存分に自身を表現することを後押しする。そのためには、参加者の表現を歓迎する、芸術家も誠実に表現する、参加者同士のコミュニケーションを促すことが必要である。加えて、参加者の表現をより活発にするためには、淡々と一定のリズムで進行するのではなく、参加者の反応をみて一つの活動にじっくり時間をかけたり、敢えて次々と展開したりと、緩急をつけて進行することも必要だろう。

　これらの「場」「内容」、「コミュニケーション」というデザインの観点を、まるで一つのパフォーマンス作品を作って実践するようにパフォーマティブにデザイン・実施することが重要である。そうすることで参加者を創作の世界に自然と引き込み、彼らの表現を積極的に刺激することが可能になる。

② 実践

2-1　WS の概要と目的

　WS の実践は、東京大学駒場キャンパス駒場博物館にて 2018 年 7 月 7 日の 13 時から 16 時に行われた。今回の実践では、駒場博物館所蔵の作品『花嫁は彼女の独身者たちによって裸にされて、さえも』（実際の画像は図 9-2、9-3 参照：以下、通称の『大ガラス』と記述）●3 を、参加者が出会う現代美術作品として取り上げた。『大ガラス』は、現代アートの父と呼ばれるマルセル・デュシャンの代表作である。WS のタイトルは『Discover your Duchamp!!：大ガラスを踊ろう』であった。

　WS の目的は、身体表現を創作することを通して、『大ガラス』や芸術家に出会うことで、参加者の触発を引き起こすことであった。

●3　以下に正式な名称を記述する。
《花嫁は彼女の独身者たちによって裸にされて、さえも》（東京バージョン）
マルセル・デュシャン
1915-1923 年
東京バージョン監修
瀧口修造、東野芳明
1980 年
東京大学駒場博物館蔵

2-2　デザイン

　WS は、デザイン原則（表 9-1）に則って、振付師・ダンサーの C ュタツヤ氏と第一著者がデザイン・実施した。以下では、表 9-2 に示す具体的な手続きを表 9-1 のデザイン原則に基づいて説明する。

(1) 場のデザイン

　(1) WS のコンセプトは、「全ての動きはダンスにつながる特別なものであると捉えること」とした。即ち、参加者が紡ぎ出す身体表現は全て素晴らしい特別なダンスであることを体感してもらう WS を目指した。(2) 文脈の設定については、C ュ氏と第一著者はそれぞれ、「タツヤデュシャン」、「マルセル優子」というキャラクターに扮し、「タツヤデュシャン」の奇想天外な企てを「マルセル優子」がガイドするという文脈を設定し、WS を進行することにした。同時に、(3) 創作の世界へ引き込む工

表9-2　「Discover your Duchamp!!：大ガラスを踊ろう」のデザイン

目的	内容	概要
『大ガラス』との出会い1	『大ガラス』の鑑賞（キャプション無）	『大ガラス』を鑑賞し、質問紙（事前）とパンフレットの大切にしている言葉を書く欄に記入する。
芸術家との出会い	「講師パフォーマンス」 ・芸術家のパフォーマンス ・芸術家とのパフォーマンス	・『雲』（C ュ氏が『大ガラス』から触発されて創作した作品）を鑑賞する。 ・参加者一人一人の大切な言葉を皆で踊る。
『大ガラス』を踊ることへ向けた身体と心のウォームアップ	「コアダンス」	腰を中心に動く。
	「雲ダンス」	呼吸を意識してゆっくり身体を動かす。 ※音楽は小澤教授による『大ガラス』の創作過程とデュシャンの説明
『大ガラス』との出会い2	『大ガラス』の鑑賞（キャプション有）	『大ガラス』を再び鑑賞し、質問紙（WS中）を記入する。同時にパンフレットのトレーシングペーパー上に、『大ガラス』の気になるところ、疑問を感じるところに印をつける。
参加者の創作・表現	「連想したものを創る」 ・身体を意識 ・『大ガラス』を動く	・身体の関節を1つ1つ丁寧に動かす（Joints Control）。 ・自分が『大ガラス』に対して「きゅん」とする距離感に座る。『大ガラス』に描かれた線を身体でなぞる、感情をこめてなぞる、『大ガラス』をみないで動く、を自分のペースとタイミングで繰り返し、連想したものについて全身で動いていく。その後パンフレットに感じたことを記入する。
	「グループでの創作」 ・シェア ・作品創作	・「私には○○に見えた、○○を感じた」、「それはあなたに○○という良いところがあるから」というフォーマットで、『大ガラス』から連想したものについてグループ内で共有する。 ・グループのメンバーの良いところやトレーシングペーパーを重ねて見えてきたものから、作品のタイトルを『○○ガラス』と設定し、グループの『○○ガラス』を協力して作る過程自体をみせるような作品を作る。
	「発表」	グループごとに作品を発表する。
	「共有」	その場にいる全員で自由に踊ることで、WSで過ごしてきた時空間を共有する。それを通して、全てのダンス表現は特別で素晴らしいというWSのコンセプトを味わう。更に、WS後の日常においても、何気ないモノゴトが特別なものとなり、世界が踊り出しますように願いを込めて踊る。
	感想のシェア	感想の共有後、質問紙（事後・追加）を記入する。

夫として、参加者にも本名とは関係ない名前を名乗ってもらうことにした。このような非日常の文脈を設定することで、創作という同じく非日常の世界に自然と入り込みやすくなる。他にも、ワークの内容によって照明を変化させるなど、参加者がいつの間にか集中できる環境を作った。

(2) 内容・コミュニケーションのデザイン

　WS では、参加者が表現者として創作することで『大ガラス』や芸術家と出会う。まずは、内容①-(1) として『大ガラス』と出会ってもらった。参加者が思考にとらわれずに、自身の身体で出会うことができるように、作品のキャプションは予め外しておいた。次に、パンフレット（図 9-2）に、参加者が大切にしている言葉を書いてもらった。その後、C ュ氏がダンスパフォーマンス『雲』を披露した（コミュニケー

図 9-2　WSで使用したパンフレット

図 9-3　参加者による作品発表

ション（2））。芸術家との出会いである。『雲』は、WSが始まるまでの約2か月の間に、Cュ氏が『大ガラス』から触発されて創作したものである。

　以降は、この『雲』を創作する際にCュ氏が経た創作過程を、ステップを踏んで参加者に追体験してもらった。まず、コミュニケーション（1）として、参加者がパンフレットに記入した言葉をもとに、Cュ氏が各参加者に短い振付を創り、それを氏とともに一人ずつ他の参加者の前で披露してもらった。全員が披露を終え、場があたたまると、参加者が徐々に力を抜いて自分の身体を意識できるように「コアダンス」を行った。コアダンスは、腰を中心として動き続ける方法である。Cュ氏とのパフォーマンスで上がった呼吸を、動くことで徐々に整え、身体を準備した（内容②-(1)）。次に、呼吸を意識するワーク「雲ダンス」を行うことで、更に参加者が自分の身体を意識できるよう促した（内容①-(2)）。その際、予め録音しておいた埼玉大学小澤基弘教授による『大ガラス』の創作過程やデュシャンの捉え方についての解説を、「雲ダンス」の背景音楽の代わりに流すことで、『大ガラス』の創作過程にも触れてもらった（内容①-(1)）。

　「雲ダンス」のあと、『大ガラス』にキャプションを加え、再び鑑賞してもらった。更に、パンフレットの中の『大ガラス』の写真の上にトレーシングペーパーを重ねて、『大ガラス』の気になるところや疑問を感じるところ等に印をつけてもらい、作品に対する意識を促した（内容①-(1)）。これ以降は参加者自身の創作に移行した。まず、参加者が表現者としての自分の身体をより意識できるように、身体の関節を手の指、手首、肘、肩と一つ一つ丁寧に動かすJoints Control（香瑠鼓、2012）を行った（内容①-(2)）。その後、各自が『大ガラス』に対して「きゅん」とすると感じる距離で座り、自由に声を発したりしながら、Cュ氏の言葉がけにそって、『大ガラス』に描かれた線を身体でなぞったり、感情をこめてなぞったり、『大ガラス』を直接見ずに動いてみたりした。そうすることで、『大ガラス』の特徴を利用して動いたり、自分自身の動きとそれに伴い喚起されるイメージや気持ちといった内的過程に意識を向けたりした（内容①-(3)、②-(2)、③-(1)）。これを踏まえ、パンフレットの「わたし

には○○にみえた、○○に感じた。」という項目に記入してもらった。記入後、参加者は4から5人のグループにわかれ、記入内容を共有した。共有の形式として、一人が記入内容を話すと、他のメンバーは「それはあなたに○○という良いところがあるから」とフィードバックすることとした。こうすることで、自分自身への気づきを促すことができる他、参加者同士の他者への意識を高めることもでき、次のグループでの創作のための関係構築ができる（コミュニケーション(3)）。グループでの創作では、それぞれが記入したトレーシングペーパーを一つに重ね合わせることで生まれたイメージをきっかけに、自由に5分程度のパフォーマンス作品を作ってもらった（内容③-(2)）。最終的な作品には『○○ガラス』とタイトルをつけてもらい、グループごとに発表してもらった（内容②-(3)、③-(2)：図9-3）。その後、Cュ氏が各グループ作品から簡単な振付をつくり、それを全員で自由に踊ることで、WSを通して過ごした時空間を共有し、すべてのダンス表現は特別で素晴らしいというWSのコンセプトを味わった（コミュニケーション(1)〜(3)）。最後に感想を話し合い、WSは終了した。全体として、ワークに伴って変化する参加者の気持ちや身体状態を踏まえ、それらがWS展開のリズムにのれるよう進行した（コミュニケーション(4)）。

2-3　実践評価

(1) 目的

　(1) WS全体を通して参加者の触発体験は変化したか、(2) その背後にはどのようなプロセスがあったかをWS前中後の質問紙調査と芸術家Cュタツヤ氏へのフォローアップインタビューによって検討した。

(2) 参加者

　21名の参加者（年齢は14歳から50代まで様々）が参加した。学生や会社員、教員など様々な職業、トルコやインド、中国など様々な国籍をもった参加者であった。

(3) 実践評価の手続き

　実践評価のために、参加者への質問紙調査と芸術家Cュタツヤ氏へのフォローアップインタビューを行った。まず参加者への質問紙調査の手続きについて記述する。WSの開始前（事前）、WSの最中（WS中）、WS終了直後（事後）、WS終了後のフォローアップ（追加調査）の4時点で複数の項目から成る質問紙調査を行った。このWSでは『大ガラス』の鑑賞を含むため、石黒・岡田（2018）の鑑賞による表現の触発過程の測定を参考にして、参加者の触発体験だけでなく、他者作品鑑賞態度、表現への自己評価がWS中に変化するかも測定した。
■ 触発体験の測定：触発体験を尋ねる質問項目は「1. インスピレーション（触発）を感じる」、「2. わくわくする」、「3. 新しいイメージやアイデアが湧く」、「4. 何か表現したくなる」、「5. 実際に何かしてみたくなる」の5項目であった（石黒・岡田、2017、2018）。まず、WS前に参加者の日常生活での触発体験の程度を検討するため、日常

生活と最近１週間くらいで体験した触発の頻度と強度についてそれぞれ「1：全くなかった」〜「7：とてもよくあった」、「1：全く強くなかった」〜「7：とても強かった」の７件法で回答を求めた。また、WS の前に「あなたが今『大ガラス』を見て体験した触発（インスピレーション）」の頻度・強度について７件法で回答を求めた。そして、WS の最中に「あなたが前半の WS で体験した触発（インスピレーション）」と「あなたが前半の WS を受けた後、『大ガラス』を見て体験した触発（インスピレーション）」の頻度・強度についても７件法で回答を求めた。さらに WS の直後に「あなたが後半の WS で体験した触発（インスピレーション）」と「あなたが後半の WS を受けた後、『大ガラス』を見て体験した触発（インスピレーション）」の頻度・強度について７件法で回答を求めた。

　なお、触発に関する質問については、毎回「ここでの触発（インスピレーション）は、他者の作品など外界の事物に刺激されて、新しいイメージやアイディアが呼び起こされたり、感情が動いたりモチベーションが高まったり、ふりかえり等の活動が引き起こされたりするようなプロセスとします」という定義を示した。

■ **表現への自己評価の測定**：石黒・岡田（2018）の表現への自己評価尺度を用いて、WS 前・中・後の質問紙で「あなたの今の芸術表現に対する考えを教えてください」と教示し、６項目の質問に「1：全くそう思わない」〜「5：とてもそう思う」の５件法で回答を求めた。

■ **鑑賞過程の測定**：石黒・岡田（2018）の他者作品鑑賞態度尺度を用いた。WS 前の質問紙では「あなたが最初に『大ガラス』を見て考えることについておたずねします。」と教示し、WS 中の質問紙では「あなたが前半の WS を受けて、今『大ガラス』を見て考えることについておたずねします。」と教示した後に、WS 後の質問紙では「あなたが後半の WS を受けて、今『大ガラス』を見て考えることについておたずねします。」と教示した後に、15 項目の質問に「1：全くそう思わない」〜「5：とてもそう思う」の５件法で回答を求めた。

■ **WS のプログラムと触発の関係**：WS に組み込まれた複数のプログラムによって参加者の触発体験がどのように変化したかを検討するため、WS 後に参加者に再度質問紙を配った（追加調査）。WS 終了後（事後）の質問紙を書き終えた後に、追加調査の質問紙を配布した。その場で全ての質問紙に記入した参加者もいれば、後日記入して e-mail などで送ってくれた参加者もいた。追加調査の質問紙では「WS の各プログラムで体験した触発（インスピレーション）」の頻度・強度を尋ねた。その際に、WS 前半プログラムとして、「講師パフォーマンス」、「コアダンス」、「雲ダンス」、後半プログラムとして「連想したものを創る」、「グループでの創作」、「発表」、「共有」のそれぞれについて頻度と強度を尋ねた。なお、他者作品からの触発にはその作品の創作過程と自分の創作の両方を考えることが重要である（Ishiguro & Okada, 2018; 石黒・岡田、2018）。そのため、「WS の各プログラムで『大ガラス』の創作過程についてどの程度考えたかについて教えてください」と「WS の各プログラムで自分の創作についてどの程度考えたかについて教えてください」という質問をして、「1：全く考えな

かった」～「7：とても考えた」の7件法で各プログラムについて回答してもらった。

　さらに、各プログラムの印象について尋ねるため、各プログラムの中で印象に残っているものを選択してもらった（複数選択可）。印象に残ったプログラムの中でどのようなことが印象に残ったかについて自由記述を求めた。最後に、WSを振り返って「WSは楽しかったですか」という質問に「1：全くそう思わない」から「5：そう思う」の5件法で回答を求め、「最初に作品を観たときと、踊りを通して観たときでは何か違いがありましたか。もしあった場合は、それはどのような違いでしょうか。」の他、感想等を自由記述するように求めた。

■ 芸術家Cュタツヤ氏へのフォローアップインタビュー：WS実施18日後に、半構造化面接の形式で行った。主な質問項目は、①今回のWS（デザインの段階と当日それぞれについて）の感想、②今回のWSを通して受けた触発の有無とその内容、③その他、印象に残ったこと、であった。

2-4　結果と考察：実践の結果生じた参加者の認知的変化

　本節では、実践の結果生じた参加者の認知的変化について述べる。具体的には質問紙調査で注目していた（1）WS全体を通して参加者の触発体験は変化したか、（2）その背後にはどのようなプロセスがあったのかについて記述する。

（1）参加者の触発体験の変化

　今回のWSのデザイン原則は触発を引き起こすことに焦点をあてていた。したがって、まずWS全体を通して参加者の触発体験は変化したのか、次に今回のWSの中心にある現代美術作品である『大ガラス』によって参加者の触発体験は変化したのかを記述する。

　まず、参加者の日常生活や最近1週間の触発体験と前半・後半WSによる触発体験の頻度や強度に違いがあるかどうかを、時期を要因とする1要因被験者内分散分析によって検討した（表9-3, 図9-4）。その結果、触発体験の頻度・強度はいずれも日常生活・最近1週間・WS前半後半の時期の主効果が見られた（頻度：$F(3, 45) = 12.66$, partial $\eta^2 = 0.46$, $p = 0.00$; 強度：$F(3, 45) = 8.99$, partial $\eta^2 = 0.37$, $p = 0.00$）。下位検定の結果、参加者の日常生活での触発体験の頻度・強度は最近1週間のものより高かったが（頻度：$p = 0.00$, 強度：$p = 0.01$）、WS後半の触発体験の頻度・強度は最近1週間の触発体験よりも高かった（頻度：$p = 0.00$, 強度：$p = 0.00$）。また、WS前半よりも後半のほうが触発体験の頻度・強度は高かった（頻度：$p = 0.02$, 強度：

表9-3　日常生活や最近1週間とWS前半後半の触発体験

		日常生活		最近1週間		WS前半		WS後半	
		M	SD	M	SD	M	SD	M	SD
触発体験	頻度	5.69	0.93	4.94	0.99	5.45	0.75	6.01	0.67
	強度	5.45	1.05	4.75	1.32	5.41	0.72	6.01	0.72

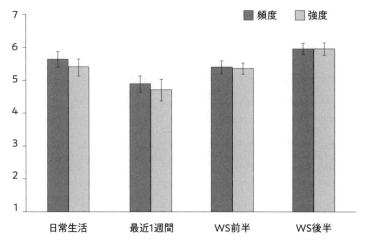

図9-4 日常生活や最近1週間とWS前半後半の触発体験（頻度・強度）
注）エラーバーは標準誤差を示す。

$p = 0.00$)。以上の結果から、参加者は日常生活から触発体験を経験しているが、今回のWSで体験した触発体験は最近1週間の触発体験の頻度・強度よりも高かったことが示唆された。

次に、WS前・中・後に『大ガラス』を鑑賞したときの触発体験の変化を、時期を要因とする1要因被験者内分散分析によって検討した（表 9-4, 図9-5）。その結果、

表 9-4 WS 前後の『大ガラス』鑑賞による触発体験

		WS 前鑑賞		WS 最中鑑賞		WS 後鑑賞	
		M	*SD*	*M*	*SD*	*M*	*SD*
触発体験	頻度	3.69	0.93	4.77	0.93	5.77	0.99
	強度	3.59	1.04	4.80	0.88	5.91	0.97

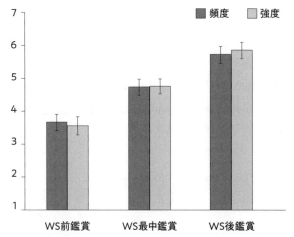

図 9-5 WS 前・中・後での『大ガラス』鑑賞による触発体験（頻度・強度）
注）エラーバーは標準誤差を示す。

触発体験の頻度・強度ともに時期の有意な主効果が見られた（頻度：$F(2, 28) = 37.99$, partial $\eta^2 = 0.73$, $p = 0.00$; 強度：$F(2, 28) = 36.75$, partial $\eta^2 = 0.72$, $p = 0.00$）。さらに、下位検定の結果、WS の前・中・後で触発の頻度・強度が高くなったことがわかった（WS 前・中・後の頻度の違い：$ps < 0.01$, WS 前・中・後の強度：$ps < 0.01$）。以上の結果から、『大ガラス』鑑賞による触発体験は WS の中で強まったことがわかる。

　これらの結果から、WS 全体を通して参加者の触発体験が変化したこと、『大ガラス』によっても参加者の触発体験は変化したことがわかった。

　では、これらの変化を引き起こした背後にはどのようなプロセスがあったのか？この点については、次節で考察する。

（2）参加者の触発体験の変化の背後にあるプロセス

　上述したように先行研究では他者作品を鑑賞する際の態度や、表現への自己評価が触発と関わっていることが示されているため、本節ではまず、これらの項目について検討した。その後、本 WS の中心にある『大ガラス』からの触発に関する参加者の意識の時系列的な変化や参加者の印象に残った WS のプログラムからみえる触発体験についても考察した。

■ 他者作品鑑賞態度の変化：WS 前・中・後の他者作品鑑賞態度の変化を、時期を要因とする 1 要因被験者内分散分析によって検討した（表 9-5）。その結果、時期の主効果は見られなかった。

■ 表現への自己評価の変化：WS 前・中・後の表現への自己評価の変化を、時期を要因とする 1 要因被験者内分散分析によって検討した（表 9-5）。その結果、時期の主効果は見られなかった。

　本実践の参加者は鑑賞態度や表現への自己評価の平均得点が 3 点以上であったことから、作品評価や自他の表現の比較、表現への自己評価はポジティブな傾向にあったことがうかがえる。したがってこれらのポジティブな鑑賞態度や自己評価は WS を通じて維持されたと考えられる。この結果から、WS 中の鑑賞や表現への態度の変化から触発が喚起されたわけではないことが示唆される。

■『大ガラス』からの触発に関する参加者の意識の時系列的変化：追加調査では 10 名（男性 3 名、女性 7 名）からの回答を得た。その結果に基づき今回中心にある『大ガラス』について考察する。『大ガラス』の創作過程と自分の創作に関してそれぞれのプログ

表 9-5　WS 前後の鑑賞による触発体験

		WS 前		WS 最中		WS 後	
		M	*SD*	*M*	*SD*	*M*	*SD*
他者作品鑑賞態度	他者作品を評価する鑑賞態度	3.29	0.51	3.69	0.55	3.83	0.75
	自分と他者の表現を比較する鑑賞態度	3.20	0.82	3.37	0.82	3.59	1.03
表現への自己評価		3.82	0.70	3.62	0.76	3.78	0.75

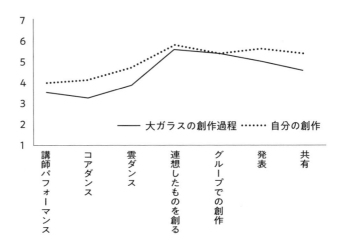

図9-6　各プログラムから得た『大ガラス』の創作過程と自分の創作に関する思考

ラムにおいてどのくらい参加者が考えたのかについての結果を示す（図9-6）。図からもわかるように、ワークを経るにつれて、特にWS後半（図9-6においては、「雲ダンス」後に行った2回目の『大ガラス』鑑賞（キャプション有）後のプログラムである「連想したものを創る」以降）で両者がより意識されるようになっている。このことから、触発を引き起こす上で重要な、『大ガラス』の創作過程と自分の創作の両方を考えるデュアルフォーカス（Dual focus: Ishiguro & Okada, 2018; 石黒・岡田、2018）が起こっていた可能性が高いといえる。参加者が『大ガラス』に触発されたのは、『大ガラス』からの触発が引き起こされるように内容をデザインしたこと、また、参加者が表現者としてWSの場にいられるように、参加者をパフォーマティブに創作の世界に引き込んだことが効果を持ったからであると考えられる。実際、参加者からは「最初は作品を観ても「難しい、何を表現したいのかわからない」という印象でした。あまり作品を観たいという気持ちにはなりませんでした。踊った時には、作品が何を表しているのか、興味がわいて、踊った後は近くでじっくり鑑賞しました。」、「（最初は）特に何も感じるものがなかったのですが、踊りを通して観たら想像が膨らみました」、「参加することで全く違う印象になった」などの感想がよせられた。これらの感想から、本実践が意図したように参加者が表現者として『大ガラス』に出会い、自ら表現していたと考えられる。

■ **参加者の印象に残ったWSのプログラムからみえる触発体験**：参加者が追加調査で回顧的に回答した、WS各プログラムで得た触発体験の頻度・強度の平均はともに5.7であった。石黒・岡田（2018）において、芸術を専門としない大学生の日常生活の触発体験の頻度と強度は3.97であったことを考えると、今回のWSで参加者が得た触発体験の頻度と強度の値は高いといえる。このことから、参加者はWSのプログラムから触発を受けていたようだ。

　更に、印象に残ったプログラムに関する回答を紐解くと、講師パフォーマンス、グループでの創作と発表が特に多く言及されていた（表9-6）。この結果から、参加者

表 9-6　印象に残ったプログラム

		印象に残ったと回答した人数 （10 名中 ）
WS 前半 プログラム	講師パフォーマンス	7
	コアダンス	2
	雲ダンス	3
WS 後半 プログラム	連想したものを創る	3
	グループでの創作	10
	発表	7
	共有	5

注）プログラムごとに印象に残ったと回答した人数には差がなかった（$\chi^2(6) = 9.35$, $p = 0.15$)

は『大ガラス』だけでなく、講師（すなわち WS を行う芸術家）からも触発を受け、参加者同士でも触発し合っていた可能性が高いことが考えられる。講師パフォーマンスに関しては、多くの参加者が自由記述において美しい、すごいと言及した他、「今回の WS が充実したものと感じられるのは、プログラム、講師パフォーマンスの力が大きかった。参加者もパッションにぐいぐい引き込まれる感じだった」、「自分の名前を動きにタツヤさんが取り入れたのかなと思った。太刀で切る動きがあったため。いろいろなところから動きを創作しているのだと思った」と語ってくれている。これらの記述から、芸術家のパフォーマンスも、参加者を創作の世界に引き込んだり、彼らに創作の糸口を提供したりして、触発を引き起こしていたようだ。

　グループにおける他者との創作・発表に関しても、「他の人の意見を聞くことで、自分だけでは思いつかないことが想像でき、想像の世界がより大きくなった。それぞれの想像をつなぎあわせてストーリーを作れたのがおもしろかった」、「グループごとの発表ではそれぞれ個性があって素敵でした」のような記述からもわかるように、新しいイマジネーションの刺激や、個性への気づきとなったりして、参加者の触発を引き起こしていたようだ。

　また、芸術家も参加者の表現に触発されていた。フォローアップインタビューにおいて、「あんなにおもしろい作品をみんなが創ってくるなんて思ってもみなかった、やるなーとわくわくした。（略）このことから、誰かと創るという創作のアプローチをもっと展開させたいと思いました」と語ってくれたことからもそれは窺える。

　以上のことから、『大ガラス』からだけでなく、WS のプログラムや今ここにいる人同士の間でも、芸術家や参加者といった立場に関係なく触発が起こっていたことが推測される。このような多層的な触発が見られたのは、(1)『大ガラス』に触発された芸術家の作品創作過程を追体験しながら参加者自らが表現創作することを促すという触発の理論に基づいて WS 内容をデザインした成果と言えよう。加えて、(2) WS 自体がパフォーマティブであること、すなわち場の設定により、参加者を表現者として創作の世界に自然と引き込み続け、その中で、その場にいる人たちが対等に刺激し

合えるようなコミュニケーションを積極的にデザインしたことも多層的な触発に寄与していたと考える。

　以上のことから、DAW アプローチにパフォーマティブな観点と触発を組み込んだWS のデザイン原則は、多層的な触発を引き起こす可能性が示唆された。

③　まとめと今後の展望

　未知なるものに表現者として出会い、触発を体験する WS のデザイン原則を、創作や触発の理論を踏まえて構築し、実際の WS をデザイン・実施した。その結果、WSを通して参加者の多層的な触発を引き起こすことができた。この結果は特定の介入が効果的だったというよりは、WS の内容はもちろん、WS の場や、WS 中のコミュニケーションなど様々な要素が起因していた可能性が高い。我々が提案してきた DAWアプローチにパフォーマティブな観点と触発を組み込んだ新しいデザイン原則（表9-1）は、表現の多層的な触発を引き起こす点で有効である。

　芸術家がパフォーマティブに WS をデザイン・実施するとは、換言すると、WS で行われるすべての活動がパフォーマンスとして成立していることだと言える。その中で参加者も一緒に表現することで、自然と芸術家と同じ表現者という立場に立つ。その結果、WS の場の人間関係の構造が、芸術家対参加者から、対等に表現し合う共演者に転換する。共演者として互いに刺激し合う中で、「すでに私たちは踊っている、お互いに素晴らしい表現をしている」ことに気がつくのである。

　その背景には、DAW アプローチの根幹となる理念がある。「参加者にない何かをWS を通して獲得させる、参加者の何かを WS を通して変える」のではなく、「参加者はすでに表現者であり、表現者の自分に WS で出会ってもらう」というものである。この理念は WS の内容や言葉がけに加えて、芸術家自身が自らの身体や表現行為を通して体現することで参加者に伝わる。その結果、参加者はいつの間にか創作の世界に引き込まれ表現者の自分に出会っているのである。

　DAW アプローチの今後の展開の一つとしては、WS 自体を観客に提示していくことが考えられる。このように展開することで、WS としてはもちろん、コンテンポラリーダンス作品としても新しい在り方を提案できる。つまり、はじめは「一見表現者ではないと思っていた」かもしれない人たちと共に、「一見舞台ではない」かもしれない場で、新しい芸術文化の提案を行うことが可能になる。実際に、Ｃ ュ氏と第一著者の２人で 2020 年に WS 自体を作品として観客に提示し、好評を得た。

　このような表現者としての活動と、WS のデザイン・実践などの教育的活動を積極的に重ねていくような探索的な試みを通して、「すべての人は素晴らしいアーティストであり、日々の何気ないモノゴトは美しさやダンスであふれている」ということを、身体をもって実感できる形で提示することが、我々が目指すことである。それを通じ、

誰もが自分の心と身体だからこそできるダンスを誰かと一緒に自由に表現できるような、創造的で多彩な社会形成の一助となれたらとても幸せである。

（著者：中野優子（1）・石黒千晶（2）・岡田猛（1）
企画・実践担当：中野優子・Ｃ ュタツヤ（3）
所属等：（1）東京大学、（2）聖心女子大学、（3）振付師・ダンサー）

［謝辞］今回、WS の開催を受け入れて下さった駒場博物館およびその関係者の方々、解説に協力してくださった埼玉大学の小澤基弘先生に心より感謝いたします。

【引用文献】

石黒千晶・岡田 猛（2017）. 芸術学習と外界や他者による触発：美術専攻・非専攻学生の比較　心理学研究, **88**, 442-451.

石黒千晶・岡田 猛（2018）. 絵画鑑賞はどのように表現への触発を促進するのか？　心理学研究, **90**, 21-31.

Ishiguro, C., & Okada, T.（2018）. How can inspiration be encouraged in art learning? In T. Chemi & X. Du（Eds.）, *Arts-based methods and organizational learning: Higher education around the world*（pp.205-230）. London, England: River.

Ishiguro, C., & Okada, T.（2021）. How does art viewing inspires creativity?. *Journal of Creative Behavior*, **55**, 489-500.

香瑠鼓（2012）. 脳とココロとカラダが変わる：瞬感動∞ワークショップ　高陵社書店

中野優子・岡田 猛（2015）. コンテンポラリーダンスにおける振付創作過程の解明　舞踊学, **38**, 43-55.

中野優子（2018）. 創作に着目したコンテンポラリーダンス教育プログラムのデザイン指針の構築：ダンスを専門としない大学生を対象として　東京大学大学院学際情報学府博士学位論文（未公刊）

Nakano,Y., & Okada, T.（2022）. Constructing design guidelines for creation-focused contemporary dance educational program for non-dance majors. In K. Komatsu, K. Takagi, H. Ishiguro & T. Okada（Eds.）, *Arts-based method in education research in Japan*（pp.137-163）. Leiden: Brill.

岡田 猛（2013）. 芸術表現の捉え方についての一考察：「芸術の認知科学」特集号の序に代えて　認知科学, **20**(1), 10-18.

岡田 猛（2016）. 序：描くということ　小澤基弘（編）　越境する表現：さまざまな場でのドローイング実践とその効果（pp.6-11）　あいり出版

Okada, T., Agata, T., Ishiguro, C., & Nakano, Y.（2021）. Art appreciation for inspiration and creation. In K. Knutson, T. Okada & K. Crowley（Eds.）, *Multidisciplinary approaches to art learning and creativity: Fostering artistic exploration in formal and informal settings*（pp.3-21）. New York: Routledge.

Column
7

「仲良し」の発見

パフォーマンスショーとしてのワークショップ

Cュタツヤ[1]（振付師・ダンサー）

"その場所に入ると、そこから出るときには誰もが表現者になっている。"

そんな場をつくり、いろんな表現者と出会ってみたい。それは、ワークショップ（以下 WS とする）だけど、同時にパフォーマンスショーとしても成立するような「作品」を作ってみることで、できるかもしれない。そんな思いと挑戦の気持ちを込めて、今回の WS デザインの裏テーマを「テーマパーク」とした。

そもそも、私が行っている様々なプロジェクト（例えば主なプロジェクトとして、「60 億人プロジェクト」[2]）の根底にある哲学は、ダンスを通して人の魅力と出会っていくこと、その人それぞれにある良さや個性を引き出していくことである。今回もこの哲学を大切にしながら、参加してくれた人にダンスという楽しい魔法を、場にパフォーマンスショーというわくわく人を引き込んでいく魔法をかけることで、その場に引き込まれた人は、まるで遊園地で無邪気にはしゃいで遊ぶかのように、いつの間にか楽しく個性的に表現していくことができるのではないかという意味で、「テーマパーク」という裏テーマにいきついた。

「テーマパーク」であるということは、どこを切り取ってもすべてが楽しいエンターテイメントとして成立しているということである。つまり、身体表現をもって、現代美術作品と出会っていくという今回の活動の

すべてがエンターテイメントショーという観点で統合されているということだ。だからこそ、私はいわゆるワークショップの「ファシリテーター」ではなく、テーマパークのキャラクターのように、参加者の表現をあたたかく大歓迎する「ホスト」であり、一緒に楽しんでいく「共演者」として参加者に出会った。具体的には、初めて参加者と出会うその瞬間から「タツヤデュシャン」として登場し、「タツヤデュシャン」を演じながら WS を進めることで、WS 全体の世界観を自身の身体や身体表現でも体現した。

また WS の内容にも、「テーマパーク」として、みんなで創作というアドベンチャーを楽しんでいくための多様な仕掛けを組み込んだ。具体的には、パンフレットや、「タツヤデュシャン」のパフォーマンス『雲』（図 1：事前に『大ガラス』[3]から触発されて創作したもの）、参加者と一緒に踊るコーナー（図 2）、ドローイングなどを、私の『雲』の創作過程を追体験するかたちで組み込み、参加者が様々な身体感覚をもって『大ガラス』と向き合い、自分自身の表現を私と一緒に探していく冒険を楽しめるように工夫した。また、随所で行われた研究のためのアンケートまでも、「テーマパーク」の世界観に引き込んでいく演出の一部として取り込んだ。もう少し説明すると、パンフレットは、参加者に贈った「テーマパーク」への招待状で、一人一人を特別な表現者として誘っ

図1　パフォーマンス『雲』

図2　参加者と一緒に踊る「タツヤデュシャン」（左）

た。また、冒頭のパフォーマンスは、「テーマパーク」でのみんなの共演者「タツヤデュシャン」として参加者と初めて出会う瞬間を演出しており、『大ガラス』から発想を得た雲をモチーフに大切な人を包み込む気持ちを真剣に踊った。このように、一つ一つの仕掛け全てを「テーマパーク」即ちエンターテイメントショーという観点で統合した。その中で、参加者が互いに協力し合いながら、一人一人が自分にしかできないダンスを創ることができるようなWSをデザインした。

　このようなある意味普通のワークショップ「ではない」デザインに挑戦したことで、私自身も触発されたことがある。参加者が繰り広げた表現そのものに刺激を受けたのはもちろんだが、「テーマパーク」という裏テーマで、パフォーマンスショーとしても成立するようにWSをデザインしたことで、創作の世界に引き込む工夫の重要性（特にオープニングパフォーマンスや序盤の活動の演出）を知った。これは言い換えれば、参加者の表現を歓迎し、楽しい時間を参加者と一緒につくろうとする「ホスト・共演者」としての私の身体的な意思表明である。また、参加者同士の意見交換や価値観の共有までの進行や共有の仕方、活動の余白や余韻をもデザインするという観点をもつようになった。これらは今までにはない新たな観点である。

　また、研究者の中野さんとの議論を繰り返してデザインしたことで得られた触発もあった。デザインの過程で、自分なら『大ガラス』から受けた触発をこのように作品にしていくという自分の触発創作過程を、ワークとして段階的に参加者と共有できるように研究者と議論しながらデザインしたことで、自分自身の創作で大事にしていることに気がついた。更に、実際にWSとして参加者と共有できた結果、その大切さを再認識し、その後の創作コンセプトの発見に至った。つまり、WSデザインとその実施に研究者との議論を経て取り組んだ結果、「仲良し」という自分の創作コンセプトに改めて出会えたのだ。

　これまで自分のプロジェクトを通して、どうやったら、どのような人でも自由に踊ってもらえるのかを考えてきた。ダンスを作るために具体的な動きの指導をしたり、動きの範囲を制限する方法や法則を決めたりすることもあるが、それは私には"自由"という言葉に反しているように思えていた。今回のデザインで気がついたのは、参加者に自由に踊ってもらうためには、プロセスの中で、参加者が"私はすでに踊れている"と自然と気がついていくことが大事かもしれないということだ。"すでに踊れていること"に気がついたその先には、その人の感情や感覚が体やイマジネーションと結びつき、その人らしい自由な表現へと辿り着くように思う。そのような姿を見ると、体で感動することは素晴らしいことだなと感じ、その人をもっと理解したい、「仲良し」になりたいと思う。

　この"私はすでに踊れている"という参加者の気づきを引き起こすには、やはり、淡々とワークを体験していくよりも、パフォーマンスショーとしても成立するような場に、ショーの登場人物（つまり表現者）として参加者も入ってくることが大切だと思う。そうすることで、私「が」参加者に気づかせるのではなく、対等に表現していく中で、同じ登場人物であり、共演者である私「と」一緒に自然と気がついていけるような気がするからだ。

　今回のワークショップをデザイン・実施することを通して、自由で個性的な表現は、みんなで引き出し合うことが大事だということ、それを実現する仕組みを創ることが「仲良し」を創ることであると思うに至った。それは、今後の私の創作の目標でもある。

● 1　メディアの振付からダンス出演、ワークショップ、自身のプロジェクトデザインなど、ダンスを軸に様々な分野とコラボレーションしながら独自のスタイルを開発し、越境的に活躍中

● 2　https://6billiondance.net や https://youtube.com/c/6billionDANCEproject を参照されたい（最終閲覧日2022年3月8日）。

● 3　図1、図2に掲載されている『大ガラス』の正式名称については第9章を参照されたい。

第**10**章

アーティストとの出会いで生まれる触発

尾竹永子の『デリシャス・ムーブメント』を題材に

1 はじめに：アーティストとの出会いで生まれる触発

　アーティストと出会い、その作品に触れ、作品の背後にある思考や創作プロセスを体験することは、高校生にどのような影響をもたらすだろうか？　本稿では、一人のアーティストが高校生を対象に実施したワークショップが、参加者の高校生にもたらした影響について、触発という観点から検討する。

　触発（inspiration）とは、芸術や科学などの専門的な分野に限らず日常的な活動まで広く含めた創造的な活動において、「何らかの形で創造活動に携わっている人が、自分の外側の何か（特に、他者の仕事）に出合い、そのような出合いを通して、自らの創造活動において、モチベーションが高まったり、感情が動いたり、新しいアイデアが生まれたり、作品が変化したりする現象」（岡田、2016, p.3）であり、その特徴は、それが「外界や他者との出合いによって」生じるということである（石黒・岡田、2017）。岡田（2016）は、触発は「『自分の思考枠組みと異なるもの』と『深く関わる』」（岡田、2016, p.4）経験によって生じるとしている。長年の間、数多くの作品を生み出し、独自のものの見方やその発信の仕方を世に提示し続けてきたアーティストとの出会いは、まさにそのような経験となるだろう。

　アーティストによる授業やワークショップ（以下、WS）に着目した先行研究（e.g. 縣・岡田、2009; 縣・岡田、2013; 中野、2018; Nakano & Okada, 2022）では、そのような授業やWSが、参加者にとってものごとの考え方や自分の表現を捉え直す機会になりうることが示唆されてきた。これらのWSや授業では、アーティストの作品を鑑賞する、アーティストと交流する、アーティストと共に作品作りに取り組むといった学生とアーティストとの様々な関わり方がみられる。例えば縣・岡田（2009）は、アーティストと共に作品制作に取り組んだこと、アーティストの創造プロセスや制作物に間近で触れたことが、授業に参加した学生にとって重要な経験として意味づけられ、その授業から1年半が経ったのち、学生の進路選択など人生の重要な岐路においてその経験が参照されたことを、ケーススタディを通して明らかにしている。また中野（2018）、Nakano & Okada（2022）は、創作ダンスの授業を通し、アーティスト

の創作と向き合う姿勢に触れたことが、学生にとって重要な意味を持った可能性を指摘している。ここまで見てきたように、アーティストとの出会いによる触発は、作品を鑑賞すること、アーティストの姿勢に触れること、ともに作品を作ることなどを含め、アーティストとの様々な関わり方の中で生じうると考えられる。

　本稿では、アーティストの尾竹永子を招いて高校生を対象に2回にわたって実施されたWSに着目し、尾竹[1]との出会いが高校生にどのような影響を与えたのかについて検討する。尾竹は、ニューヨークを拠点にEiko & Komaとして40年以上の舞台活動を続けてきたマルチメディア・ムーブメント・アーティストであり、2014年からはソロ・アーティストとして、パフォーマンス、インスタレーション、映像作品などの個人のプロジェクトを発表し続けている（Hayashi & Okada, 2022）。また尾竹は、独自の方法論をもとに『デリシャス・ムーブメント』と題するWSを開催してきた（Candelario, 2010）。このWSでは、最初から何かを表現することよりも、自分の身体[2]がどう感じるか、自分が物事に対してどう考えるかが重要視されており（Hayashi & Okada, 2022）、表現するための基盤となりうる心身の育成に主眼が置かれている（相原・酒向, 2016; 酒向・相原, 2015）。身体のムーブメントによって感覚的な身体を開いていくとともに、尾竹の映像作品の鑑賞、エッセイやディスカッションによる学生同士もしくは学生と尾竹との言語的なコミュニケーションを通して、自分はどう考えるか、何を選ぶかということを考えることを促すのである。『デリシャス・ムーブメント』を受講した大学生がその経験をどのように捉え、その後の人生にどのように影響をもたらした可能性があるかについて、Hayashi & Okada（2022）は、授業から半年後にみられた学生の変化のケースを報告した。そこでは、授業中に丁寧に身体感覚に注意を向け、その身体を起点に普段とは違う外界の感じ方を経験したことが授業から半年後にも強く印象に残っているケースや、所属する団体での自分の行動を自分の基準に従って選択することへの効力感を持つようになったケースがみられた。尾竹の『デリシャス・ムーブメント』のクラスは、参加者にとって、普段とは異なる身体的な経験を起点として外界との関わり方や自身のものの考え方を自覚し捉え直す機会となりうると考えられる。

　本稿が着目するWSも、尾竹による『デリシャス・ムーブメント』のクラスとして、高校生を対象に開講された。高校時代は、選挙権を持つなどより主体的な社会との関わり方が可能となる時期であるとともに、将来の進路など自身の生き方について考え、それに伴う葛藤を経験しやすい時期でもある。アーティストとの出会いが高校生にもたらすものについて、実際の参加者の視点でのデータを参照して考察することは、今後の芸術教育実践、またその研究の発展の一助になるだろう。

●1　本稿では尾竹永子について、ニュートラルな呼称として、尾竹と表記する。なお、尾竹は授業において、「先生」など関係性におけるヒエラルキーを固定しうる敬称を自身に対して使わせず、「永子さん」と呼ぶように受講生に伝えていた。

●2　本稿では、一般的な文脈、研究上の文脈、授業者による語り、授業の参加者の語りといった複数の文脈において、身体（体）への言及が出てくる。これらについて、本稿では広く用いられる語として、基本的に「身体（しんたい）」と表記する。ただし、授業者や授業の参加者による語りにおいて「からだ」と発音された箇所や、そのような発話を参考に記述した箇所（主に身体のワークの内容の説明）については、「体（からだ）」の表記を用いる。

② ワークショップ『デリシャス・ムーブメント』の実践

2-1 尾竹永子の『デリシャス・ムーブメント』について

　尾竹によると、『デリシャス・ムーブメント』のクラスを通じて参加者に伝えたいこととして、多数決のみに頼らないデモクラシー、人間同士の対等な意識のあり方、そしてそこから生まれる参加者の「セルフ・キュレーション（self-curation）」（Hayashi & Okada, 2022）を促すことが挙げられる。ここで言う「セルフ・キュレーション」とは、自分と他者の関係を検証しながら、自分がものごととどう関わるかを自分で決めること、その関わり方を他者に対して提示することを指す。尾竹は本章が着目するWSの中の、"Kindergarten" という身体のワーク（後述）から発展して動く場面で、以下のように参加者たちに向けて語りかけた。

> 「自分で自分の curator（学芸員）になって、ああすればよかったこうすればよかったと思わないで済むように、少し、思いっきり、必ずしも大きくなくてもいい、速くなくてもいいけれど、私のインストラクションを忘れてもよいので、動いてください。気持ちが乗るということは必ずしも速く動くということではありません。どこかでふと動きに気持ちが乗る、その経験とその感覚に向けて自分をオープンする。またはセルフヘルプ、自分でもっと積極的に探していくっていうことです。乗ってるかなと感じられるその時とそのところを大事にして、もうちょっと花を咲かせるように。いろんなことを次から次にやってみるのではなく、ここはなんか日常と違うと感じられる時間をもう少し長く、もう少し、大事にして動く。」

　尾竹は、自身の言葉は各自の動きのきっかけとなるよう意図したもので、指示ではないという。尾竹は参加者に指示を期待しないように言い、参加者のそれぞれの身体が尾竹の言葉にどのように反応するか、身体がその時空間でどうしたいのか、何ができるのかを自分で探索し経験する機会や、自分で自分の時間の使い方、身体の動かし方を決める機会を作ろうとしている。このことは、日常生活、社会生活の中で私たちが無意識のうちに身につけている動きの「デフォルト」を、一度外して動いてみることを促すことでもあるだろう（岡田、2020）。この「デフォルト」は、日常的・社会的に身体に課された制約とも捉えられる。制約の緩和とそれによる新たな着眼点の獲得は、触発が生じるためのプロセスである（岡田、2016；石橋・岡田、2010；Okada & Ishibashi, 2017）。尾竹のWSは、ただ参加者に身体を動かすことや表現することを促すのではなく、自分の身体がどう動きたいか、自分がどうしたいかを感じ、考える時間と場を提供し、日常的・社会的に身体に課された制約を緩和させて動いてみることを促す。このことは、参加者にWSの経験を通した触発を促すきっかけとなりうる。

　また、尾竹は、今回のWSにおいてどのような立場で生徒たちと関わることを意

図していたかについて、1回目のWS中に以下の内容を語った。

「私はあなたたちの前に、independent artist としてここにいます。それはどういうことかをこのクラスから汲み取ってください。10年以上、大学で授業をしていますがそれはダンスの授業ではありません。1学期教えて1回もダンスという言葉は使わないし、音楽もかけない。授業の項目にも、説明にも一つもダンスという言葉は書いていません。じゃあ何が書いてあるかというと、歴史、時間、空間、ムーブメント、動き、ですね。そういうものを、アートも見、歴史も見、社会のことも見ながら、体を動かしながら考える。考えながら体を動かす。考えないで体を動かして、後から考える、またはあえて考えない時間も作る。要するに、体を動かしたり動かさない時の時間も全部含めて、考えたり考えなかったりすることで、経験を作ります。そこからも知識は生まれ、知識への理解も生まれます。たくさんの経験の中から自らこれは覚えていようという意識も生まれます。こう言っても想像できないかもしれないけれどそういう授業をしています。」

　以上の発話からは、尾竹が「independent artist」としての矜持を持ち、ダンスという言葉の一般的なイメージを土台にせず、自身が作品づくりにあたって重視してきた見る者との関係、また自身の心と身体の有り様を生徒たちと共有し、身体を動かすことや異なる時間・空間の出来事を想像することを往還しながら、ものを考えるための方法を提示しようとしていることがわかる。尾竹はアーティストとして参加者の前に存在し、「アーティストとして教える」（Hayashi & Okada, 2022）のである。
　では、尾竹のWSで参加者たちは実際にどのようなことに取り組んだのか、詳しく見ていこう。

2-2　WS実施の概要
　本章が着目するWSは、前述した尾竹の『デリシャス・ムーブメント』の枠組みの中で、「鑑賞と表現から新しい創造へ導く」WSとして、広尾学園高等学校の生徒を対象に実施された。実施日時は、2020年6月10日（1回目）と6月16日（2回目）のそれぞれ16：00から18：00（若干の終了時刻の変動あり）であり、参加人数は、1回目は21名、2回目は10名だった。2回目のWSには、1回目に参加した上で希望した生徒が参加した（1名のみ2回目からの参加）。また本WSは、新型コロナウイルス感染症の感染拡大状況を鑑み、オンライン会議ツール（Zoom、Zoom. Inc）を用い、オンライン形式で実施された。第一著者がアシスタントとして参加し、フィールドノーツを取りながら、WS全体を録画し、WS内容の記録を行った。

2-3　詳細
　実践の内容は、表10-1と10-2の通りである。加えて、それぞれの日に取り組んだ身体のワークの内容について、表10-3にまとめた。なお、本稿における「身体のワーク」

表 10-1　WS『デリシャス・ムーブメント』の内容（1 回目）

所要時間	内容
10 分	オンライン会議ツールの使い方の説明
20 分	生徒それぞれの自己紹介、尾竹の自己紹介
20 分	尾竹の作品の紹介、ワークショップについての説明
15 分	事前に鑑賞した作品（『Grain』、『Calidornia, Landscapes』）について、生徒からの質問と尾竹の応答
10 分	ワーク："Landscape"
20 分	ワーク："Kindergarten"
10 分	ワークの経験を踏まえ、3、4 人ずつの話し合い
15 分	ワーク："Move to Rest"
10 分	尾竹の映像作品『JUNE 6』鑑賞

表 10-2　WS『デリシャス・ムーブメント』の内容（2 回目）

所要時間	内容
10 分	生徒の一人が 1 回目の WS 後に尾竹に送ったメールの内容の共有
5 分	ワーク："Touch Surfaces"
20 分	尾竹の過去の映像作品の紹介、『Red: A Body in Places』、『Room』鑑賞
40 分	1 回目の WS や鑑賞した作品について、生徒からの質問と尾竹の応答
15 分	ワーク："Imagined Surface"、生徒からの感想
10 分	ワーク："Gazing"、生徒からの感想
15 分	ワーク："Two Points"、生徒からの感想
5 分	総括

表 10-3　それぞれのワークの内容

ワークの名前	内容
"Landscape"（1 回目）	WS に参加するために使用している自分のスマートフォンやパソコン（以下、デバイス）を手に持ち、動かす。最初はその場で動き、だんだん部屋の中のいろいろな場所で動かしてみる。デバイスを壊さないようにしながら、画面を見ないまま、体を動かすことを楽しむ。ゆっくり、激しく、大きく、など、自分で自分に向かって語りかける。疲れてきたら、速度を落とす。落ち着いたら、自分も画角の中に戻ってくる。 次に、見るものを想像の中で設定する。部屋に自分のおばあさんがいることを想像して同じ課題で動く。おばあさんに面白みをあげることを想像しながら動く。充分だと思ったら、動きを収める。おばあさんが話しかけられるように、終わったということを示す。体を対話の一部として捉える。
"Kindergarten"（1 回目）	2 グループに分かれ、1 グループずつ動く。動くグループは、手の平を軽く広げ、五本の指が漂うように動く。それぞれの指に別の気持ちと性格があり、時につながりを楽しみ、時にそのつながりにチャレンジし逆らうことなどを想像して動く。指同士の間で話し合いがあったり、矛盾があったりする。指を手から切り離す事はできないので、動ける範囲で逡巡、会話、不協和を動きながら想像する。だんだん意志を持つ部分を手首、肘、肩と広げる。動かないグループは動いているグループを観察する。2 グループめの人も目を瞑って同様のワークをし、動きを収めてくる過程でゆっくり目を開ける。体内の感覚と外界との交差を経験する。
"Move to Rest"（1 回目）	デバイスを床に置いて床に寝転がり、目を瞑る。自分が人間であることを忘れて、人間でないように動く。床の上で楽な姿勢で、楽な方法で、できるだけ無意識に、無計画に、ゆっくり動く。次に何しようとか、こうしないといけない、ということはなく、ただ体が止まらないで動く。少しずつ動きを収めてくる。
"Touch Surfaces"（2 回目）	部屋の周りを体のいろいろなところで触りながら、部屋を時間をかけて継続性を持って一周する。高いところに触ったり低いところに触ったり、撫でるように、叩くようになどいろいろな触り方をする。

"Imagined Surface" (2回目)	デバイスの画面から30cmのところに顔を持ってくる。そこにプラスチック板があると思って、顔を板に押し付けるようにして動く。目を瞑り、想像上のプラスチック板に顔がつく場所がぽんぽん飛ばないようにゆっくり動く。続けて、目を開けないで、ゆっくり立ち上がる。同じことを体の前面でも側面でも、だいたい画面から2mくらい離れたところにプラスチック板を想像し、体の一部分をこする、舐めるように動く。自分の体を景色として捉えて、その景色を確かめるように動く。異物と自分の体の触感の違いを感じとる。最後に体のどこからでも、ゆっくりプラスチック板を通り越すような形でデバイスの前に戻ってくる。
"Gazing" (2回目)	デバイスの画面の上の方を目をなるべく大きくして見る。次に画面をずっと越えて、また部屋の壁を超えて遠くを見る。そのままで目をゆっくり閉じる。目を閉じても遠くを見ることを想像する。次に、おばあさんのほっぺたや、ぬいぐるみや、動物など起伏のあるものを想定し想像の中で触れながら、目は閉じたまま、遠くを見ながら自分の顔を動かす。最後に、何か非常に具体的なことを一つ、思いつきでいいので集中して想像する、または気づく。
"Two Points" (2回目)	体のうちの2つの点を決め、体を動かすことで2点の間の距離が変わることを意識しながら動く。2点を共に動かした後、一つの点を起点にしてそれに近づけたり遠ざけたりするように他の点を動かす。さらに同じ2点の間の体内を通しての距離を感知し、その距離を伸ばしたり縮めたりすることで体を動かす。この時も起点を作る場合と両方の点を動かす場合の体の動きを経験する。 次に体の外にある面、中の面を考え、可能性としての点や面の関わりを想像して動く。どこに、どの体の部分が触れえるのかも想像しながら、画面から離れたところで動く。言われたことを思い出しながら動き、わからなくなったら自分で他の動機を考える。

（もしくは単に「ワーク」）とは、講師である尾竹の声かけに合わせて参加者が実際に身体をもって経験する動きのことを指す。スケジュールやワークの内容は、WSに際して記録したフィールドノーツ、録画記録における尾竹の発話を参照しながら記述した。

　今回のWSでは、アーティストである尾竹と参加者の高校生の間に、尾竹の作品を鑑賞する、尾竹が提案する身体のワークに取り組む、尾竹と作品やワークについての質問や感想をやりとりする、という大きく分けて三つの関わり方が見られた。これらは、本稿の冒頭のセクションで、触発につながりうるアーティストと参加者との関わり方として挙げたものと共通している。さらに本WSでは、参加者はそれぞれの関わり方を一つずつ別々に経験するのではなく、複数の関わり方の組み合わせを経験していたと捉えられる。例えば、1回目のWSでは、"Move to Rest"でのワークの経験を踏まえて、尾竹の作品『JUNE 6』を最後に鑑賞した。尾竹は、2020年の米国における大きな社会運動のムーブメントのBlack Lives Matterに寄せて制作した映像である『JUNE 6』について、"Move to Rest"のワークで身体を動かしたことに言及しながら、以下のように発言した。

　　「動ける体と動けない体があります、体から動きを奪うのは暴力です。他の人の危機に思いをはせる中で自分の体のことを考える。鳥が鳴いてるのも、風が吹いているのもムーブメントです。反戦運動も反人種差別運動もソーシャルムーブメントです。踊りは若い人だけの、または　優れた体力と技を持つ健常者のみのものではありません。この年取ったおばあさんも踊っています。動いています。動ける体を動かしながら、他の人の痛みを思おうとしています。」

前述の「アートも見、歴史も見、社会のことも見ながら体を動かしながら考える」の言葉ともつながるが、ここで尾竹は映像作品の鑑賞とワークの経験を通して、一般的に身体の動きについて用いられるムーブメントという言葉の意味を、社会運動のうねりや自然の中の小さな変化にも重ね合わせながら、身体を動かす時間が自分とは違う場所や時間を生きる人に思いを馳せる時間になりうる、ということを参加者に話した。このように、作品の鑑賞とワークでの経験を踏まえて尾竹の話を聞き、時に参加者からも感想を話すという場面が随所に見られた。

なお、表 10-1 でも言及したように、1 回目の WS より前に参加者は尾竹の Web サイト[3] から映像作品を鑑賞することになっていた。自分のことを作品を通して知ってもらってから WS に来ることを各自の生徒が選んでほしいと尾竹は語っており、これは教える側が生徒を選ぶのではなく生徒がインストラクターを選ぶのだという尾竹の教育についての考えに基づいている。

● 3 https://www.eikootake.org（2022 年 3 月 31 日）

また 2 回目の WS では、尾竹が各参加者に一度は発言するように促したこともあり、1 回目と比べて尾竹と参加者間の言語的なやりとりに多くの時間が取られ、1 回目のワークや作品について参加者が尾竹に質問や感想を伝え、尾竹が応答し、それが次のワークにつながっていくという進行となっていた。尾竹の『デリシャス・ムーブメント』のアプローチによる大学生対象の授業について、Hayashi & Okada（2022）が見出したデザイン原則の中に「知覚的なコミュニケーションの活性化」、「言語的なコミュニケーションの活性化」が挙げられているように、身体と言葉の双方によるコミュニケーションに重点が置かれることは、尾竹の WS の特徴の一つと言えるだろう。なお、本 WS はオンラインツールを利用しての開催であり、互いに触れ合うことによる「知覚的なコミュニケーション」はワークの内容に含まれていない。触れ合うことを含んだワークは本来は尾竹の『デリシャス・ムーブメント』の WS において重要な位置を占める。しかし、身体が触れ合えない状況で、作品の鑑賞や、身体のワークをきっかけにした参加者同士、あるいは参加者とアーティストの間での会話に重点が置かれたことは、本 WS の特筆すべき点であると言えるだろう。

2-4　データ

(1) データの種類

本章で分析対象とするのは、1 回目の WS の後に質問した項目①〜③、2 回目の WS の後に質問した項目④〜⑤への参加者による回答である。質問項目の内容と目的を表 10-4 に記す。いずれも Web アンケートの自由記述形式で回答を求めた。1 回目の WS 前のフェイスシートに回答のあったのは参加者 21 名全員であり、1 回目の WS 後の質問紙への回答があったのは 15 名、2 回目の WS 後の質問紙への回答があったのは 5 名（このうち 1 名は 2 回目のみの参加）であった。

(2) 参加者の特徴

参加者は、高校 1 年生から 3 年生のいずれかであり、ダンス部もしくは国際コース

表10-4　参加者への質問の内容

質問の時期	質問の内容	質問の目的
1回目後	①このワークショップで、印象的だった場面やワーク、言葉はありましたか？あった場合、その場面、ワークを教えてください。	WS直後に印象に残っている場面、ワーク、講師の言葉について聞く。
	②このワークショップで、あなたは何を経験したと思いますか。また、その経験について、どう感じますか。見たもの、聞いたこと、感じたことを思い出しながら、あなたが言葉にしていいと思う範囲で、書いてください。	参加者のWSの経験の意味づけを聞く。
	③②で答えた経験は、あなたの日常生活や学業、表現活動、人生にどのように関わったり、影響したりすると思いますか。	参加者が、その後の人生のどのような場面にWSの経験が繋がると感じたかについて聞く。
2回目後	④ワークショップ（1回目、2回目を通して）で、あなたは何を経験したと思いますか。また、その経験について、どう感じますか。見たもの、聞いたこと、感じたことを思い出しながら、あなたが言葉にしていいと思う範囲で、書いてください。	参加者の2回を通したWSの経験の意味づけを聞く。
	⑤④で答えた経験は、あなたの日常生活や学業、表現活動、人生にどのように関わったり影響したりすると思いますか。	参加者が、その後の人生のどのような場面に2回を通したWSの経験が繋がると感じたかについて聞く。

のどちらかに所属する生徒だった。事前のフェイスシートへの回答によると、表現経験の傾向として、部活、もしくは習い事等で何らかの表現活動の経験のある生徒が多く見受けられた。1回目のWSに参加した21名のうち20名が「何らかの表現活動の経験がある」と回答しており、表現活動の内容としては、ダンス、合唱、バンド、映画制作など多岐にわたるジャンルが挙げられた。また、このうち13名が表現活動を現在も続けていると回答し、4名が現在はしていないと回答した（3名は明確な記述なし）。

（3）分析方法

　1回目のWS後に質問した①〜③の項目について、項目ごとにカテゴリ分析を行った。カテゴリ分析は、1）各質問項目に対する参加者一人一人の回答を一つの切片とする、2）全ての参加者の切片をその内容に基づいてボトムアップに分類する、3）分類された各グループに対して、その内容を表す名称（カテゴリ名）を付与したカテゴリを作成する、4）生成されたカテゴリの内容に基づき、切片を各カテゴリに再度整理して分類する、5）各カテゴリに該当する回答者数と、それが全回答者数に占める割合を算出する、の手順で行った。また、4）の切片のカテゴリへの分類においては、同じ切片が複数のカテゴリに重複して該当する場合も見られたため、今回は重複を認めてカテゴリを作成した。

　なお、WSで印象に残った場面やワークや講師の言葉を質問した項目①について、質問紙では印象に残った理由についても合わせて質問したが、それについてはのちにエピソードとして紹介することとする。

　2回目に質問した項目④〜⑤への回答は、エピソードとしてのちに参照する。

③ 実践の結果と考察

3-1　1回目の WS の参加者の回答のカテゴリ分析結果と考察

　　1回目の WS 後に質問した項目①～③の回答についてのカテゴリ分析結果を表
10-5 ～表10-7 に示す。それぞれの表の左から、カテゴリ名、定義、具体例、該当人数・
その人数が回答者全体に占める割合を順に記載した。なお、以下の表及び本文中でイ

表 10-5　項目①への回答のカテゴリ分析結果

項目①：このワークショップで、印象的だった場面やワーク、言葉はありましたか？あった場合、その場面、ワークを教えてください。

カテゴリ名	定義	具体例	人数（割合）
身体のワーク	講師とともに参加者が取り組んだワークや、それに伴う講師のコメントへの言及。	「私にとって最も印象深かったワークは、終盤に行った体のパーツを体の意志のまま動かす、というものです。」	10（67%）
講師の言葉	講師と参加者とのやりとりにおける講師の発言の内容への言及。	「私のしている事をダンスだと思われるかどうかはどうでもいい、ということを仰っているときにかっこいいなと思いました。」	5（33%）

表 10-6　項目②への回答のカテゴリ分析結果

項目②：このワークショップで、あなたは何を経験したと思いますか。また、その経験について、どう感じますか。見たもの、聞いたこと、感じたことを思い出しながら、あなたが言葉にしていいと思う範囲で、書いてください。

カテゴリ名		定義	具体例	人数（割合）
WS中の出来事について	身体そのものの意志の発見	WS を通して、自身の身体や身体の部位一つ一つが、どう動きたいかという感覚を持つことができると知った経験や、そのことへの驚きへの言及。	「自身の体の声が聞こえた気がします。一つ一つの関節に意志があって、ダンスをうまく、きれいに、カッコよく踊らないとという思いから完全に離れて、まるて体のどこからか、『私はこれがしたいの。』という声を自らの体で初めて体験したと思います。」	5（33%）
	未知の経験	WS を通してそれまで経験したことがなかったことや知らなかったことを経験したり見聞きしたこと、またその新鮮さや難しさへの言及。	「未知の世界に触れた気がします。世代的な問題かもしれないけど私の周りに永子さんのような方は今までいなかったので、新しいことを知りました。」	3（20%）
WS後に向けて	ダンス観の変化	それまでのダンスに対するイメージが、WS での経験を経て変化したことへの言及。	「一般的なポップダンスとは全く方向性の違うダンスを学んだ。今までは自分の体を脳や心が支配して動かしてきたため、各部位の意思を想像する練習は難しいと感じた。しかし、そのような内向的なダンスはとても新鮮で、自分の体の中に新たな世界を見出すような感覚があった。」	7（47%）
	生き方・表現の指針の獲得	自分が生きる上で、もしくは表現活動をしていく上で、大事にしたいことや指針としたいことを WS での経験から得たことへの言及。	「自分が大事とすることは貫こうと思いました。芸術をどう捉えるかは一人一人の経験や価値観によって異なるものと改めて思ったので、吹奏楽部で活動する際に、曲のメッセージを話し合う際にもっとたくさんの人の意見や考えを取り入れて表現したいと思いました。（略）」	4（27%）

表 10-7　項目③への回答のカテゴリ分析結果

カテゴリ名		定義	具体例	人数（割合）
表現活動への取り入れ		WSで経験した内容を、自身が取り組む表現の質を向上させるための方策として取り入れようとすることへの言及。	「部活のダンスで群舞をするときも、時々フリーで自由に動くような振り付けがあった際に動かそうと思って動くとコーチに『もっと立体的に、細かく動くように』と指示されることがあり、パーツごとで違う動きをすることで表現に深さや広がりが生まれると思った。（略）」	6（40%）
ものの考え方の変化	自分の生き方についての考え方の変化	WSの経験が、自分が今後どう生きていきたいかについての考え方の変化につながったことへの言及。	「自分の『声』を聞くことになって、初めて素直に正直になれる気がします。自分に対して正直になれば、より自分の意見も発信できやすくなり、えいこさんもおっしゃっていた通りに自分がやりたいことを自分で言っていくその大切さを思い知りました。将来の夢でも、何かの高校生の人生の中でもやりたい！と思ったら迷わず実行できる自信がこれからはもっと着くと思います。」	6（40%）
	他者との関わりについての考え方の変化	WSの経験が、自分が今後他者とどう関わっていきたいか、関わっていくことができるかについての考え方の変化につながったことへの言及。	「心に反して行動してしまう人間の特性を理解した。外面でしか見られない情報だけでその人を完全に理解することはできないと実感したので、表現や対話を通じて内面に存在するその人のメッセージ性を意識しようと思う。」	3（20%）
その他		WSの経験が、その後の生活場面等に影響すると感じるかどうかについてのみ言及したもの。	「影響すると思います。」	1（7%）

ンタビューデータを引用する際、データの原文に明らかな誤字が見られた場合はそれらを訂正した上で掲載した。

　以下では、表 10-5 〜表 10-7 に示した、項目①〜③への回答の分析結果について、質問項目ごとに考察する。

(1) WS 後に印象に残っているワーク、場面、講師の言葉について（項目①への回答から）

　項目①への回答は、〈身体のワーク〉と〈講師の言葉〉の2つのカテゴリに大きく分けられ、前者には回答者全体の3分の2、後者には3分の1が該当した。

　〈身体のワーク〉に該当した回答には、特に表 10-5 の具体例に挙げたような、身体の部位それぞれの意志に従って動くことを経験したことによる驚きや新鮮さへの言及が多く見られた（該当した10名中7名が言及）。質問紙では、その場面が印象に残っている理由もあわせて回答してもらったが、以下のように、ワークを通して初めての動きの感覚を持ったことや、それに伴って自分の気持ちと向き合うことを経験したことが多く挙げられていた。普段から部活や習い事でダンスの練習に取り組む参加者にとっては、WSでの経験がそうした普段の練習とは大きく異なる経験だったことも、

驚きや新鮮さの背景にあったと考えられる。

　　「今まで音楽があって振り付けがあってそれに自分らしさをプラスして踊ってき
　　たので無音の中自分の体が動きたいところに動かしてみてというのが斬新で最初
　　は自分の頭の中では解消できれないような感じて不思議だったからです。」
　　「ダンスで自分の体を向き合っていると思っていたが、ワークで自分の手の動きた
　　い方へ動いてみましょうと伝えられて動いてみたら今まで感じたことのない感覚で
　　本当に自分の気持ちと向き合ってダンスをしているような感覚を味わえたから。」

　〈講師の言葉〉に該当した回答には、様々な講師の発言が挙げられており、具体例
に挙げたものの他にも、

　　「アーティストには（想像と表現に対する）欲があり、必ずしも（人を）喜ばせ
　　ようとしているわけではない。」
　　「映像などの形に残すことで作品は距離的、世代的な隔たりを超え、さらに後世
　　にまで残すことができる。」

などの尾竹の発言の引用が回答されていた（括弧内は著者による文脈の補完）。こ
れらは、講師のアーティストとしての矜持や姿勢を示すものであり、参加者の高校生
たちがそれに刺激を受けた様子が見てとれる。

(2) 参加者による WS の経験の意味づけについて（項目②への回答から）

　項目②への回答は、〈WS 中の出来事について〉、〈WS 後に向けて〉の 2 つのカテ
ゴリに大きく分けられた。
　〈WS 中の出来事について〉に該当した回答は、さらに〈身体そのものの意志の発見〉、
〈未知の経験〉の 2 つの下位カテゴリに分類された。〈身体そのものの意志の発見〉に
該当する回答は、身体の部位それぞれの意志があることの発見について言及しており
（表 10-6 の具体例を参照）、これは上記の項目①への回答で多く見られた内容と整合
的である。〈未知の経験〉に該当する回答は、今回の WS で初めて経験した身体感覚
や鑑賞経験に言及しており、〈身体そのものの発見〉と合わせて考えると、これまで
触れたことのなかった表現の方法論を持つアーティストとの出会いがいくらかの衝撃
とともに新鮮に受け止められたことが見てとれる。
　〈WS 後に向けて〉に該当した回答は、さらに〈ダンス観の変化〉、〈生き方・表現
の指針の獲得〉の 2 つの下位カテゴリに分類された。これらのカテゴリの内容の定義
（表 10-6）から、参加者たちに、身体の感覚の変化だけでなく、考え方の面での変化
がみられたことがわかる。特に〈ダンス観の変化〉は回答者の半数近くが該当し、こ
れも上記の項目①への回答で、普段のダンスの練習とは異なる動きの感覚を経験し
たことが強く参加者の印象に残った様子と通じていると考えられる。また、この WS

は 2 時間と短い時間ではあったが、〈生き方・表現の指針の獲得〉に該当した参加者にとっては、今後の生き方や表現活動の指針の一つを与える経験だったようである。

　以上の（1）、（2）から、作品の鑑賞、身体のワークに加え尾竹との交流など、WS を通したアーティストとの関わり方のそれぞれが重なり合って、参加者に意味づけられていることがわかる。ではその経験が、その後の人生にどのように影響すると参加者たちは感じたのだろうか。

（3）その後の人生にどのように WS の経験が影響すると感じるかについて（項目③への回答から）

　項目③への回答は、〈表現活動への取り入れ〉、〈ものの考え方の変化〉、〈その他〉のカテゴリに大きく分類された。このうち〈ものの考え方の変化〉に該当した回答は、〈自分の生き方についての考え方の変化〉、〈他者との関わりについての考え方の変化〉の 2 つの下位カテゴリに分類された。

　〈表現活動への取り入れ〉に該当した回答は、表 10-7 の具体例に見られるように、今後の表現活動へのヒントを得たことへの言及であった。ここからは、参加者が、それまで出会ったことのなかった身体の動かし方を体験したり、アーティストの身体表現の方法に触れたりしたことをきっかけに、以前とは異なる表現へのアプローチを模索する様子が見て取れる。WS での経験が新たな表現へとつながる様子は、WS を通して生じた触発の一つのあり方であると言えよう。

　〈ものの考え方の変化〉に該当した回答の中には、WS での経験が、これから自身がどう行動していきたいか、していくべきか、また他者と関わる際にどのようなことを意識していきたいかについての視座を提供したことを示唆する回答がいくつか見られた。具体例のほか、

> 「永子さんの生き方が自分のしたい事を自分の体で表現している姿がカッコ良いなと思い、自分が他の人がダンスかダンスではないかという評価なんてどちらでもいいとおっしゃっているのを聞いて、自分のしたいことをするのが 1 番だし、周りの人がなんと言おうが関係ないんだなと思える様になりました。」
> 「今まで見たことのないものやしたことがない事はまだたくさんあり、その中でも自分が興味の持ちやすいものがたくさんあると感じた。そのためこれから新しいものを探し、今ある知識を広め新しい事に挑戦しなければならない気持ちが上がった。」

といった回答がみられた。ここからは、尾竹のアーティストとしての姿勢に触れたことや、WS を通して初めて見聞きしたこと・経験したことによって、それまでとは違った自分の生き方についての考え方や気持ちの持ち方が芽生えたことが見て取れる。このような WS からの影響も、「『自分の思考枠組みと異なるもの』と『深く関わる』」（岡田、2016）ことによる触発の一つの形であると捉えられるだろう。

3-2　2回目まで受講した生徒のエピソード

　このセクションでは、2回目のWSまで受講した生徒のエピソードを紹介する。2回目のWS後の質問紙に回答のあった5名のうち、2回とものWSに参加した4名（仮名：Aさん、Bさん、Cさん、Dさん）の回答を取り上げる。

　まず、2回を通したWSの経験の意味づけについての回答（項目④への回答）に焦点を当て、a) 身体的なワークの経験の深化、b) アーティストのパフォーマンスに対する理解の深化の二つに分けてその回答を見ていく。次に、その後の人生にどのように2回を通したWSの経験が影響すると感じるかについての回答（項目⑤への回答）について、a)「自分自身の核を持つ」ための学びとして、b) 新しい表現に踏み出すきっかけとして、c) 他者や外界との関わり方への示唆として、の三つに分けて紹介することとする。

(1) 参加者による2回を通したWSの経験の意味づけについて（項目④への回答から）

■ 身体的なワークの経験の深化：Aさんは2回を通したWSの経験の意味づけについて、「自分の感情や本能、体に正直にありのまま感じることを経験した」と回答した。Aさんは1回目のWSの後には「ダンスにもいろいろあって、型にはまらないでいいんだなと思いました」と記述しているが、上記の「体に正直にありのまま感じる」経験への言及は、より自身の身体的な経験に自覚的になり、踏み込んだ内容になっていると考えられる。

　またBさんは、「1回目で体感した、体の一つ一つのパーツが持つ意思と体の流れと、2回目で学んだ心と体を使って想像することで感情や痛みを記憶することがつながったと感じた。」と述べている。身体そのものの感覚だけではなく、想像することや人の感情や痛みの記憶にまで思いを馳せ、それらをつなげることができたという感想からは、1回目のWSでの身体のワークでの経験と、2回目のWSで「想像」や「記憶」に焦点を当てた経験とが合わさり、よりWS全体の経験を身体的・感覚的に深めることができた様子がうかがえる。

■ アーティストのパフォーマンスに対する理解の深化：2回のWSを通して、尾竹のパフォーマンスやそこに通底する方法論について、より深く理解することができたことを示唆する回答も見られた。Cさんは「最初は慣れなかったえいこさんのダンスに魅力をどんどん感じる事ができました。」と回答している。またDさんは、尾竹の話が2回目の方がより「興味深く」感じたといい、そのことで尾竹の作品をより入れ込んで観ることができたといい、次のように述べている。

> 「ワークショップが始まる前よりも1回目、1回目よりも2回目に続き、永子さんのダンスに対する興味がすごく上がった事に感じ、今まで頭にあったダンスの範囲が一気に広がった。2回目のワークショップでは個人的には永子さんの話がもっと興味深く感じた。2回目のワークショップでした話を踏まえた上で永子さんのパフォーマンスを見ると、周りの工夫、永子さんの表情、動きにさらに集中

し、もしこれを自分が生て見ることができる日がくれば、見ている場ですごく感動すると思います。」

　前述したように多くの生徒にとって尾竹のパフォーマンスのスタイルは馴染みのないものだったが、1回目の経験を踏まえて2回目のWSでより尾竹のパフォーマンスのあり方について興味が強くなったことが見て取れる。また、2回目のWSでは1回目よりも質疑応答の時間が多く設けられていたが、Dさんのコメントからは、2回目のWSでの尾竹の話によって、パフォーマンス作品の鑑賞の態度が変化し、尾竹の表情や演出をより注意深く観察するようになっていることがわかる。このことから、今回のWSでは、アーティストとの交流と、パフォーマンスの鑑賞が相互に影響し、参加者の経験がかたちづくられた面があると考えられる。ここには、尾竹のアーティストとして教えるという姿勢が影響しているだろう。

(2) その後の人生にどのように2回を通したWSの経験が影響すると感じるかについて（項目⑤への回答から）
■ 新しい表現に踏み出すきっかけとして：まずCさんは、「私も実際えいこさんみたいに体をゆっくり、自由に動かした映像を作りたいなと思い始めています。」と述べている。Cさんは項目④では、2回のWSを通して尾竹のパフォーマンスへの興味が増していったと述べていたが、WSでの経験を新たな表現の仕方につなげようとしていることがうかがえる。
■「自分自身の核を持つ」ための学びとして：次にAさんは、「周りと自分を離して考えることや、自分自身の核を持つことができるようになると思う。」と述べており、WSでの経験によって、自分の考えの拠り所を周囲ではなく自分自身に持てるようになるだろうと感じているようである。これに関連して、Aさんは「『普通』から外れることってどういうことなのか、どういうふうにしたら普通から外れるってことなのか」という疑問を、1回目のWS後に尾竹にメールで投げかけていたという。これは、Aさんが将来の進路や生き方を考える中で持った問い（「やっぱり人と外れることを、自分の個性としてはやりたいなっていうふうに思ってて。でもそういうのってどういうふうにやってくんだろうなって疑問を感じた」）であり、Aさんは2回目のWSの中で以下のように述べている。

　　「前回の授業というかレッスンが終わった後に、永子さん自身を見ても永子さんのダンスを見ても、いわゆる普通のダンスでもないし普通のアートでもないなって感じて。普通から外れることってすごく難しいというか、すごく勇気がいることだなって思って。（中略）永子さんに、普通から外れることってどういうことなのか、どういうふうにしたら普通から外れるってことなのかって聞いた時に、『自分の仕事が見つかって、仕事をしていると、普通かどうかっていうのが気にならなくなるし、もう自分の感性とか考え方とかを鍛えて大きくなっていったら

もう普通ではいられなくなるんじゃない？』とおっしゃって。それがすごく私の
心には響いたというか。普通から外れる外れないじゃなくて、自分が成長してい
けばいくほど、普通ではいられなくなってしまうという言葉がすごく響いた。」

　Aさんにとって、尾竹のアーティストとしての姿勢や作品を目の当たりにしたこ
とが、元々持っていた「普通」ではない生き方についての疑問と向き合うきっかけと
なったようである。この疑問から生まれた尾竹の応答は、Aさんにとって自身の生
き方を考える上での新たな視座の一つとなったことがうかがえる。このことや、2回
目のWSでの「体に正直にありのまま感じる」という経験が、Aさんの「自分自身
の核を持つことができるようになると思う」という感覚につながったのではないかと
考えられる。

■ 他者や外界との関わり方への示唆として：最後に、Bさん、Dさんの2名は、他者の
気持ちを想像したり、外界に注意を向けたりする際の態度の変化について言及した。
Bさんは以下のように述べている。

　　「目に見えるものからではなく、目を瞑って時間をとって想像するだけで痛みや
　　愛を感じとることができた経験がとても心に残った。誰かの気持ちを理解しよう
　　とするとき、外部のリソースから汲み取ろうとするのではなく、自分で想像する
　　ことでより近い理解や強い記憶を得られると思った。」

　ここからは、Bさんが2回目のWSで学んだことを踏まえ、想像することで感じ取
ることができるものの大きさや、自分で想像することが他者に対する理解や他者につ
いての記憶の助けになるということが強く印象づけられたことがわかる。またDさ
んは、芸術、自然といった外界のものの見方の変化についても触れながら以下のよう
に述べている。

　　「これから何かを想像して表現する時に工夫するべきものが増えると思い、表現
　　力も少しは上がったと思う。それと、今回のワークショップを通し芸術などの今
　　まであまり興味を持っていなかったものを気にするようになった。少しても自然
　　や世界をもう少し美しく見ることができるかもしれない。」

4 まとめ

　本章では、アーティストの尾竹永子によるWSの中で、尾竹の作品の鑑賞、尾竹
の方法論に基づいた身体のワーク、尾竹との交流を通し、参加者が新たな発見や考え
方の変化を経験する様子を、WS後の参加者のコメントの分析やエピソードの紹介に

基づいて詳しく記述してきた。ここで改めて、尾竹永子というアーティストとの出会いが参加者の高校生にもたらしたものは何だろうか、という問いを取り上げよう。

　本章のここまでの記述を踏まえると、今回のWSは、参加者の表現活動への新たな示唆を与えるだけでなく、自分の生き方、他者や外界との関わり方についての考え方にも影響を与えるものだったと言えるだろう。まず、尾竹のパフォーマンスや、尾竹のアーティストとしての姿勢、身体のワークで得た新たな身体感覚のあり方に触れ、その経験を自身が取り組む表現活動に活かそうとする参加者の様子がみられた。それとともに、このWSでの経験が、自分の生き方や、他者との関わり方を選びとっていくための指針を提供しうることを示唆する回答も見られた。特に、尾竹が参加者とのやりとりに多くの時間を割いた2回目のWSにも受講した参加者には、身体のワークや、尾竹のパフォーマンスについて、回を重ねたからこそと思われる気づきや興味の深まりが見受けられた。自分の生き方や他者との関わり方を選びとり、それを提示していくことは、いわゆる作品作りの枠を超えた、一人の人間としての表現であるとも捉えられる。これを踏まえると、今回のWSは、生きていくことの根底にある広い意味での自身の表現の捉え直しをも経験させるものだったとも言えよう。

　WSを通し、参加者は自分の身体がどう感じているかに向き合うことに重点を置いた身体のワークと、ムーブメント・アーティストとして「セルフ・キュレーション」をしてきた尾竹のパフォーマンスや生き方を目の当たりにすることを統合的に経験した。このことは、尾竹のいう「セルフ・キュレーション」、つまり自分がものごととどう関わるかを自分で決めること、その関わり方を他者に提示して表現することや、そのような態度を持つことの、基盤となる経験だと考えられる。社会生活を送っていると、自分の身体がどうしたいか、自分がどうしたいか、もしくは何をしたくないかという志向にそぐわない選択やコミュニケーションをしてしまったり、そのような自分の志向にそもそも気づくことができなくなったりということがあるかもしれない。尾竹は自身のクラスに関して、以下のように述べている（尾竹、本書、p.215）。

　　「生徒には身体と頭脳と感覚を総動員して貪欲に学んでほしい。身体と自己及び他者について知り、歴史とそれがもたらした現在を学んでほしい。自分の体をその現在のどこに置き、どこに運ぶか、その判断を自分でできるように。社会の悪に否を唱え、新しい形を作れるように。」

ここで尾竹が述べる「自分の体をその現在のどこに置き、どこに運ぶか、その判断を自分でできるように」は、セルフ・キュレーションの態度であり、よりよい社会を形成していくために私たちに求められる態度である。そしてそれを醸成する環境が、教育には求められる。セルフ・キュレーションをすることをどのように学んでいくことができるか、学ぶ場所をどう作ることができるかは、様々な社会問題を抱える今日の世界を生きる私たちにとって切実な問いである。本稿で紹介した実践のあり方と参加者が得た経験は、私たちの生き方と教育のあり方に重要な示唆を与える。

　　ここまで見てきた WS の参加者たちへの影響は、まさにアーティストとの出会いによる触発として捉えられる。本稿で着目したのは参加者による WS 直後の記述だったが、今後はこういった WS 後のフォローアップ調査の実施も視野に入れることで、WS での経験がどのようにその後広がりを見せる可能性があるのかについて検討することができよう。本稿が着目した WS は短期だったものの、参加者がアーティストの生き方を目の当たりにし、その作品やワークに深く関わることから始まった学びとその結果は、これからの社会の基盤に必要な教育実践のあり方を示唆している。生きていくことの根底にある表現を捉え直し、自分で自身の表現を選んでいく力を耕すような教育実践とその検討をこれからも続けていくことが求められる。

（著者：林由夏（1）・岡田猛（2）　企画・実施担当：尾竹永子（3）
所属等：（1）Trinity Laban Conservatoire of Music and Dance、（2）東京大学、（3）アーティスト）

【引用文献】

縣 拓充・岡田 猛（2009）．教養教育における「創造活動に関する知」を提供する授業の提案：「創作プロセスに触れること」の教育的効果　教育心理学研究，**57**, 503-517.

縣 拓充・岡田 猛（2013）．創造の主体者としての市民を育む「創造的教養」を育成する意義とその方法　認知科学，**20**(1), 27-45.

相原朋枝・酒向治子（2016）．エイコ & コマの Delicious Movement Workshop の検討 2　体育・スポーツ哲学研究，**38**(2), 103-116.

Candelario, R.（2010）. A manifesto for moving: Eiko & Koma's Delicious Movement workshops. *Theatre, Dance and Performance Training*, **1**(1), 88-100.

Hayashi, Y., & Okada, T.（2022）. ABR by Learners in Liberal Arts: A case study of artist Eiko Otake's "Delicious Movement". In K. Komatsu, K. Takagi, H. Ishiguro, & T. Okada(Eds.) *Practice Arts-Based Method in Education Research in Japan*, Chap.4. Leiden: Brill.

石橋健太郎・岡田 猛（2010）．他者作品の模写による描画創造の促進　認知科学，**17**(1), 196-223.

石黒千晶・岡田 猛（2017）．芸術学習と外界や他者による触発：美術専攻・非専攻学生の比較　心理学研究，**88**(5), 442-451.

中野優子（2018）．創作に着目したコンテンポラリーダンス教育プログラムのデザイン指針の構築：ダンスを専門としない大学生を対象として　東京大学大学院学際情報学府博士論文（未公刊）

Nakano, Y., & Okada, T.（2022）. Constructing design guidelines for a creation-focused contemporary dance educational program for non-dance majors. In K. Komatsu, K. Takagi, H. Ishiguro, & T. Okada(Eds.) *Practice Arts-Based Method in Education Research in Japan*, Chap.6. Leiden: Brill.

岡田 猛（2016）．触発するコミュニケーションとミュージアム　中小路久美代・新藤浩伸・山本恭裕・岡田 猛（編）　触発するミュージアム：文化的公共空間の新たな可能性を求めて（pp.2-10）　あいり出版

岡田 猛（2020）．アートの発想　学術の動向，**25**(7), 2-7.

Okada, T., & Ishibashi, K.（2017）. Imitation, inspiration, and creation: Cognitive process of creative drawing by copying others' artworks. *Cognitive science*, **41**(7), 1804-1837.

酒向治子・相原朋枝（2015）．エイコ & コマの Delicious Movement Workshop の検討　体育・スポーツ哲学研究，**37**(1), 45-64.

Column 8

デリシャス・ムーブメント

Time is not Even, Space is not Empty.
時間は均一ではなく、空間は空っぽではない。

尾竹永子（アーティスト）

私は自分の体とその動きを使って作品を創るアーティストです。分野的にはダンスアートですが、アメリカのモダンダンスのテクニックは使いません。自分の仕事を舞踏というレッテルで呼ぶことはせず、そう呼ばれることにも抗ってきました。自分の責任で学び、自分の仕事には個人として責任を持つというスタンスで、人に振り付けることも、振り付けられることもしないで来ました。あくまで自分の公演の準備として自分に振り付けますが、現場ではそのときの判断で準備を裏切ることも自分に課しています。環境、衣装、テクスト、動き、映像なども自分で創り、美術館、劇場、野外で公演してきました。1972年に20歳で日本を離れ、1976年からニューヨークに住んでいます。

50歳近くになって9.11を経験した後、一念発起して原爆の歴史とその文学を大学院で学び直しました。長崎で被曝した林京子さんの作品「トリニティからトリニティへ」を翻訳し私のエッセイと合わせて出版した2006年から、アメリカの大学で身体と動きを学びながら核の問題を考えるコースを教えています。

生徒には身体と頭脳と感覚を総動員して貪欲に学んでほしい。身体と自己及び他者について知り、歴史とそれがもたらした現在を学んでほしい。自分の体をその現在のどこに置き、どこに運ぶか、その判断を自分でできるように。社会の悪に否を唱え、新しい形を作れるように。

作品を創り公演すること、自分が学び考えること、教えること。私にとってこれらはみな、そのお互いが深く関わり合う大事な仕事です。以下、私が何を基本に何をどのように教えるかを箇条書きします。

[教育に関わる上での私の基本]
・教師は生徒を選ばない、生徒が教師を選ぶ。私は個々の生徒の成長に強い関心を持ち、それを生徒に表現する。
・出会ったばかりの人に信頼してくれとはいえない。生徒も教師も努力してお互いから信頼を得なければ教育は成り立たない。クラスが終わっても作った信頼と関係は終わらない。
・シラバスは教師主導で始まるが生徒主導で終わる。

・アートのクラスだからといって生徒にアーティストになることを求めない。アートを見る、聞く、経験することは自己と他の人間性を認識するプロセスである。アートを作ることもその一環である。アートを囲む垣根を壊すのもアーティストの仕事。
・忘れたことは学びではない。使えない知識は知識ではない。この知識は使う、忘れない、と自分で選ぶことが学びである。
・授業が終わっても忘れない、忘れられない知識と考えを生徒はどのように獲得するか？ 人は言われたこと、読んだことは忘れるが、経験と自分で導き出した考えは忘れにくい。ゆえに体を使って考えさせる。
・他から学ぶ＝他を学ぶ。自分だけで学ばない。自分だけでは学べない環境を作る。Collective Learning。自分だけ賢くなっても社会は変わらない。
・クラスを心ある個人の集まりとして捉え、その中で多数（決）に頼らないデモクラシーの形を探求。デモクラシーが機能するためには、多数決では排除されてしまう声を聞く仕組みが必要。
・暴力について歴史的に学びながら非暴力を実践、思想化する。非暴力は戦わないこと、争わないことではない。暴力を使わずに闘うことである。それには訓練と意志が必要。
・ルールや示唆は必要に応じて無視しなければならない。しかし人に危害を与えてはならない。
・大学教育には学者でない人間も関わらなくてはならない。各分野で実践者であるものによってのみ教えられる分野と方法がある。

[アーティストとして教えるにあたっての姿勢]
・私をアーティストの一例として提出する。私の映像も動きも積極的に見せる。教えることもパフォーマンス。これらを糸口にして生徒のアート、アーティストへの距離感を変える。
・多様な参加者、いろいろな学部の生徒を求める。卒業生やゲストを積極的に迎える。アメリカでは年齢、学年制限なしの授業で、社会人のブッククラブ（読書会）と併合することもある。多様性は学びを

支える。

・アートに感動した事があるか？ 何に？ なぜ？ ど
のように？ そのときの体と心の状態は？ 若い生徒
にも積極的に問いかける。人が他者の作品に感動
するときは、感動する自分を肯定的にとらえられ
る。感動する自己を嫌悪するという例を私は知ら
ない。たとえ暴力を受けて傷ついた人でも、表現
と芸術に取り組むときは、すでに被害者という受
け身の立場ではなく、積極的な表現者に転じる。

［動きを通じて学ぶこと］

・床に寝て目を閉じ、身体をゆっくり動かす事で自
分の身体への自覚を高める。 日常的に求められる
生産性とその計算からいっとき自分を引き離す。

・自己表現にとらわれず身体を動かす。それは休息
にも、知覚にも、学びにも、サボタージュにもな
り得る。

・床で動くことで目線の位置が変わる。社会への観
察の視点が変わる。

・床で動くことでダンスの一般的な概念から解放さ
れる。健康な者、スピード感があるものに限らな
い動きを学ぶ。

・動物、植物、鉱物、もの、環境を身体を通して探
る。それらとの距離感を縮める。他者にむかう経
験を通じて他者と自分との共通点と違いを発見す
る。人間の限界と境界を経験する。

・体を均等に使わない。体は左右対称ではない。体
を外観と形から解放し、内部を捉える。

・動きながら考える、知る。静止の中にも動きを感
知する。生きている体と時間に静止はない。

・動きながら時間の動きをさまざまに捉える。時間
の不均質性を知覚する。

・体を場所及び景観として捉える。また景観も場所

も体であることを認知する。

・既存のダンスを教えるクラスではないのでダンス
テクニックは使わない。

・音楽を使わないことで、体と世界の音を聞き、動
きをいわゆる「ダンス」から解放する。いわゆる
音楽から離れ、社会、木の葉、川、時間、感情、
動悸などの音と動きと身体性に気がつく。

・二人ずつ組んでサポートしながら課題に向かう機
会を作る。その後に一人で取り組ませる。

・人前で体を動かす。見られることの経験と自覚。
自己を外から観察する力を高め、他との相対性も
理解する。自己の美意識を育てる。

・人前で動くこと、見合うことは、空気と時間の密
度を変えることを体得する。

・他の参加者の動きを見る。その内面を想像する。
他を見ることは自己の美意識を刺激する。

・人の体に示唆を与える。体の個性の認識。他への
敬意。人の体に自分の肉体がどのように関わるか。

・体は保守的である。頭でわかっていても身体がつ
いてこないこともあり、また体に入ったことは頭
が忘れても体が覚えている。トラウマも体のどこ
かにしまわれていることがあるので、生徒が授業
中に動く間、私がそれぞれを注意して見守ること。

・人に見られること、人の体に触ること、触られる
ことへの感覚や躊躇は個人差が大きいので、強制
しない。自分がすぐ参加できなくても、見ること、
見守ることで理解が進んだり、拒否感が薄くなるプ
ロセスもあり得る。動きに参加しない選択にもクラ
スの中で市民権があることをはっきり知らせる。

・個室や風呂場など安全な所で一人で動くことを「夜
中の私の一人のダンス」として提案する。

スイス

[動きの経験を話すこと、聞くこと]

- 実験的に動く経験からの発見を小グループで話す。
- 言葉を使わずにも何をどのように認知し、あるいはコミュニケートするか？　そのようにして学んだことをどのように再び言葉で表現するか？
- 動きの後、話しあう時間を作るとき、話しても話さなくても良いと指導する。
- 動きの後すぐ話す場合と、一人一人ノートに向かったり、休憩を取ってから話す場合などを使い分ける。生徒それぞれワークのプロセスの仕方が違うので違う形を経験すること。話す、書くを均等に皆に押し付けないこと。
- 私のクラスでは小さなグループからクラス全体の話し合いに移るとき、よく話せる生徒のみがいつも話すのを避けるための工夫（罰がないルール）がある。自分が言ったこと、考えたことではなく、グループの他の人が言い、自分の心に残ったことを報告する。聞いたことを報告する形を繰り返すことで、より積極的に聞く訓練ができる。自分が他の人の感想への導管として機能、紹介できることを経験できる。これはデモクラシーを支える力である。
- クラスで動きを経験し、そのあと話す言葉は、多くが正確な語彙とニュアンスを伴うことに気づかせる。
- 私が他から習った示唆や技術はなるべく使わず、自分で工夫して考えたものを中心に教える。伝統や「先生」から学んだものでなく、いわば私が時と場合に応じて「でっちあげたもの」であることを伝える。そこにも創造性があると同時に、私が過去の世代から引き継いだものではないので、生徒がそれぞれの動きのワークをどんどん自分のニーズと状況に合わせて変えて良いと指摘する。私の名前をつけずに、自分の技術や考えとして他人に教えて良いと念

をおす。個人の責任感を育て積極的な学びと応用を動機づける。ムーブメントワークのヒントは実生活の中に種々あると気づかせる。
- クラスメートのサポートとチャレンジを受けながら、課題図書の内容と動きのワークで見つけたこととの関連、その可能性に話し合いの中で気づかせる。「感想」を吟味し、説得力がある意見を作っていく。言葉を正確に繊細に選ぶ生徒からの影響は大きい。
- 言葉を全ての人に聞こえる声で話す訓練をする。声は身体の一部である。

[宿題など]

- 学生は宿題として課題の文学（林京子、大江健三郎、石牟礼道子など）を読み、映像を見る。
- 読む、見る、を個人の「経験」としてとらえる。学びを記憶にとどめるために、自分で選んだ箇所を音読、暗記、絵に描く、詩作する。なぜ、何を、自分が忘れたくないこととして選ぶか。それをどのように記憶に止めるか各自が工夫する。
- 生徒は日々ジャーナルを書いてクラスでの学びを反芻し、その内容をクラスで共有する。グループが個々を生かして学ぶ。
- ジャーナルはフリースタイル。形体や分量は定めない。書き始めるときには書こうと思わなかったことを書いてしまうまで書くように指導する。発見を読み合うことで Collective Learning を志向する。私は全ての生徒のすべてのジャーナルを読み通し、積極的に読んでいることを生徒に知らせる。
- 論考を書く。有効に正確に書き直す。発表への工夫。クラスメートの助言を聞く。従わなくても良い。これらもデモクラシーを支える力である。
- 課題読書の作者に手紙を書く。死者とつながるためにもう亡くなった作者にも手紙を書く。

東京大学

［ファイナルプロジェクト］

・全ての生徒がカリキュラムを自分なりに深め、クラスメートの学びに貢献するためにファイナルプロジェクトに取り組む。これはクラスの初めに言う。

・他のクラスでできることはしない。カリキュラムと関連する題材にすること。

・過去の生徒の多岐にわたるファイナルプロジェクトの高質な例をクラス内で見せてアイデアを触発する。

・リサーチが必要な疑問の設定はクラスメートと話しながら絞っていく。

・クラスメートの学びを進め、長く誇れる、又は続けて考えていける内容にすること。

・タイトルを早い時期に決めることを要請する。タイトルは決意と指標。必要によって変えて良い。

・リサーチだけでなく、その発表に創意と工夫を求め、その指導は個別にする。

・制作は費用を抑え、技術に頼らず、シンプルに。印象的であるより誠実であることを指導。

・感想はプロジェクトを良くするためではなく、自己表現と自己発見の機会。全員が全員と個別で感想を話す機会をクラス内で作る。

・プロジェクトはネットのドライブにあげクラスメートが他の人に見せても良い。

［そのほか私の工夫］

・私を先生と呼ばせない。話すのにも書くのにもファーストネームに、「さん」をつけて呼ぶように指導する。私に向かっては「永子さん」。生徒どうしはニックネーム、またはファーストネームを使って対話させる。自分の呼称を選択することで、クラスに平等な関係と対等で直截な言葉が生まれる。

・極端な敬語やビジネス用語を使わないよう指導す

る。例「ジャーナルを添付します。ご確認をよろしくお願いします。」は私へのメールとしては適さない。慣習に流されず相手を捉えて書くように注意する。

・ダンサーはクラス内で数人にとどめ、クラスの主力にならないよう努める。ダンスを学んだ人は体の動きをつい、いわゆる「ダンス」にしてしまうので、それを見た生徒に固定概念を与える。

・授業を教室に閉じ込めない。外まで拡大させる。

・全ての生徒に私の携帯電話の番号を知らせ、対話を勧める。

・クラス終了後、クラスを振りかえる機会を与えるために個人的に私に手紙を書くことを勧める。成績の対象にしないこと、あくまで選択であることを明言する。

・最後のクラスの別れに私のマニフェストを配布する。

＊　＊　＊

「デリシャス・ムーブメント　マニフェスト」

休み、眠り、夢みる
時が動く。存在しつづける。味わう
忘れる、思い出す。そして、今度は忘れない
身体は風景、風景は身体。ともに呼吸している
時間は均一ではなく、空間は無ではない。動いてさぐる

細部を味わって動く
体が行き詰まっているときでも、どこかは動く
遠くの場所に自ら体を運ぶことで、距離感を変える
木は伸び、枯れる。これを人前で踊る
沈黙を抱えて動く

南京

他者を招く
どんな動きも二度と繰り返せない

＊　＊　＊

　アメリカの大学でクラスを教えはじめて16年になります。私は公演活動を優先しなければならない立場ですから、年によって大学での授業は一学期、または半期の特別授業、週末の集中授業にするなどしてスケジュールをやりくりしています。しかし全て単位になる、成績をつけなければならない授業です。時には30人を超える生徒のジャーナルを毎日のように全て読むことは大きなコミットメントです。しかし私がそれをして初めて、生徒は心を開いて深い洞察を書くようになります。私は多くの生徒のファイナルプロジェクトを見て感動し涙を流してきました。これは50歳も違う世代の考えを知る大きな学びです。それは私にとってアーティストとして仕事を続ける大きな励みにもなります。同時に、これほどの時代を経ても私が感動した作品に彼らも打ち込むことも見てきました。身体を動かし、親密に話し、お互いから学ぶことで生徒の間にお互いへの敬意が生まれることも皆にとって大きな経験です。

　東京大学では2014年から5回集中講座を教えました。70歳になったので今年が最後だそうです。自分のアートと考えを作るのに懸命だった中年の頃と比べて、ここ数年は教える熱意も工夫も膨らんだのにと残念です。しかし正規のクラスでなくても教える機会はたくさんあります。公演するごとにほぼ毎回、以前教えた生徒が訪ねてきます。先日スウェーデンで集中講義をしたクラスに、1973年にオランダで私が教えた一回きりの授業を受けたという参加者がいました。

もちろん私より若くはない人ですが、50年近く前のクラスの思い出を丁寧に話してくれました。それは私が21歳のときに頼まれて、初めて教えたクラスだったのです。若い私の切羽詰まった工夫を彼女は大事なワークとして長い間、実践してくれていたのです。

　クラスは教える側にとっても生徒にとっても、知識と動きのノウハウだけでなく人間性の深さと幅について学ぶ場所です。私と共に学んだ生徒が成長し、その何人もが私が頼れる若い友人やコラボレーターになっています。各分野で社会を変える大事な仕事も進めています。彼らと会話をするとき、私はつくづく彼らより先に死ななければならない、それが順番だからと思えるのです。教えることは私にとって死ぬ準備かもしれません。

　社会は大きく歪み、取り返しがつかないところまで環境破壊がすすみました。かつての、そして今の大人たちの責任です。私も含まれます。今は実際にまた戦争が起こっていて、兵隊が構える銃口に怯えながら原発が運行されています。殺されること、生き残ること、殺すこと、そして戦争や暴政に抗議すると検挙される、その全てが恐怖に満ちています。だからこそ私は全ての機会を使って、私が教えられることを全部、出し惜しみせずに教えたい。林京子さんが私にしてくれたように学生に接したい。お互いのサバイバルを助けるために、非暴力、かつ闘うヒントと工夫も懸命に考えたい。

　アーティストとしてあり続けながら、各所で教える仕事も対話も続けます。

WEBサイト https://www.eikootake.org/teaching

2022年3月16日

南京

第 **11** 章

〈意味〉としての声、〈音〉としての声
ワークショップ『言葉と音楽の間を探る
—— 日常的な言語コミュニケーションから芸術音楽へ』

1 はじめに：声の音響的多様性の再発見に向けて

1-1 現代人の「単調なつぶやき」？

あなたは、自らの声の多様な在りようを、どの程度把握しているだろうか。自らの発することができる最も大きな声、そして小さな声、また高い声や低い声を知っているだろうか。あるいは、声をどのくらい長く伸ばしたり、口を速く動かして話したりできるかを試したことはあるだろうか。

R. マリー・シェーファー（Raymond Murray Schafer, 1933-2021）は、太古の時代から時代を下るごとに、言葉の〈意味〉を伝えることが優先された結果その〈音〉の側面は平板化し、現代人の発話は単調なつぶやきのようになってしまった、と指摘した（Schafer, 1970）。これは、サウンドスケープ[1]の提唱者として、また作曲家として、あらゆる観点から様々な音を捉え、考察してきた彼が、「声」という音響を論考する上で抱いていた根本的な問題意識であった。そしてこうした「言葉の平板化」の指摘は、彼だけでなく様々な領域の論者によってなされている[2]。

とはいえ、現代の言語活動においても、言葉の音響的側面が全く機能しない訳ではなく、私たちは日常的なコミュニケーションにおいて、言葉の意味の外側にある音響的要素を即時的かつほぼ無意識的に操作し、またそれを聴き取っている。そのさまは、ごくありふれた場面において確認されよう。例えば「大丈夫」というセリフを、次のような異なるシチュエーションを想像しつつ、声に出してみてほしい。相手を元気づけるために発する「大丈夫」と、しつこく勧誘され、それを振り払おうとするときの「大丈夫」、両場面で発される単語は同じでありながら、声の様態はその大きさ、高さ、速度、声色、それぞれが微妙に異なっているのではないだろうか。また「大丈夫？」と語尾を高めれば、相手に問いかける表現にもなる。そしてそれに対する返答としての「大丈夫」を聴くときもまた、相手が本当に大丈夫なのか、あるいは問題を抱えていながら無理をしているのかを適切に判断しようと、その声の在り方に耳を傾けるだろう。現代人の発話の中に残されているこうした様々な声の表現を足がかりにすれば、〈意味〉の陰に隠れてあらためて意識される機会の少ない、〈音〉としての声の多様性

[1] サウンドスケープ（soundscape）とは [landscape＝風景] をもとにしたシェーファーによる造語である。楽音、非楽音を問わずあらゆる音を包摂する概念であり、自然科学、社会科学、芸術ほか音に関連する様々な学問領域、教育、そして生活者としての日常的な音との関わりを、「サウンドスケープ・デザイン」すなわち聴覚環境の意識的計画を導くための多様なアプローチとして包括的に扱うことを可能にした。

[2] 「言葉の洗練に伴う声の平板化」が指摘された他の例としては、言語学者の Jespersen（1922 市河・神保訳 1956）や、考古学者 Mithen（2005 熊谷訳 2006）、また人類学者の Nuckolls（1996）等を挙げることができる。

を再発見することができるのではないか、と考え、これをテーマとするワークショップの企画に至った。

1-2 ワークショップの題材

(1) 前衛の声楽における音響的可能性の探究

　豊かな声の様相を再発見することはいかにして可能だろうか。筆者らが着目したのは、西洋芸術音楽における 20 世紀後半の声楽作品である。この時代において「前衛的」と位置づけられる声楽の、最も特徴的な動向の１つは、声の音響的可能性に、作曲家たちの強い関心が集められたことである。旧来、歌曲の演奏において凡そ前提であったベルカント唱法からの逸脱――例えば、話し声や叫び声、呼吸音や口笛等の声楽パートへの導入――が盛んに試みられた。またそれに伴って、声楽作品においてテクストの言語的意味の伝達はその前提ではなくなり、代表的作品とされるものの多くは、オペラやリートが殆ど当然に有していた、伝えるべき〈意味〉が曖昧化、あるいは無化されている。このことは、従来〈意味〉によって構築される「物語」を聴いていた聴取者の注意を、自ずと、声そのものの豊かな響きへと向けさせたのである。中でも、筆者らがワークショップの題材として選択したのは、ジェルジ・リゲティ（György Ligeti, 1923-2006）による声楽作品、《Aventures アヴァンチュール》（1962）である。

(2) リゲティ《アヴァンチュール[3]》

　この作品の最たる特徴は、テクストに既存の言語が一切用いられておらず、言語的意味の伝達が想定されていないことである。そのことによって声の音響的な多様さが際立っており、それは以下３点のアプローチにより引き出されている。1 点目は、非常に豊富な種類の IPA（国際音声記号）[4] の使用である。記譜されている音声の種類は母音 61 種、子音 58 種に上る。2 点目は、感情及び表現に関する詳細な指示である。声楽パートには、「高圧的に見くびって、幾分愛想よく（überheblich-entwertend, sich etwas anbiedernd）」「憂鬱にむせび泣く（wehmütig-schluchzend）」（筆者訳）等、作曲家自身の表現によるユニークな指示が付され、歌手の多様な感情や表現が引き出

[3] ソプラノ、アルト、バリトンの声楽３パートと、フルート、ホルン、打楽器、チェンバロ、ピアノ、チェロ、コントラバスの器楽７パートによって構成される作品。

[4] International Phonetic Alphabet の略。国際音声学会によって定められた、各国の言語音を記述するための便宜的な方法である。

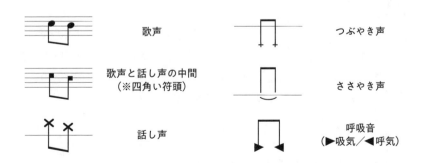

図 11-1 《アヴァンチュール》における発声法の記譜（Ligeti, G. (1964). *Aventures.* Henry Litolff / C. F. Peters. を参考に筆者（澤田）が作成）

●5　なお、声の音響的側面に着目し、かつリゲティの《アヴァンチュール》を題材としたワークショップの先例としては、現代音楽専門の室内オーケストラであるロンドン・シンフォニエッタによる "Vowels and vocalisations" が挙げられる。同団体は学生向けのワークショップや学校でのコンサート等教育的プログラムも実施しており、このワークショップは、同団体のホームページで提供された学校の教師向けの資料 "Teacher's Resource Pack" に掲載された実践である（なお現在、同資料は閲覧不可となっている）。

される。3点目は、歌声だけに限らない、話し声やつぶやき声等様々な種類の発声法である（図 11-1）。

声の音響的可能性に対する上記 3 点のアプローチによって、「何らかの感情を伴い、それに応じた発声法によって、言葉（ないしは声）を発する」という私たちの日常的な発声行為の形式が示される。この作品と日常的な発声行為との接点は、感情や表現に関わる指示が "dolce（甘く、優しく）" や "appassionato（情熱的に）" といった、発想標語として慣習的に用いられてきた語ではなく、「高圧的に見くびって、幾分愛想よく」といった作曲家自身の表現で記されていることや、話し声、つぶやき声といった日常会話で用いられる発声法が使用されていることにも見出せる。そしてリゲティ自身、この作品の背景に「その形式的特徴が発話の形式的特徴となるような音楽制作のアイデア」があったことを明かしていることから（Ligeti, Várnai, Häusler, & Samuel, 1983）、作曲段階において実際に、発話行為の諸要素が意識されていたと言えるだろう。筆者らは、発話という日常的な行為を参照しながら声の音響的側面の多様性を体感してもらうため、ワークショップの題材として、この作品が適していると考えた●5。

2　実践『言葉と音楽の間を探る：日常的な言語コミュニケーションから芸術音楽へ』

2-1　目的

本ワークショップの目的は、声の多様な表現可能性を体感する機会を提供することである。この企画は、日常的な言葉の表現を足がかりに芸術音楽へ迫る過程を通して、〈意味〉から〈音〉へのグラデーションが示されるよう構成されている。具体的には、言語コミュニケーションから〈意味〉を取り去ることでその音響的側面を抽出し、それを音楽に接近するような豊かな響きへと展開させる方法を模索するものである。

2-2　概要

本ワークショップは、2020 年 11 月 26 日（木）、学習院大学文学部心理学科の学生を対象とした授業「学習・認知心理学ゼミナール D」の中で、学生ら 18 名を対象に行われた。また、Zoom を使用したオンラインワークショップの形態をとり、筆者らが予め用意したプレゼンテーションスライドを提示しながら進行した。

2-3　構成

ワークショップは以下の構成で行われた（表 11-1）。

ワークショップの軸となるのは、18 名の参加者を 9 名ずつの 2 グループに分けて行うグループワーク●6 であり、この間に《アヴァンチュール》についてのレクチャー

●6　Zoom の機能「ブレイクアウトルーム」を用い、各チームで 1 つのミーティングルームを使用した。

表 11-1 ワークショップの構成 ※ GW＝グループワーク

所要時間	形態	セクション
10 分	全体	（1）イントロダクション
70 分	GW	（2）実験：ベストアクト - 言葉の音響的側面の抽出
15 分	—	休憩
20 分	全体	（3）鑑賞：《アヴァンチュール》
55 分	GW ＋全体	（4）表現：言葉から音楽へ

を交え、進行した。以降、セクションごとに内容を説明する。

（1）イントロダクション

　ここでは、筆者らがワークショップの趣旨や構成について説明したのち、《アヴァンチュール》の 38〜46 小節を鑑賞した。この部分は様々な発声法による歌手 3 人の掛け合いが展開される箇所であり、作曲者自身によって "Conversation" という副題が付けられている。ここではあえて、作曲者、作品名、作曲年以外の作品情報は明かさず、参加者が日頃よく聴く音楽と比較しながら聴くことを促した。

（2）実験：ベストアクト - 言葉の音響的側面の抽出

　このセクションでは、日常的な言語コミュニケーションを観察し、そしてそこから言語的意味を取り去り音響的側面を抽出するためのグループワークを実施した。内容は 2 つに分けられ、1 つは、カードゲーム「ベストアクト[7]」を参考に筆者らが本企画用にルールや手順を一部改めたゲームであり、もう 1 つは、それに基づく意見交換である。

■ ゲーム：カードゲーム「ベストアクト」の大まかなルールは、出題者が、特定のセリフを、どのような感情／状況を想定して発したかを、回答者が 8 つの選択肢の中から当てる、というものである。例えば、「大丈夫」というセリフに対しては、「安心させるときの」「心配して」「素っ気ない」「任せなさいの」「キザに」「詐欺師の言う」「びっくりして」「大丈夫じゃないときの」という感情／状況の選択肢が設定されている。セリフは同一であるため、感情／状況を伝達する出題者も、それを聴き取ろうとする回答者も、自ずとその声の在り方に意識を向けることになる。

　ここでは、9 人ずつの 2 グループの中でさらに 4 名と 5 名のチームに分かれ、1 問ごとに一方が出題者チーム、もう一方が回答者チームを担当する形で進行した。具体的な手順は次に示す通りである（表 11-2）。1 問ごとに出題者チームと回答者チームを入れ替えて手順 1 〜 6 を繰り返し、計 4 問を実施した。

　お題のセリフには、1 問目と 2 問目には「大丈夫」と「はぁ」、そして 3、4 問目にはそれぞれ、言語的意味をもたない "en noi" と "ba" の 4 つが設定された（図 11-2）。「大丈夫」と「はぁ」のセリフ、及びその感情／状況の選択肢は、「ベストアクト」

● 7　2018 年 11 月に、JELLY JELLY GAMES から発売されたカードゲーム。

表 11-2　ゲームの手順

手順1	お題となるセリフと感情／状況の8つの選択肢が、全員に対して提示される。
手順2	出題者チームの参加者に個別に、異なる感情／状況が指示される。
手順3	出題者チームは1人ずつ、指定された感情／状況を反映してお題のセリフを読む。このとき、回答者チームがその声にのみ意識を向けられるよう、出題者はカメラ機能をオフにし、回答者に表情が読み取られないようにする。
手順4	1分間のシンキングタイム。回答者チームは、出題者チームの各参加者に、選択肢のうちのどの感情／状況が割り当てられていたのかを予想する。
手順5	回答者チームは、出題者チームの誰に、どの感情／状況が割り当てられていたのか予想を発表する。その際、「なぜそのように予想したのか」、その理由も答える。
手順6	出題者チームは1人ずつ、各自に割り当てられていた感情／状況を発表する。その際、「読むときにどのような点に留意したのか」も説明する。

セリフ①「大丈夫」

```
A. 安心させるときの    「大丈夫」
B. 心配して        「大丈夫」
C. 素っ気ない       「大丈夫」
D. 任せなさいの      「大丈夫」
E. キザに         「大丈夫」
F. 詐欺師の言う      「大丈夫」
G. ビックリして      「大丈夫」
H. 大丈夫じゃないときの「大丈夫」
```

セリフ②「はぁ」

```
A. なんで？の    「はぁ」
B. 力をためる    「はぁ」
C. ぼうぜんの    「はぁ」
D. 関心の      「はぁ」
E. 怒りの      「はぁ」
F. とぼけの     「はぁ」
G. 驚きの      「はぁ」
H. 失恋の      「はぁ」
```

セリフ③ "en noi"

```
A. 願うように    "en noi"
B. マジで？     "en noi"
C. とぼけた     "en noi"
D. なんで？     "en noi"
E. 関心の      "en noi"
F. 心配して     "en noi"
G. キザに      "en noi"
H. 遅刻して謝るときの"en noi"
```

セリフ④ "ba"

```
A. わがままを言うときの "ba"
B. 色っぽい       "ba"
C. 爆笑の        "ba"
D. 威嚇して       "ba"
E. 裏切られたときの   "ba"
F. 緊張して       "ba"
G. 冗談っぽく      "ba"
H. 元気いっぱいに    "ba"
```

図 11-2　4つのセリフと、それに対応する感情／状況の選択肢

●8　例えば、1問目：「大丈夫」の実施中には、参加者の次のような発言があった。ある出題者の読み上げに対し「素っ気ない」大丈夫であると予想した回答者にその理由を尋ねると、「抑揚がない感じがしたから」という回答があり、抑揚、すなわち声の高低、速度、強弱といった要素を傾聴し、それらをあえて変化させなかったのではないかと考えたことが示された。また「大丈夫じゃないときの」大丈夫を表現しようとした出題者に発音に際して留意した点を尋ねると、「顔の表情では表現できないので、声を意識して暗くした」、という音色に対する意識が窺えた。

から借用したものである。これに対し、"en noi" と "ba" は筆者らが創作した「擬似言語」であり、特定の言語的意味の生起を避けて音素が組み合わせられている。

　まず1、2問目を実施し、その後に、強弱、高低、速度、声色等といったセリフの音響的側面が感情／状況の伝達に際する重要な要素であることを参加者と確認した●8。これを踏まえて筆者らは、「感情／状況は、言語的意味の有無にかかわらず伝達可能なのではないか」という仮定を提示し、これを検証する目的で3、4問目を実践した。

■ 意見交換：ゲームを踏まえ、言語的意味を有するセリフである「大丈夫」と「はぁ」、また言語的意味をもたないセリフである "en noi" と "ba" のそれぞれに対し、出題者としてこれを読み上げる際、また回答者としてそれを聴く際に意識したポイントの

相違点、また共通点について、参加者に意見を求めた。その内容を整理し、以下に示す。

　相違点として複数の参加者から挙げられたのは、「"en noi"、"ba"といった意味をもたないセリフを、回答者として聴く場合、それが発せられる状況をイメージできない」ということである。つまり、「大丈夫」や「はぁ」という私たちにとって馴染み深いセリフが用いられた1、2問目の出題や回答に際しては、過去の各々の経験が参照されうるのに対し、実在しない言語である"en noi"や"ba"の場合、それらが単に言語的意味をもたないというだけでなく、「どのような感情／状況を伴って用いられうるのか」、また「どのような含蓄をもちうるのか」といった文化的・社会的意味も想定することもできないということである。

　一方で、共通点として整理されたのは、「セリフに意味のある場合もない場合も、感情／状況を伝えるために、またそれを聴き取るために、強弱、高低、速度、声色等といった音響的要素に留意していた」ということである。特に、言語的意味も理解できず、文化的・社会的意味も想定できないとき、話し手が伝達しようとすることを汲み取るためにできることは、その音響的側面へ注目することのみとなることが確認された。

(3) 鑑賞：《アヴァンチュール》

　このセクションでは、「イントロダクション」において一部を聴いた《アヴァンチュール》を、レクチャーを交えつつ鑑賞した。はじめに、この作品のテクストが言語的意味をもたないものであり、それによって声の音響的な豊かさが自ずと際立っていることが説明された。またこれは、「実験：ベストアクト」において確認された、セリフの「音響的側面の抽出」、すなわち、"en noi"や "ba"のようにセリフが無意味なものとなれば、その声の在りように着目せざるを得ないことに符合するものであることが補足された。続いて譜例や演奏音源を参照しながら、1.2節において既に説明した、この作品に特有の3点のアプローチが解説された。

(4) 表現：言葉から音楽へ

　このセクションは、「実験：ベストアクト」と同じメンバーで行われるグループワークである。

　9つの、言語的意味をもたないセリフを1人1つずつ担当し、まずはそれぞれに指定された感情／状況を反映させながら順番に読み上げることから出発した。セリフと感情／状況の組み合わせ、またその順番は筆者らによって予め決定されたものである（表11-3）。

表11-3　「表現：言葉から音楽へ」で用いたセリフと感情／状況の組み合わせ、またその順

	①	②	③	④	⑤	⑥	⑦	⑧	⑨
セリフ	en noi	sia de	oao	taaaaa on	ba	u	doe	zeze	reeeero
感情／状況	美味しすぎて	恥ずかしがって	緊張して	わがままの	冗談っぽく	元気いっぱいに	心配して	激怒して	パニックになって

　この９つのセリフを用いて試みられたことは次の２つである。１つは、指定された感情／状況に従ってこれらのセリフの音響的要素を強調する方法を、《アヴァンチュール》を参照しながら探ること、そしてもう１つは全体の構成として、９人のセリフとセリフの間合いをどのように設定すれば各自の表現が生かされるのか、グループで話し合いながら調整することであった。この２つのワークを通して、①から⑨まで順に発せられたセリフが一連のものとして、音楽に接近するような音響となることを目指した。以下にa）、b）として具体的に説明する。

■ 各セリフの強弱、長短、高低の工夫：まず行ったのは、参加者らへ表現のヒントを提供することを目的とした、《アヴァンチュール》の内容に基づくレクチャーである。ここでは、この作品において多様に展開される、音の強弱、長短、高低といった要素の在り方を、譜例や音源を交えて筆者らが説明した。そしてこのレクチャーを踏まえ、参加者らによって試みられたのは、指定された感情／状況の強調を糸口に、担当するセリフの強弱、長短、高低を工夫し、各様の音響として表現することである。その後グループワークに戻り、あらためて各セリフを読み上げてもらうと、感情／状況を反映した参加者それぞれの創意が認められた。例えば、表 11-3 中の⑨ reeeeero（パニックになって）に対して、一方のチームの参加者は、全体的な声量を強め、音の高低を細かく波打たせながら“e”を長く引き延ばしたが、もう一方のチームの参加者は、“re”の発音に幾分重みをもたせ、勢いのままに“ro”を発音した。同じセリフと感情／状況の組み合わせが、各参加者の発想によって２つの全く異なる音響となったことがわかる。

■ セリフどうしの間合いの工夫：ここでは、参加者各自のセリフの音響への工夫を踏まえ、それらを生かしながら９つのセリフどうしの間合いを調整し、全体の構成を決定した。一方のグループでまず行われたのは、９つのセリフとセリフを畳み掛けるようにしてみたり、終わりに向かうに従って次第にセリフどうしの間合いを長くとってみたりと、いくつかの方法を試すことである。その結果、「間合いが次第に詰まっていく方が緊張感があるのではないか」という意見にまとまった。さらに、これをもとに提案された、「⑤ ba（冗談っぽく）と⑥ u（元気よく）という１音節の連続によって最も緊張感が高まったところで一瞬の沈黙を挿入してはどうか」という意見や、「沈黙が明けたあとの⑦ doe（心配して）、⑧ zeze（激怒して）、⑨ reeeero（パニックになったときの）では再び、終わりに向かって畳み掛けていくのはどうか」という意見が反映された。こちらのグループは、⑤ ba（冗談っぽく）と⑥ u（元気よく）、そしてそれに続く沈黙を小さなクライマックスとし、それが生かされるよう全体の構成を決定していった。もう一方のグループではまず、セリフどうしの間合いがそれぞれ異なるものとなるように読み上げる方法を試し、その後、参加者各自が自分の前のセリフとどの程度間合いを取りたいか、意見を述べながら調整していく形がとられた。１つのクライマックスを設定して全体を構成した先述のグループに対し、こちらは、前後の関係に注意を向け、それを細かく調整していくことで一連の掛け合いを組み立てていった。

③ アンケート調査と結果

3-1　手順

　アンケート調査は、ワークショップ終了後に Google フォームを用いて行った。回答は任意であり、今回は全参加者 18 名の約 8 割に相当する、14 名より回答を得られた。全 5 問の質問のうち、本論では以下 2 問を考察対象として扱う。

- 質問 A-1：ワークショップ前後で言葉や音楽の捉え方に変化があったか
  　　A-2：言葉や音楽の捉え方がどのように変化したか
- 質問 B：ワークショップ全体の感想

　回答方法は、質問 A-1 が「かなり変わった」「変わった」「どちらとも言えない」「全く変わらなかった」の 4 段階評価、質問 A-2 及び質問 B は自由記述とした。

3-2　結果

■ **質問 A**：質問 A-1 では全回答者の 71.4％ にあたる 10 名が、ワークショップ前後に言葉や音楽の捉え方が「かなり変わった」あるいは「変わった」と回答した。またこれらの回答者のみを対象とした質問 A-2 では、10 件中 5 件の回答に、言葉及び日常会話と音楽の連続性への気づきが表れていた。回答例を以下に示す。

　　「日常会話と音楽のつながりを意識するようになった」
　　「言葉が音楽につながることが面白いと思った」

　2 節で説明したような、身近な言葉の表現から出発し音楽作品へと接近していく、という本ワークショップの構成が、このような参加者の発見を促したと言えるだろう。また次に示す回答は、言葉と音楽の連続性を捉える上で、言葉に感情を乗せる過程に着目している。

　　「言葉と音楽は切り離されたものではなく、言葉に感情を乗せることで音楽的になるということがわかった」

　「実験：ベストアクト」や「表現：言葉から音楽へ」で確認したように、私たちは発話に感情を込める過程で、その音響的側面を即時的かつ無意識的に操作している。この参加者は、こうした操作の過程や、結果として生まれうる音響の多様さに、言語表現と音楽表現の共通性を見出したと考えられる。

■ **質問 B**：回答は「声のもつ多様な表現可能性への気づき」「音楽に対するイメージの再構築」「日常において馴染みのない物事との出会い」の 3 カテゴリーに大別され

表 11-4　質問 B「ワークショップ全体の感想」回答（一部）

	回答例	カテゴリー		
		声のもつ多様な表現可能性への気づき	音楽に対するイメージの再構築	日常において馴染みのない物事との出会い
1	言葉の意味そのもの以上に声には情報が詰まっていることに気が付いた。	○		
2	音声だけで感情表現する方法は声の大きさや抑揚、間合いなどいろいろあるのが面白いと思いました。	○		
3	新たな視点で音楽について考えることができ、「音楽」の概念が大きく変わりました。		○	
4	音楽は好きでよく聴いているのですが、歌詞があってメロディーがあっての音楽だと思っていたので、言葉だけに着目して音楽として捉えてみるというのは新鮮で面白かったです。		○	○
5	初めはただのオノマトペのようであった《アヴァンチュール》が、講義後には歌であり感情があるように感じた。		○	○
6	アマチュアとして音楽に触れてきましたが、《アヴァンチュール》のような現代音楽には触れてこなかったために驚きでした。演者の受け取り方によってかなり違う音楽になる点で、余白の大きい音楽のあり方を示していることに新しさを感じました。		○	○
7	《アヴァンチュール》を聴き、今まで聴いてきた音楽とは異なる形でも確かに音楽として成立していることを実感した。		○	○
8	ベストアクトが楽しかったです。意味のない言葉でやるのは初めてでとても新鮮でした。			○

る（表 11-4）。

　「声のもつ多様な表現可能性への気づき」のカテゴリーは本ワークショップの目的に対応しており、強弱、長短、高低、声色、間合いといった声の表現における諸要素や、コミュニケーションにおけるそうした言語的意味以外の要素に対する参加者の意識の高まりを示すものである。また表に示される通り、「音楽に対するイメージの再構築」「日常において馴染みのない物事との出会い」の両カテゴリーに当てはまる回答が散見された。このことからは、セリフの音楽的構成を試みた体験やこれまで触れてこなかったジャンルの作品である《アヴァンチュール》の鑑賞といった、参加者にとって馴染みのない物事との出会いによって、メロディーの条件や音楽自体の在り方等に対する個人の認識が再確認され、そのイメージが再構築されたことが考えられる。

4　考察：「観賞から表現への触発」の観点から

　本節では、これまでの内容を踏まえつつ、本ワークショップにおいて「観賞から表現への触発」がどのように生じ得たのか、特に、《アヴァンチュール》という作品が、「表現：言葉から音楽へ」の実施に際してどのように作用していたのか、という観点から

あらためて本企画を検証することとする。

《アヴァンチュール》の作用は、次のような２つのレベルから説明されよう。まず実践的なレベルとしては、《アヴァンチュール》のいくつかの部分を譜例や音源と共に紹介しつつ、参加者らの表現における音響的要素の工夫のためのヒントを提供したことで、この作品の手法が参加者によって様々な形で援用されたことが該当するだろう。実際、「表現：言葉から音楽へ」におけるこうしたヒントのレクチャーの前後で、参加者によるセリフの表現には変化が認められた。例えば、表11-3 中の① en noi（美味しすぎて）を担当した参加者は、当初各音の長さを均等に発音していたのに対し、後には"o"を特別長く引き延ばすというアレンジを見せていた。他にも、⑤ ba（冗談っぽく）を担当した参加者は、音高を滑らかに下降させつつやや長めに発音する、という表現から、"b"を鋭く発し、続く"a"の音を、強弱や高低を様々に変化させながら長く引き延ばす、というものへ変化させていたことが挙げられよう。

そしてより根本的なレベルとして、次の２点を説明できよう。１点目は、作品としての《アヴァンチュール》が、「表現：言葉から音楽へ」の課題の意図やその構想の共有を支えたと考えられることである。例えば当作品は、本ワークショップにおける「音楽」という概念の射程を参加者に伝えることに寄与していたのではないか。３節において、複数の参加者が自身の「音楽に対するイメージの再構築」を経験したことが確認されたように、本企画で扱った「音楽」の概念と、参加者の従来的な認識におけるそれは、必ずしも重なり合うものではなかったと言える。「言葉と連続的である音楽」とはどのようなものなのか、《アヴァンチュール》によってその具体的な一例が示されたことによって、各参加者がセリフを展開させてゆく方向性が得られたのではないだろうか。そして２点目は、《アヴァンチュール》が参加者に対し、「言葉を音楽に接近させる」という試みを行うことそのものに対する意義を明確にしたと考えられることである。例えば「鑑賞：《アヴァンチュール》」において、この作品が、発話の模倣という作曲家のアイデアから出発していること、またそのアイデアが反映された、作品内の様々な手法が示されたことは、参加者が「実験：ベストアクト」において向き合った言葉や擬似言語が、芸術音楽の素材になりうる音響であるのだということを印象づけたのではないだろうか。

5　まとめ：未知と日常の対照、音楽と言葉の往来

ある参加者によるワークショップ後の次のような発言は、よりマクロな「触発」、すなわち、彼女のその後の日常生活における意識への、本企画の波及を期待させるものである。

「スタジアムとかで、点が入ったときの「おぉ〜」と、点が入れられちゃったと

きの「おぉ～」(は違う) …… (今回のワークショップ内の実践のように座ったままではなく)動作をしながら言ったら、より感情がついてくるから音楽チックになるのかなぁって思ったんです」

　本ワークショップのデザインの根幹の一つには、日常的な言語コミュニケーションと、3節においても言及した「日常において馴染みのない」ものとしての《アヴァンチュール》との対照があった。すなわち、日頃の言語コミュニケーションを端緒に前衛音楽を掘り下げたり、また反対に、音楽作品を通して言語コミュニケーションを捉え直したり、という二者の呼応があったのであり、上述の発言からは、この参加者がこうした呼応関係の中に自らの経験を投影させ、人々の歓声という本来凡そ音楽とは結びつきにくい音響に対し、彼女なりの音の楽しみを見出したのだということがわかる。

　そしてこうした対照関係とともに、《アヴァンチュール》を含む「音楽」、また言語コミュニケーションを構成する「言葉」、この2つの概念を連続的な関係として捉えたことは、本企画を支えるもう一つの構造であった。ワークショップを通して、参加者が言葉と音楽の間のグラデーションを観察したことは、「音楽はいかにして音楽たりうるのか」、すなわち「音楽が音楽であるために不可欠な要素とは何か」という大きな問いに向き合うことでもあったように思われる。本ワークショップの過程には、そうした音楽の定義そのものが間接的に思索されうる場面が度々あった。例えば「どのような要素が変化することで、言葉は音楽へと接近するのだろうか？」「日常的な発話行為と《アヴァンチュール》の決定的な違いとは何だろうか？」「ワークショップ最後のグループワークで構成した一連の声の音響は、果たして音楽と呼べるものなのか、否か？」といった疑問が浮かび上がったときには自ずと、参加者各々がこれまで構築してきた「音楽」の概念を顧みたのではないだろうか。

　さらに、こうした問いを通じて言葉と音楽の不確定な境目を往来することは当然、言葉の認識の在り方にも働きかけ、日常的な言語コミュニケーションを捉え直す視座を与えよう。冒頭で紹介したシェーファー (1970) が指摘するところの、現代の「単調なつぶやき」となった言語コミュニケーションであっても、それは〈意味〉を示すだけの記号のやりとりでは決してなく、そこにある様々な声の様相――言葉に内在する「音楽性」――が多くの情報を伝えている。本ワークショップにおいては、言語を〈音〉という広い地平からあらためて観察することによって、それが音楽的表出と地続きにある「声の表現」であることが確認されたのではないだろうか。

(著者・企画：古山詞穂(1)・澤田怜奈(1)・田舎片麻未(2)
実践担当：古山詞穂(1)・澤田怜奈(1)
所属等：(1) 東京藝術大学、(2) 東京藝術大学 (執筆時)、(3) 愛知教育大学

【引用文献】

岡田 猛・縣 拓充 (2012). 芸術表現を促すということ：アート・ワークショップによる創造的教養人の育成の試み　KEIO SFC JOURNAL, **12**(2), 61-73.

Jespersen, O. (1922). *Language: Its nature, development and origin.* G. Allen & Unwin.　（イエスペルセン，O.／市河三喜・神保 格（訳)(1956). 言語：その本質・発達及び起源　岩波書店)

Ligeti, G. (1964). *Aventures.* Henry Litolff / C. F. Peters.

Ligeti, G., Várnai, P., Häusler, J., &Samuel, C. (1983). *György Ligeti in conversation with Péter Várnai, Josef Häusler, Claude Samuel, and himself.* Eulenburg.

Mithen, S. (2005). *The singing Neanderthals: The origins of music, language, mind, and body.* Orion Publishing. （ミズン，S.／熊谷淳子（訳)(2006). 歌うネアンデルタール：音楽と言語から見るヒトの進化　早川書房)

Nuckolls, J. (1996). *Sounds like life: Sound-symbolic grammar, performance, and cognition in Pastaza Quechua.* Oxford University Press.

Schafer, R. M. (1970). *When words sing.* Berandol Music.

第12章

ひらけ感覚！　絵を奏でよう、音を描こう
美術作品を題材とした音楽づくりに関するワークショップ

1　はじめに

　美術作品と音楽作品はこれまで互いに影響を与え合ってきた。例えば、ムソルグスキーの《展覧会の絵》は絵画作品が作曲の着想となっている。他方、カンディンスキーはシェーンベルクの音楽に影響を受けて作品を制作したといわれている。このように、歴史上、音楽と美術が相互に影響しあって芸術作品が生まれる事例は数多く存在する。さらに、美術作品と音楽作品との共通点に着目した展覧会の分析（小島、2014）や、実際に絵画作品を基にした音楽づくりの実践等も報告されている（例えば小島、2020）。

　学校教育においても、教科間の関連が重要視されており（中央教育審議会、2016）、音楽科と図画工作科それぞれの小学校学習指導要領解説においても、両教科の要素が相互に関連していると捉えられる点が指摘できる（文部科学省、2017a, 2017b）。例えば、音楽科では、つくった音楽を記録する方法として、「図や絵によるもの」（文部科学省、2017a, p.133）が挙げられ、「つくった音楽を視覚的に捉えたり、その音楽を再現したりする手掛かりとなるよう記録の方法を工夫することが大切である」（文部科学省、2017a, p.134）と解説されている。鑑賞においても、絵や図で表すことで曲の特徴を理解し、他児と共感できるようになることが言及されている（文部科学省、2017a, pp.134-135）。他方、図画工作科においては、「視覚だけでなく触覚や聴覚などの様々な感覚を働かせて鑑賞する」（文部科学省、2017b, p.32）ことが鑑賞活動の例として挙げられている。このように、音楽科と図画工作科の学習指導要領解説には、複数の感覚を働かせることの重要性が示されている。そのため、美術と音楽が関連した実践を通して、児童の諸感覚を働かせるような活動を行うことは、大きな教育的意義がある[1]。

　そこで、本稿では美術館で美術作品を題材とする音楽づくりのワークショップを企画し、その事例を詳細に分析することを通して、児童は美術作品をどのように音楽として表現するか、その過程で何に対して感覚を働かせるのかを探る。そして、児童の諸感覚を刺激し、音楽づくりを促進させるにはどのような美術作品を選定すべきか、どのような支援が必要かを明らかにする。

[1]　本研究は美術館における美術と音楽を関連させたワークショップを対象とする。なお、図画工作科と音楽科の合科的・横断的な活動に関しては井上（2010a, 2010b, 2011）等の一連の研究を参照されたい。

❷　ワークショップの概要と流れ

2-1　ワークショップの概要

　ワークショップは2015年3月28日、東京都現代美術館で行われた。ファシリテーターは、第一著者と美術家の木坂宏次朗氏、東京都現代美術館の教育普及係長で学芸員の郷泰典氏であり、音楽の創作を専門とする音楽教育研究者の木下和彦氏と東京都現代美術館の学芸員1名が加わりワークショップを進行した。対象者は都内の小学校に通う5年生の希望者9人（男児2人、女児7人）である。第一著者と美術館の学芸員が事前にこの小学校を訪問し、ワークショップの趣旨を説明後、書面にて希望者を募った。参加を希望する児童とその保護者には、書面において、研究の目的でワークショップの動画や音声を記録すること及び個人が特定されない形で記録や調査結果が公表されることを説明し、書面にて同意を得た。

2-2　ワークショップの流れ

　ワークショップは表12-1の流れで行われた。各活動の内容は以下の通りである。

表12-1　ワークショップの流れ

活動項目	活動内容	時間
1. 開始前	・班分け（1班4人、2班5人）	
2. 導入	・聴く活動 ・リズムの模倣と創作の活動 ・好きな楽器を選んで音を重ねる活動 ・音を奏でる班が奏でた音を、絵を描く班が大きな紙に描く活動 　・1班：絵を描く／2班：音を奏でる 　・1班：音を奏でる／2班：絵を描く	約70分
3. 美術作品の鑑賞	・1班の鑑賞作品：伊藤公象《アルミナのエロス（白い固形は…）》 ・2班の鑑賞作品：宮島達男《それは変化し続ける　それはあらゆるものと関係を結ぶ　それは永遠に続く》	約20分
4. 音楽づくり	・美術作品の鑑賞に基づいた音楽づくり（各班で別室に分かれて音楽をつくる）	1班約50分 2班約30分
5. 美術作品の再鑑賞	・自分たちでつくった音楽を聴きながら「3. 美術作品の鑑賞」と同作品の再鑑賞	約20分
6. つくった音楽の発表	・1班：演奏／2班：1班の演奏を聴きながら1班の鑑賞した作品を想像する ・2班：演奏／1班：2班の演奏を聴きながら2班の鑑賞した作品を想像する	約10分
7. 総評	・ファシリテーターの感想 ・児童の感想	約10分

(1) 開始前

　ワークショップが始まる前に、参加の児童を1班4人、2班5人の2グループに無作為に分けた。

（2）導入（約70分）

　音楽づくりの準備として、聴く活動、リズムの模倣と創作の活動、好きな楽器を選んで音を重ねる活動から開始した。続いて、音楽と美術の関連をイメージするために、ワークショップが始まる前に分けた2グループでそれぞれ絵を描く班と音を奏でる班に分かれて、音を奏でる班が奏でた音を、絵を描く班が大きな紙に描くという活動を交互に行った。

（3）美術作品の鑑賞（約20分）

　班毎に異なる美術作品を鑑賞し、鑑賞シートに記入した。鑑賞シートの項目は、「作品を見て気づいたことを書こう」「作品を見てどんな気持ちになったかな」「作品に自分のタイトルをつけよう」であった。

（4）音楽づくり（1班約50分／2班約30分）

　グループで各自の鑑賞シートと学芸員が事前に撮った美術作品の写真を見ながら、作品を鑑賞して抱いたイメージや美術作品の特徴の一部から連想したことを基に音楽づくりを行った。

（5）美術作品の再鑑賞（約20分）

　「3. 美術作品の鑑賞」（表12-1）で鑑賞した作品を、「4. 音楽づくり」（表12-1）でつくった自分たちの音楽を聴きながら再度鑑賞した。「3. 美術作品の鑑賞」（表12-1）で記入した鑑賞シートと同じ形式のシートに、鑑賞から気づいたことや感じたことを再度記入した。なお、児童は2度の鑑賞において自分の班の美術作品のみを鑑賞し、ここまで他の班の美術作品は鑑賞しなかった。

（6）つくった音楽の発表（約10分）

　児童が自分たちの班でつくった音楽を相手の班の前で発表した。他班の音楽を聴いた児童はその班がどのような美術作品を鑑賞したのか想像して感想を述べた。最後に、それぞれの班が鑑賞していた作品の写真が示された。

（7）総評（約10分）

　ファシリテーターが、上記の活動で、児童が工夫した点、創造的だった点などを話し、児童が活動の感想を述べた。

③　ワークショップの詳細と児童の表現

　鑑賞シート、できあがった音楽の記述、音楽づくりの発話データを本文に一部引用、

要約しながら、美術作品に対する児童の着眼点、音楽づくりの内容、音楽づくりを経験した成果を検討する。そして、児童が美術作品の鑑賞から得られた着想を音楽づくりに生かして表現する過程を明らかにする。

3-1　美術作品の鑑賞

　「3.美術作品の鑑賞」（表 12-1）において、児童が作品のどの側面に着眼して鑑賞したのかを、鑑賞した作品の特徴とファシリテーターの支援、鑑賞シートの記述内容を基に検討する。

(1) 鑑賞した作品の特徴

　1 班は、伊藤公象の《アルミナのエロス（白い固形は…）》を鑑賞した。この作品は、大量の白い固形ピースから成る作品で、展示する度に作家がピースを置いていくため、展示毎に作品全体の形が変わるという特徴をもつことが指摘されている（森、2009）（巻頭口絵 4）。この作品は、大量のピースが 1 階の展示室に置いてあり、周囲から鑑賞できる。さらに 3 階まで移動する過程で様々な高度から多角的に作品を見渡すことができる。加えて、1 階には作品のピースに触れることのできるコーナーが設けられていた。

　2 班は、宮島達男の《それは変化し続ける　それはあらゆるものと関係を結ぶ　それは永遠に続く》を鑑賞した。この作品は、赤色のデジタル・カウンターを用いた作品で、数多くの数字が、赤色でなおかつ異なる速度で 1 から 9 までカウントし、一瞬の闇の後に再びカウントが繰り返されるという特徴がある（藤井、2014）（巻頭口絵 5）。東京都現代美術館の学芸員の話によると、この美術館の教育普及のプログラムでは、この作品を用いてカウンターと自分の脈を比べるという鑑賞方法を行っていた[2]。

(2) 鑑賞時のファシリテーターの支援

　1 班において、ファシリテーターの学芸員は、まず作品が展示されている 1 階の展示室で児童に作品を一度鑑賞させてから、3 階に至る階段に児童を案内した。この間、それぞれの場所で作品のイメージを児童に問いかけた。次に、作品のピースを触るコーナーに児童を案内し、児童たちにそれらを触らせるだけでなく、においをかがせたり、ピース同士をぶつけさせてその音を聴かせたりして児童を素材に接近させた。その後、過去に展示された時の写真がある場所に案内し、ピースの置き方により全体の形が変化することを説明した。

　他方、2 班において、学芸員は作品に近づいたり離れたりしながら様々な位置で鑑賞するよう、児童に促していた。

(3) 鑑賞シートの記述内容

　表 12-2 の 1 班の鑑賞シートの記述から読み取れる特徴は、複数の感覚を働かせた作品の鑑賞である。この点は、「作品を見て気づいたことを書こう」の欄の素材や質

●2　カウンターと脈を比べる鑑賞方法は、東京都現代美術館 Web サイトにある教育普及ブログ「手話ナビゲーターとめぐるギャラリークルーズ」（2014 年 12 月 13 日）に掲載されている。
https://www.mot-art-museum.jp/blog/education/2014/12/post_470/（最終閲覧日 2021 年 10 月 17 日）

表 12-2　1 班の鑑賞シート（原文ママ）

児童	作品を見て気づいたことを書こう	作品を見てどんな気持ちになったかな	作品に自分のタイトルをつけよう
A	・建物に見える。 ・色がついている。 ・雪が積もっている。 ・はじとはじの方は四角くなっている。 ・岩のかたまりに見える。 ・しん災がおきた後の町の様子。	・不思議な形になっておもしろい。 ・楽しい感じ。	白い町
B	・建物と山に見える。 ・ひびが入っている。 ・小さい部ひんがある。 ・茶色やうすピンクと白色がある。 ・分かれている物が小麦粉に見える。	・とても良いアイディアでおもしろくて、楽しい作品だと思う。	白（はく）の建物
C	・いせきみたい。 ・とおくから見て、はっぽうスチロールかと思った。 ・やき物だとは、分からなかった。 ・デコボコしてる。	・さわってみて、かたいのに、きづいて、びっくりした ・不思議な形をしていると思った。	白のいせき
D	・建物がならんでいるみたい。 ・岩みたい。 ・固そうでごつごつしていそう。→結果固かった。 ・1つのものがかたまってできた感じ。	・でこぼこな場所があったり、少し平らな場所があるので	（記述なし）

表 12-3　2 班の鑑賞シート（原文ママ）

児童	作品を見て気づいたことを書こう	作品を見てどんな気持ちになったかな	作品に自分のタイトルをつけよう
E	ゆっくり数字が変わるものもあればはやく動いたりふつうに動いている。数字がないところもある はやい数字は約2秒くらいで終わってしまう。 おそい数字は5秒以上かかって終わった。	数字がバラバラに動くことで図形ができた。	動く数字
F	1、2、3・・・に変わる時期がちがう。 （すごくおそいものもあれば目に見えないくらい速いものもある） 遠くから見たら赤と黒の2色だけ。 同じタイミングで1〜9になるものが少ない	不思議な感じ。 何の数字（タイミング）か分からないからおもしろい	赤・黒・数ストーリー
G	数字のやつ・・・ちょー早く動いている。でこぼこしている。明るいのと暗いのがある。消えているのがある。123456789で動いている。一つのやつによって動くスピードがちがう。 なんかの機械が表す表示に見える。下がテレビみたい。	秒数と同じ早さはないかなーと思って、さがしたくなる。	（記述なし）
H	・早いのもあれば、とてもゆっくりなのがある。	・目がちかちかして、目がまわりそう。	1〜9のいろんなはやさのすうじ
I	それぞれの強さと速さがちがう 1〜9までしか数字がない 赤い くらべないと分からない	それぞれの速さが強く出てる個性	運命（さだめ）

感に関する記述から読み取れる。「やき物だとは、分からなかった」（児童C）「固そうでごつごつしていそう。→結果固かった」（児童D）という児童の記述から、ピースに触れることで、素材の硬さを実感したことがわかる。児童が硬いと感じたのは触覚からの情報によることは自明であるが、それに加えて、ピース同士をぶつけた音を聴いたことも硬さの実感につながっている可能性が考えられる。これらのことから、1班では、視覚だけでなく、触覚や聴覚といった複数の感覚を働かせて、児童は作品を理解しようとしたことが窺える。

　他方で、表12-3の2班の記述した鑑賞シートには、数字のカウントの速度に関する記述が圧倒的に多い。特に「ゆっくり数字が変わるものもあればはやく動いたりふつうに動いている」（児童E）というように、数字同士を比べて変化の速度を記述したものが目立つ。その他には、「遠くから見たら赤と黒の2色だけ」（児童F）という「色」に関する記述や「明るいのと暗らい〔ママ〕のがある」（児童G）という「明度」に関する記述があった。

3-2　音楽づくり

　次に、各班のつくった音楽作品を記述し、音楽づくりの過程、「何か違う」という発話を考察する。

(1) 各班の音楽作品

　以下に、各班がつくった音楽作品を記述する。

■1班：ツリーチャイムを低音からグリッサンドする音群で始まり、2人の児童が2音と1音で分担してトーンチャイムでE4-E5-C5を順番に鳴らし、この音型を繰り返す。この音型は、♩♩♩♪のリズムを刻み、拍感が生まれる。次に、鉄琴の前に2人立ち、トーンチャイムのオスティナートと異なる速度で各人が旋律を重ねる。鉄琴を奏でるうちの1人はB3-G3-B3-G3-B3-G3-B3-G3-A3-F3-A3-F3-A3-F3-A3-F3の音型を繰り返す。もう1人はD5-F5-C5-E5の音型を繰り返す。前者のパートは後者のパートの倍速で奏でる。トーンチャイムの音型が8回繰り返されるとトーンチャイムの2人がE4-E5-C5を一斉に鳴らす。この和音が契機になって鉄琴による2声の旋律が止まる。最後にもう一度トーンチャイムのE4-E5-C5の構成音による和音と鉄琴の鍵の両端からのグリッサンドで曲が締めくくられる。

■2班：5人の児童が「遅い」「やや遅い」「ふつう」「やや速い」「速い」の5種類の異なる速度で音を連打する。「遅い」速度のパートはトーンチャイムのG#3とG#4の2音を重ねた音、「やや遅い」速度のパートはトライアングル、「ふつう」の速度のパートはカスタネット、「やや速い」速度のパートはパドルドラム、「速い」速度のパートはスネアドラムによってそれぞれ一定の間隔で音が奏でられる。まずトーンチャイムのパートから始まり、トーンチャイムを奏でる児童が1から10までカウントしてからもう一度音を鳴らすと、トライアングル、カスタネット、パドルドラム、スネアドラムの順で各パートを担当する児童が演奏を開始する。全員の音が重なってしばらくする

と、今度は始まった順番と反対にスネアドラムのパートから徐々に抜けていき、最後にトーンチャイムのパートが残る。トーンチャイムが9回音を連打すると曲が終了する。

(2) 各班の音楽づくりの過程

■1班：1班の音楽づくりは概ね、鑑賞の共有、音素材の探索、試奏と音楽の構造に関する議論の順で進んだ。

　鑑賞の共有では、ファシリテーターの「見てみてどうだった？」という問いかけに対して、ピースが「白い」「硬い」等、児童が作品の特徴を挙げて、班員全員で共有した。その過程で、「すごいおだやかだったよね」（児童B）「さわやかな感じがした」（児童C）など作品に対する児童のイメージが挙げられた。

　鑑賞の共有を行った後、音素材の探索が行われた。例えば、鑑賞時に触って認識した「硬い」という作品のピースの質感を、太鼓、ウッドブロック、クラベスの各楽器で表せないか、楽器を触りながら、音に耳を澄ませた。

　音素材の探索後、選択した音素材を並べて、試奏を何度も行いながら音楽の構造を議論した。まず、トーンチャイムと鉄琴の音型をつくった。「おだやか」「さわやか」という児童が共有したイメージに基づいて、「じゃあ、低い音と高い音と合わせてみればいいじゃん」（児童A）「ドで合わせるんだったらミとかでしょ」（児童D）などと話し合いながら、音程や音高の組み合わせを計画した。鉄琴の音型は、「隣同士の音をかぶせない方がいいと思う。その方がきれいになる」（児童C）と話し、児童のもっている音楽の知識や感覚に基づいてつくられた。次に、ファシリテーターは、「これ（ツリーチャイム）で始まって、トーンチャイムを繰り返して、この2人の鉄琴はどうやって入ってくるの？」と質問し、これまでに決まったことを整理した。そして、鉄琴の2パートがどのように重なるかを検討するように促した。児童は試奏を繰り返しながら、各パートで速度感の異なる音楽を完成させた（鉄琴の2パートの重なり方を検討する場面に関しては「(3)「何か違う」という発話」の「■1班」を参照されたい）。

　1班では、音素材の選択や音楽の構造を議論する過程で、作品の特徴やそこから感じ取ったイメージを根拠とした。しかし、音楽の構造を決定するために、ファシリテーターの支援の下で試奏を何度も繰り返しながら検討することとなった。

■2班：2班の音楽づくりは概ね、鑑賞の共有と音楽の構造に関する議論、音素材の探求、試奏、音素材の再探求、試奏の順で進行した。

　鑑賞の共有と音楽の構造に関する議論では、異なる速度でカウントを繰り返す数字の集合を異なる速度の音群で表現しようというアイデアがまとまった。音楽づくりの冒頭では「ねえ、思ったんだけどさ、全部さ、一つ一つさ、タイミングが違うから」（児童F）と、数字の変化する速度の違いが指摘され、「5人いるんだから、一番速いのと一番ゆっくりなのと、まあまあ速いのとまあまあゆっくりなのと、普通」（児童H）という発話が生起している。これらの発話から、それぞれの児童が異なる速度で表現しようと計画していることがわかる。各児童が異なる速度をそれぞれ分担して一定の間隔で音を連打し、それらを重ねるという構造は、児童のみの話し合いにおける

早い段階で挙げられ、このアイデアに基づいて音楽づくりが展開された。児童たちは音楽の構造を共有すると、誰がどの速さを演奏するかという速度の分担とどの楽器で演奏するかを、音素材の探索を行う前に話し合った。ファシリテーターは、速さの分担と楽器の種類を話し合っている段階から児童の話し合いに関わり、曲の長さ、曲の始め方、終わり方を児童に計画するように促した。「どれぐらいの長さの曲をつくるかっていうことも考えるといいよね」とファシリテーターが提案すると、児童たちは作品のモチーフが1から9までカウントすることを根拠に「でも絶対一番最後の人が9までいくまでにはやりたいじゃん」（児童F）「一番遅い人が」（児童I）「あ、一番遅い人が9まで行ったら終わり」（児童G）と言い、作品の長さを計画した。続けて「一番遅いのだと、このくらいの速さでしょ」（児童I）と1人の児童が手拍子で速度を提示すると、児童たちが各々の速度を手拍子で示して重ねた。ファシリテーターは、児童たちの間で曲の長さやパートの重なり方が共有できていることを把握すると、「そしたら始まり方と終わり方を考えてみよう。終わり方はなんか見えそうだね。どうやって始まる？」と問いかけ、音楽の構造が整うように促した。児童たちが「一番遅い人から始めてどんどん速くなっていく」（児童G）「一番遅いやつから始めて一番遅いやつで終わればいい」（児童H）と答え、音楽の構造が決定した。

続いて、児童たちは音素材を探索した。楽器を試奏する前に一人の児童が「遅いやつだと、一番響くやつのほうがいいよね」（児童I）と発話し、「遅い」速度を担当する児童ほど残響のある楽器を選択した方がいいのではないかという提案があった。このアイデアは、音楽の構造が計画できているからこそ、創発されたものである。音素材を選択する段階で、音楽の構造を念頭に置いたことで、音響に着目して楽器を選択することになった。

その後、児童は選んだ音素材を用いて、自分たちが計画した音楽の構造に沿って試奏した。試奏で生じた違和感から、音素材の探索を再度行った（この場面に関しては「(3)「何か違う」という発話」の「■2班」を参照されたい）。最後に、その音素材で音楽を試奏し、自分たちの音楽を完成させた。

2班の音楽づくりでは、作品の各数字が変化する速度を土台として音楽の構造が計画され、その構造に基づいて音素材や速度などが検討されていった。このことから、音楽づくりの一連の過程で、それぞれの段階が有機的に関連していることがわかる。

■両班の音楽づくりの比較：音楽づくりの過程における両班の違いは、音素材の探索と音楽の構造を検討する順序である。1班が音素材をある程度選択してから、楽器の試奏を通して音楽の構造を検討していったのに対して、2班は最初に音楽の構造を計画してから音素材を探索した。この手順の違いによって、音楽の構造を議論する過程でも違いが生じることになった。1班は、楽器を試奏しながら、音を聴いて音楽を構築していった。それに対して、2班は、発話と手拍子のみで、音楽の構造の主要な部分を計画した。

さらに、音楽の構造に関して、両班でファシリテーターの支援の度合いに差が生じた。1班は、音楽の構造を決定していく過程で、ファシリテーターの音楽的知識が活

かされる場面が多かったのに対し、2班はファシリテーターの支援がない段階で、速度の違うパートを重ねるという構造が決まった。

　両班の違いは、ファシリテーターの問いかけへの応答においても見られた。1班はファシリテーターの問いかけに試奏を繰り返すことで応答していた。それに対して、2班は試奏なしでも作品の特徴を根拠に児童からアイデアが挙げられていた。

(3)「何か違う」という発話

　音楽づくりの過程で、両班共に「何か違う」という発話が生じた。これは違和感を覚えたときの発話である。違和感を覚えるのは、児童がイメージをもちながら試奏を聴いた結果、イメージと試奏との間に差異が生じているからである。そこで「何か違う」の発話に着目し、児童が何に感覚を働かせたのかを検討しよう。

■1班：1班において、「何か違う」という発話は3回生じた。1回目は、音素材を探索している場面で、乳児用玩具を試しに鳴らした時であった。この場面で児童は、鑑賞の共有で挙げられた作品の特徴である「硬い」や作品から生じたイメージである「おだやか」「さわやか」を念頭に置いて音素材を探索していた。この状況を踏まえると、児童が「何か違う」と言ったのは、鑑賞で得られた触覚からの情報や作品から想起したイメージと乳児用玩具から発せられた音との間に共通点を見いだせなかった結果だと考えられる。

　2回目は、トーンチャイムのパートと鉄琴の2パートとの重なり方を検討している場面である。試奏の結果、両パートの速度が合わなかったため、各パート間で拍節が偶然ずれた。すると、トーンチャイムの児童が「ここのリズムとここのリズムが何か違う」（児童D）「うんだからそこを合わせなきゃ」（児童C）と言った。ファシリテーターは、これらの発話に対し、「これ、違うのは違うので面白いよ。あの見たやつって（児童の鑑賞シートを見ながら）でこぼこ、でこぼこでしょ。だからいいんじゃない」と述べ、作品の特徴を根拠に児童の試奏を肯定しながら、各パートで速度が一致していなくても音楽として成立するというアイデアを提案した。このアイデアに児童は「だから別にずれてもいいんじゃない。ずれてていいと思う」（児童C）と納得した。しかし、試奏において各パートの速度がずれると、トーンチャイムの児童たちが戸惑って試奏を止めようとする。その児童たちに向かってファシリテーターは、「いいよ、続けて」と言って試奏を続けるように促した。

　3回目は、トーンチャイムと鉄琴の2パートそれぞれの速度をずらす計画で試奏する場面である。各パートを異なる速度で試奏しようとするが、鉄琴同士の速度が一致する。「うん？　何か違うかも」（児童B）「Bいっしょだよ」（児童A）「Bはもっと速さ変えるんでしょ」（児童C）と児童は発話しながら試奏を繰り返した。その結局、鉄琴のパートは、下パートが上パートの倍速で演奏する形で計画が落ち着いた。

　以上をまとめると、2回目と3回目の場面からは、児童が試奏しながら自分のパートだけでなく他児のパートを聴くことができていたから違和感を抱いたことが読み取れる。さらに、偶然成立した試奏に児童が違和感を抱いたが、作品の特徴を根拠とし

て、ファシリテーターが児童の試奏を肯定したことで児童が納得し、速度感の不統一な音楽を試みたことがわかる。

■2班：2班において、「何か違う」という発話が生じたのは次の1場面である。2班では、前述の通り、音楽の構造が決まり、音素材を選択した後に試奏を行った。その際、音素材の組み合わせに対して「何か違う」（児童F）「楽器、違うのにする？」（児童F）「大きい、音が。全然聞こえない、こっち」（児童F）という発話が生じた。これらの発話から、児童が音を聴こうとしていることが読み取れる。さらに、1度試奏を挟んで、別の児童が「何かを統一させたいんだけどな」（児童I）「いや、う〜ん、なんかいろんな音があるのはいいけど、よくわからない感じ」（児童I）「だから楽器じゃないのかな？　だって、太鼓の種類、木の種類だけど一人違うし」（児童I）と発話している。これらの発話から、音素材の組み合わせに違和感をもったことが読み取れる。この違和感が生じるのは、音素材の重なりに着目しているからである。このことを契機に、2班は音素材を再度探索した。児童たちは、「Hちゃん、結構大きいよね、音が。（トーンチャイムを鳴らしたGに向かって）それほら、聞こえるよ。だってまだずっと響いているじゃん」（児童F）「（カスタネットを手に付けて鳴らし）これなら響かない、結構きれいな音」（児童I）などと話した。これらの発話から、自分の楽器だけではなく、他児の楽器の音響をも注意深く聴きながら楽器を選ぶ様子が窺える。

　この場面では、音素材の議論が展開したことで、グループでの音素材の探究が始まる。すると、音素材の組み合わせに違和感を覚えた児童だけでなく、他の児童も音の重なり方に注目して楽器を試奏する様子が見られた。これらの児童の言動から、1人の児童が違和感に気づいてそれを述べたことが契機となって他の児童もより集中して音を聴こうとするようになったと捉えられる。

　「(2)各班の音楽づくりの過程」でも述べたとおり、2班は合計2度の音素材の探索を行った。1度目は、音楽の構造に沿ってパートを分担したあとに個人の担当する音素材を決めるための探索であり、2度目は、1度目に音素材を探索した後の試奏で生じた違和感から、個人の担当する音素材を再考するための探索である。両者を比較すると、前述の通り、1度目から楽器の音響に着目しているが、1度目では、自分の担当するパートの速度と音響の関係を主眼に楽器を選択していたのに対し、2度目では、自分の楽器と他児が奏でる楽器の音響の関係に着目して楽器を選択しようとしていた。このことから、試奏時に、聴覚を働かせて他児が奏でる音と自分の音の重なりに注目しながら自分たちの表現を創造しようとしていたといえる。

■まとめ：以上、「何か違う」という発話からは、美術要素と音楽要素の関係への違和感、音素材同士の関係への違和感を児童が抱いたことが明らかになった。児童は違和感を他児に伝え、班員同士で問題を探った。問題を明確にしながら、それを解決するために試行錯誤を繰り返し、自分たちがより納得する作品をつくっていった。つまり、「何か違う」という発話は、聴覚や視覚を働かせて自分のイメージと現実の音・音楽との差を発見して問題を探るために生じた発話であった。

3-3　美術作品の再鑑賞

　音楽づくり後の鑑賞において、鑑賞シート（表12-4、表12-5）から児童が考えたことや感じたことを明らかにし、音楽づくりを経験した成果を検討する。

(1) つくった音楽と鑑賞の関連

　自分たちがつくった音楽を聴きながら鑑賞したため、つくった音楽と鑑賞を関連させた記述が目立つ。表12-4の1班の鑑賞シートには、「音がグチャグチャなので作品にピッタリだと思う」（児童B）「少しぐちゃぐちゃだけれど、でこぼこしている作品なので合っていると思う」（児童D）「作品のでこぼこを音の大きさで表していていいと思う」（児童D）と記述されていた。これらの記述から、1班の児童は、作品の凸凹を速度感の不統一や音量と関連づけていることがわかる。さらに、「全体的に高い音だからさわやか」（児童D）という記述からは、音楽づくりの冒頭から共有した作品のイメージと自分たちのつくった音楽のイメージが合っていることを認識し、その理由として音高を挙げていることが窺える。他方、表12-5の2班の鑑賞シートには、「ゆっくり動く数字とトーンチャイムがあっている（ゆっくりひびく）」（児童E）「音楽と同じスピードに〔ママ〕点めつしているのがある。音楽よりもゆっくりなのがある」（児童G）などの記述が見られた。これらの記述から、自分たちがつくった音の連打の速度を基準に作品における時間の要素を鑑賞していたと読み取れる。

　児童の記述からは、それぞれの班が美術作品のどの特徴を抽出し、音楽づくりに生かしたのか、また、その音楽を聴きながら鑑賞することで美術作品と音楽作品のもつ

表12-4　1班の音楽づくり後の鑑賞シート（原文ママ）

児童	作品を見て気づいたことを書こう	作品を見てどんな気持ちになったかな	作品に自分のタイトルをつけよう
A	・最初から長さが感じられる。 ・最初はおだやかだけど、だんだんあれはじめている。 ・にぎわっている。（町） ・でこぼこしている。	・温かい気持ち。 ・おだやか（さわやか）な気持ち。	美しい白い町
B	・音がグチャグチャなので作品にピッタリだと思う。 ・作品の見方がわかった。 ・音がない時にくらべてイメージがふくらんだ	・作品に合ったメロディーができてよかったし、うれしかった。	幸せの町の風景
C	・音を聞きながらだと、作品の見かたがかわっておもしろかった。 ・考え方がかわった ・はじから見ると、風景がそうぞうできた。	・おだやか。とういつしていて、すごくきれい。（色・オレンジ・黄）	音をかなでる白い町
D	・最初は静かでおだやかだけれど、とちゅうから町がにぎわっているようだった。 ・少しぐちゃぐちゃだけれど、でこぼこしている作品なので合っていると思う。	・静かな音から大きな音になっていくのがおもしろい。作品のでこぼこを音の大きさで表していていいと思う。 ・音が全体的に高い音だからさわやか。	おだやかな町からにぎやかな町へ

表12-5　2班の音楽づくり後の鑑賞シート（原文ママ）

児童	作品を見て気づいたことを書こう	作品を見てどんな気持ちになったかな	作品に自分のタイトルをつけよう
E	ゆっくり動く数字とトーンチャイムがあっている（ゆっくりひびく） 今、自分がやっている太こをもっとはやくしていくといいと思う。	（記述なし）	止まらない数
F	同じタイミングで動いている数がとても少なくなっている。 リズムが似ている数がある（楽器と） 一しょに動いている数が見あたらない	音が合わさっているとき、とてもおもしろかった。	バラバラに動く数字たち
G	音楽と同じスピードに点めつしているのがある。 音楽よりもゆっくりなのがある。	キーンときてリラックスできる感じ	てんめつ数字
H	・音と同じ早さの数字があった。 ・目だけで見ているよりも音をきいたほうがたのしい	楽しい	数字と、早さと、音楽と
I	（記述なし）	それぞれの速さが何かの心をひきよせる くるしい	ウロボロス

特徴のうち、どの部分に焦点を絞ったのかが窺える。1班では、美術作品とつくった音楽の関連において、凹凸をパート間の速度の違いや音量と関連づけ、作品のイメージを音高と関連づけており、美術と音楽の関連に児童の創意を見出すことができる。他方、2班の記述からは、参加児童5人中4人が、美術作品、つくった音楽共に「速度」（「時間」）の要素を関連づけていることが読み取れ、この関連が強いものであったことが明らかである。

(2) 鑑賞における感情の生起

　鑑賞シートには、「作品に合ったメロディーができてよかったし、うれしかった」（児童B）「音を聞きながらだと、作品の見かたがかわっておもしろかった」（児童C）（以上表12-4・1班）、「音が合わさっているとき、とてもおもしろかった」（児童F）「目だけで見ているよりも音をきいたほうがたのしい」（児童H）（以上表12-5・2班）というように、両班とも児童自身の感情が記述されていた。音楽づくりを行う前も作品に対する感想や作品がどのように見えるかを感情で表現する記述はあったが、音楽づくり後は、自分たちの成果を踏まえた気持ちが加わっていた。2班に関しては、音楽づくり前の鑑賞では、数字が入れ替わる速度に関する記述が多かった。他方、音楽づくり後は、自分たちのつくった音楽を基準に鑑賞する面白さや楽しさを見出している。これらの記述から、児童たちは音楽づくりを経ることで美術作品をより主体的に鑑賞するようになったことが読み取れる。

4　結論と示唆

　では、研究課題についてまとめよう。まず、児童は美術作品をどのように音楽として表現したか、その過程で何に対して感覚を働かせたか。1班では、美術作品のもつ質感の要素を抽出し、そこから自分たちのイメージをもって音素材や和音、速度、音高という音楽の要素と関連づけた。音楽づくり後の再鑑賞では、美術作品の凹凸をつくった音楽の速度や音量と、作品のイメージを音高と関連づけて作品を鑑賞した。それに対して、2班では、美術作品の時間的要素を音楽の時間的要素に置き換える形で音楽をつくった。音楽づくり後の再鑑賞においても、美術作品とつくった音楽の時間的要素を関連づけていた。児童は作品の鑑賞、音楽づくり、作品の再鑑賞の各場面で諸感覚を働かせていた。特に美術要素と音楽要素の関連や音素材同士の関連への違和感を抱いた時、聴覚を中心に諸感覚を働かせた。さらに、その違和感から他児と問いを共有することで、他児の感覚も刺激されていた。

　では、児童が諸感覚を働かせて音楽づくりを行うために、どのような美術作品を題材とするのが効果的であるだろうか。この問いに対しては、本研究の結果を踏まえると、第一に、音楽づくりに取り組みやすい作品として、時間的要素を含む作品を提案できる。なぜなら、2班では、各数字が異なる速度でカウントを繰り返すという作品の構造を児童のみの話し合いで音楽の構造に置き換えて音楽づくりを計画することができたからである。そのため、2班は音素材を探る点に絞って聴覚を働かせながら音楽をつくることができた。この結果から、光の点滅等の時間的要素を含む作品は音楽の構造に関する手がかりを提供できる点で有効であるといえる。

　では、時間的要素をもつ作品のみが音楽づくりの題材として有効なのか。この問いを検討するために、もう一つの班の活動を振り返ってみよう。

　1班は作品の構造を直接的に置き換えるのではなく、視覚、触覚、聴覚といった複数の感覚を働かせながら鑑賞することで、作品の特徴やイメージを抽出し、その特徴やイメージを音楽で表そうとしていることが窺えた。音楽の構造に置き換える要素を美術作品から抽出することが直接的ではない場合、児童には、諸感覚を働かせて主体的に作品を解釈しながらイメージしたり思考したりすることが求められる。すると児童が自由に表現を生み出す可能性が広がる。他方、可能性が多い分、音楽づくりに迷いや難しさを伴う恐れがあるため、鑑賞や音楽づくりの過程で支援を十分に検討する必要があるだろう。

　音楽づくりの教育的支援としては、児童が鑑賞で気づいた美術的な特徴や楽器の試奏から捉えた音の特徴を生かして音楽づくりの手法を提案したり、児童の試奏を活かして音楽的アイデアを展開したりすることが挙げられる。児童がアイデアを挙げても音楽の形にすることが難しい局面でこれらの支援が重要になるだろう。

　次に作品鑑賞の教育的支援と美術館との連携について考察しよう。美術館では、本物の美術作品を広い空間から様々な視点で鑑賞することを保証する場が設定されてい

る。このような環境を生かすことで、児童の作品への解釈が深まり、音楽づくりにも影響を与えると考えられる。加えて、美術館には市民が美術作品を解釈する手助けとなるような教育普及を行う学芸員が在籍しており、作品へのアプローチ法を豊富にもっている。このアプローチの中には、鑑賞者の諸感覚を刺激し、視覚だけではなく、各感覚から情報を捉えて作品を鑑賞する方法も含まれている。このような学芸員の支援の下で鑑賞すれば、作品の新たな見方や感じ方を獲得し、その見方や感じ方が音楽づくりの着想になる可能性がある。

5　本研究の限界と今後の展望

　最後に、本研究の限界と今後の課題について述べる。1点目は、学校と美術館との連携についてである。美術館のリソースを実際の授業に取り入れるには場所や時間の確保に加え、どのように美術館と連携するかなどの課題を解決しなければならない。新藤ら（2016）で紹介されているように、美術館や博物館では教育普及活動が注目され始めており、近年では学校と提携した活動も実施されているが、その教育的意義や方法についてさらなる検討が必要だろう。

　2点目は研究の方法についてである。本研究は、二つの班を比較しながら、美術作品の特徴を児童がどのように音楽として構築していくかという音楽づくりのプロセスを分析し、美術作品を着想にした音楽づくりの可能性を示すことができた。しかし、一つの事例研究であり、教育的な効果を検証するには、同様の実践を積み重ね、実証的に比較可能な調査を行う必要があるだろう。

　3点目は実践の発展についてである。本研究は美術作品を題材とした音楽づくりの実践を、美術と音楽の関連、諸感覚の働きという点から考察した。この結果を踏まえると、今後は、諸芸術が関連する実践や諸感覚を刺激する実践の展開が検討できるだろう。実際、三橋（2021）は、諸感覚を働かせるような展開を含めた音楽づくりの実践を分析し、音楽づくりにおけるアイデアの発想過程を明らかにしている。このように、本実践に含まれる要素から活動を発展させていくことが可能であろう。

（著者：三橋さゆり（1）・岡田猛（2）　企画担当：三橋さゆり・木坂宏次朗（3）・郷泰典（4）
実践担当：三橋さゆり・木坂宏次朗・郷泰典・木下和彦（5）
所属等：（1）埼玉大学、（2）東京大学、（3）美術家、（4）東京都現代美術館、（5）宮城教育大学）

［謝辞］本研究は、JSPS科研費21K13583（第一著者）、科学技術振興機構戦略的創造研究推進事業（社会技術研究開発）及び公益財団法人石橋財団（第二著者）の助成を受けたものである。東京都現代美術館学芸員の郷泰典さんには、ワークショップの企画から実践までの過程において全面的にご協力いただきました。ワークショップ当日には、鑑賞時に児童が諸感覚を働かせてイメージをもちながら作品を多角的に鑑賞できるようにご支援いただきました。美術家の木坂宏次朗さんには、ワークショップの企画と実践に全面的にご協力いただきました。木下

和彦さんには、音楽づくりの実践に関するアドバイスだけでなく、ワークショップ当日には、ファシリテーターとして児童の音楽づくりをご支援いただきました。この場をお借りして心よりお礼申し上げます。さらに、ワークショップに参加してくださった児童の皆さんに感謝申し上げます。

【引用文献】

藤井亜紀（2014）．6 それは永遠に続く　河原温×塩見允枝子×宮島達男　開館 20 周年記念 MOT コレクション特別企画 2 コンタクツ（p.7）　東京都現代美術館

井上朋子（2010a）．図画工作科と音楽科の合科的な指導に関する研究　美術教育学：美術科教育学会誌，**31**, 67-81.

井上朋子（2010b）．図画工作科と音楽科における合科的な指導の類型化とその可能性　美術教育，(293), 8-17.

井上朋子（2011）．音楽科と図画工作科の横断的プログラムの構築　音楽教育実践ジャーナル，**8**(2), 54-61.

小島千か（2014）．絵画と音楽の共通性に着目した展覧会　教育実践学研究：山梨大学教育人間科学部附属教育実践総合センター研究紀要，**19**, 151-162.

小島千か（2020）．色と絵画を基にした音楽づくり：学習者の独自性を発揮する枠組みとして　音楽表現学，**18**, 21-32.

三橋さゆり（2021）．音楽づくりにおけるアイデアの発想に関する理論的枠組み：保育を学ぶ学生による協働場面の分析を通して　日本教科教育学会誌，**44**(1), 51-64.

文部科学省（2017a）．小学校学習指導要領（平成 29 年告示）解説音楽編　http://www.mext.go.jp/component/a_menu/education/micro_detail/__icsFiles/afieldfile/2019/03/18/1387017_007.pdf（最終閲覧日 2021 年 10 月 17 日）

文部科学省（2017b）．小学校学習指導要領（平成 29 年告示）解説図画工作編　http://www.mext.go.jp/component/a_menu/education/micro_detail/__icsFiles/afieldfile/2019/03/18/1387017_008.pdf（最終閲覧日 2021 年 10 月 17 日）

森 千花（2009）．伊藤公象《アルミナのエロス（白い固形は……）》の作品研究　平成 21 年度　東京都現代美術館年報　研究紀要，(12), 67-73.

新藤浩伸・清水大地・清水 翔（2016）．日本のミュージアム・エデュケーション　中小路久美代・新藤浩伸・山本恭裕・岡田 猛（編）触発するミュージアム：文化的公共空間の新たな可能性を求めて（pp.68-91）あいり出版

中央教育審議会（2016）．幼稚園、小学校、中学校、高等学校及び特別支援学校の学習指導要領等の改善及び必要な方策等について（答申）　http://www.mext.go.jp/b_menu/shingi/chukyo/chukyo0/toushin/__icsFiles/afieldfile/2017/01/10/1380902_0.pdf（最終閲覧日 2021 年 10 月 17 日）

第 13 章

『Inspire; Create』
世界にただ一つの楽器を創る STEAM ワークショップ

1 はじめに

　第一著者と第二著者（以下、鹿倉と Bertelli）は、英国の貧困地域の公立学校を対象に、STEAM（Science, Technology, Engineering, Arts, Mathematics）アプローチに則った創造体験を提供している。テクノロジーを用いた音楽やアート制作を通して、子どもたちが複合的に理数系教科も学ぶ活動である。

　なぜ、テクノロジーを用いた創作をする必要があるのかと疑問に思う方もいるかもしれない。アートの体験に新たな技術を組み合わせることに、どういったメリットがあるのかと。鹿倉と Bertelli は、技術とアートによって自由な創造性を最大限に伸ばす実践を通して、子どもの想像と創造を触発し、将来の職業選択の可能性をも拡げることを目指している。そして、ワークショップでは、基礎的な理解から、学習の遊び化を通して知識を深める活動を行ってきた。この英国で実践している STEAM ワークショップを、アート作品の鑑賞と組み合わせたのが今回の実践である。参加者は、アーティストの制作の背景や創作の意図の説明とともに作品を鑑賞し、鹿倉と Bertelli のテクノロジーや音楽の作り方の指導のもとにアート制作を行った。創るのは、世界にただ一つのオリジナル楽器である。楽器の形、音、演奏の仕方まで自らデザインするため、演奏経験も必要なく、その楽器のための曲も存在しない。テクノロジーを用いることによって、より自由な音楽とアート制作が可能となる。この創造を通して、参加者は自身の強みや情熱を行使し、表現を見出す。鹿倉と Bertelli は、その過程に含まれる、試すこと、失敗や困難を解決する経験が、知識と技術の有機的な習得をもたらすと考えている。

2 STEAM アプローチで目指すもの

　STEAM の概念は Yakman（2006）が提唱し、従来の理数系能力に重点が置かれ

た STEM 教育に Art を加えたものである。概念の誕生以来、その在り方についての議論や実践研究は各国で盛んに行われている。Leighton と Mitchell（2016）は、英国での STEM から STEAM 教育への移行をめぐるスピーチやエッセイをまとめた。その中で、自身もエンジニアである University College London の Mark Miodownik は、英国政府の教育における STEM 偏重を批判した。Miodownik は、エンジニアリングはそれが本来根差す人間の創造性からかけ離れすぎてしまっていると述べた。賢く優秀なエンジニアを育てることのみを推進することは、地球温暖化や難民問題等の「共感の危機」に対応できないと続けた。Miodownik は「これらが我々の真の問題で、その問題を解決しようという考えが STEAM にあるのなら、私は STEAM を推奨する」と述べている。また City University London の Jones は、エッセイの中で、STEAM 教育は学生が実際的課題に対して創造的そして革新的なアイデアを作り出すための能力を与えると述べている。例えば、マイクロソフトやゼロックス等多くの企業はアーティスト・イン・レジデンスを提供しており、アーティストが技術者と協働し Art と STEM の相互接続を探求する機会を設けている。また、Jones は「T 字型の人材、専門家でありかつジェネラリスト、ある領域に高い専門性を持ちつつ、その他の複数の領域の能力も有する」人材の需要の高まりを強調した。こうした背景を踏まえて、鹿倉と Bertelli は英国で困難を抱えた子どもたちに、複数の領域の知識を音楽作りやアート制作を通して創造的に習得し応用する体験を提供してきた。

　日本では 2020 年度施行の小学校学習指導要領において、プログラミング教育が各教科の下に入ったことにより、日本の学校教育課程でテクノロジーを用いた創造的な活動の実践の可能性が広がった。しかし同時に、2017 年度における文部科学省の調査において、日本の学校における電子黒板の普及率は全教室の内 26.8% となっている。このことから推察されるように、日常の教育課程でテクノロジーを用いた創造的学習を行うのはまだ一般的でない。

　現在、日本の学校教育における STEAM 教育に関する実践的研究は、積み重ねの段階と捉えられる。遠山・竹内（2018）は児童の自尊感情の変化に着目して、小学校 5 年生を対象にプログラミング学習ソフトの Scratch や歌声合成ソフトのボーカロイドを用いた音楽創作活動の成果を分析した。実践は「きらきらぼし」を題材に、初日に Scratch によって旋律を修正し、2 日目には美しく響く旋律を作るための学習活動、3 日目にボーカロイドで響きのあう副旋律を作曲するという内容である。その結果、実践後のアンケート調査で、音楽を消費する立場から生産する立場を好む児童が増加したことを示している。また、最終課題の達成度の低かった児童に自尊感情の高まりが確認され、達成度の高い児童には逆に低下が確認されたと示しており、興味深い内容となっている。しかし、設定されている課題が「不協和な副旋律の修正」、ボーカロイドを用いて主旋律に沿った副旋律をつける等、西洋音楽の和声の法則に厳しく制約されているうえ、達成の難易度が高く、音楽創作の創造性の側面においては保守的な内容であると思われる。

　ハードウェアを用いた実践に着目すると、劉ら（2021）は、電気回路を学ぶ学習用

工作キットの littleBits を用いた創作の実践と参加児童への質問紙調査を元に満足度を分析している。実践では小学4年生から6年生1〜2名と大学生2名がほぼ一対一で組になり、それぞれのグループで littleBits の音の出し方を学んだ。そして、グループごとに決めたテーマに沿って音や旋律を表現し、littleBits とレゴを連結してテーマに沿った立体作品を創った。音の出る仕組みとその形状もデザインするという点で、鹿倉と Bertelli の実践とも共通する興味深い試みである。ただし、大学生と小学生がほぼ一対一で組になって行われた活動であるため、実際の学校現場での応用という面では検討の余地があると考えられる。

　なおここで注意したいのは、STEAM 教育は通常なら難易度が高すぎる教育目標をテクノロジーを通して達成するためのアプローチではないということである。また、テクノロジーを用いることを目的にするものでもない。創造的な学びを通して、領域横断的な知識と技能、また創造のモチベーションによる回復力（resilience）を育むアプローチであると鹿倉と Bertelli は考えている。

③ Tangible computing：触知できるテクノロジーによる創造

　今回の実践では、オンラインのプログラミング学習用ソフトウェア Scratch と音楽制作ソフト Soundtrap を使用した（図 13-1）。また、参加者が創作した楽器と Scrath を繋げる HID（Human Interface Devise：人が操作してコンピュータに働きかける装置）の MakeyMakey を使用した。

　Scratch は、マサチューセッツ工科大学メディアラボが開発したオンラインのプログラミング言語であり、アニメーションや音楽等様々な創作が行えるソフトウェアである。ブロックを繋げてコードを書く Block-based coding を使用しており、これは Microsoft MakeCode 等の他の無料学習用ソフトウェアでも用いられている。無料で、かつウェブブラウザ上で動作するものであるため、ソフトウェアをインストールする

図 13-1　（左）Scratch オンライン版、（右）Soundtrap はパターンの組み合わせでドラムループが作曲できる

図 13-2　（左）MakeyMakey（Makey Makey LLC 社製）、Earth と書かれた下方の金属部分が陰
極で、上方の金属部分は陽極。（右）二人のうち一方が陰極、片方が陽極をもち、手を
合わせて回路を閉じ、音を出す実験の様子（筆者撮影）

必要がない。また他のソフトウェアと互換性のあるコードの仕組みを持っているため、
参加者が実践後に創作を継続できるという点でも有用である。パフォーマンス伴奏の
ドラムループの作曲に用いた Soundtrap も、同じくブラウザ上のソフトウェアである。
作曲や編曲、録音やサンプリングが可能であり、リンクを介して双方向で作曲が行え
る。タブレットアプリ版もあることから、ミュージックテクノロジー学習にも広く利
用されている。

　MakeyMakey は導電性を利用して身近な素材や人間の体でコンピュータに直接
触れずにキーボード入力ができる機器である。この仕組みを音楽ソフトや先述の
Scratch に用いれば、これまで楽器になりえなかったものでも音楽を奏でることがで
きる。図 13-2 の写真は MakeyMakey である。下部の金属が陰極、他が陽極となって
おり回路を閉じることによって音を奏でられる仕組みである（図 13-2）。ワニ口クリッ
プで素材につなぎ、身近な素材の導電性を利用した創作が行える機器となっている。

　自らを取り巻く環境や物の素材を理解することは理科学習の基礎であり、創造の礎
でもある。小学校学習指導要領一・二年生における生活科では、内容（6）に「身近
な自然を利用したり、身近にある物を使ったりする等して遊ぶ活動を通して、遊びや
遊びに使う物を工夫してつくることができ、その面白さや自然の不思議さに気付く
とともに、みんなと楽しみながら遊びを創り出そうとする。」とされており、素材を
研究し創り出すプロセスの学びを明記している。今回のワークショップは、参加者が
道具を使って物理的に作りあげる楽器と、デジタル上の楽器、それを媒介する機器
（MakeyMakey）を用いる創造的活動である。

　実践内容は英国のナショナルカリキュラムを元に中高生を対象に複数の教科の内容
を反映しながらデザインしたものを基盤としている。ナショナルカリキュラムにおけ
る Key Stage 3 の内容は、日本の中学校一・二年生に相当する。そのなかで、音楽科
において、この学年以降ミュージックテクノロジーが重要な役割を担うことが明記さ
れ、特に学習後の発展と継続への貢献への期待を述べている。日本の中学校学習指導
要領では、テクノロジーに関して「電子楽器の適宜利用」という記述に留まっている。

一方で、音楽創作において表現したいイメージをもつことや構成や音素材を工夫すること、等が日英双方に共通する事項である。また音楽科以外の教科においても、理科における電流とその利用、技術科の情報に関する技術と Computing では多様なメディアの複合による表現や発信等、各教科にわたって日英で共通する内容が多い。こうした共通点を踏まえて、ワークショップを日本の該当学年を対象に実践することには学習指導要領を反映した教育成果を期待できると考える。

　領域横断的に計画したこの実践では、MakeyMakey の特質（音を出す仕組みに導電性を要する点）を制約として利用することで、アーティストによる触発と同時に、参加者に一つの道標を提示する効果を狙った。

4 『Inspire; Create』：触発と創造にある学び

　触発と創造の活動のなかで鹿倉と Bertelli の目指すものは、恵まれない環境下にある子どもたちが、楽しみながら「自分にもできる」という体験と創造的な学びの継続の機会を提供することである。英国での実践対象の児童生徒は、貧困家庭、英語が第一言語でない、学習障害、あるいはそのうちの複数の問題を同時に抱えている子が多数を占める。そうした子どもたちは、学習に遅れをとる傾向が多く、結果的に自己肯定感や学習意欲も低下する負のスパイラルに陥ることが多い。Schifter ら（2019）は特別な学習支援を要する児童と家庭の経済状況の関連性を報告している。また内閣府の子どもの生活状況調査の分析報告書（2021）には、保護者の経済状況や婚姻状況によって、子どもは学習・生活・心理面等広い範囲で深刻な影響を受けることが述べられている。例えば、貧困層はその他層と比べると、成績の低い子どもが 2.0 倍、授業でわからないことのある子どもが 3.3 倍、学校以外で勉強しない子どもが 4.7 倍多い。鹿倉と Bertelli は、こうした子どもたちがテクノロジーを用いた創作を通して、楽しみながら複数の領域の知識と技能を身につけ、またそれを創造的に活用する力を得ることを目指している。

　創作においてテクノロジーの利用を重視するのは、ICT 活用技術の教育的な必要性からのみではない。テクノロジー自体が創造を後押しし、可能性を広げる強力なツールとなるためである。例えば音楽の活動に限って考えてみたい。楽器の演奏をするには、当然ながら練習が必要である。作曲をするには最低限の拍の理解や、音程等の知識が必要である。知識や技能に裏打ちされた意図もなく、ランダムに音を並べたり奏でたりするだけでは、創造活動を十分に楽しめないうえ、学習の成果や達成感を得ることは稀である。前述の Soundtrap や Scratch、MakeyMakey 等のテクノロジーを用いることによって、音や楽譜のみからでなく視覚的、または数字等異なる観点から情報を整理し、創作することができる。しかし、わかりやすくなったからといって、全てが簡単になるわけではない。より高度なものを作ろうとすればコーディングや、

数学、物理的な学びも含まれてくる。その創造の過程は決して容易なものではないが、楽器や曲を作りあげる楽しさは強い動機とより深い学びへの足掛かりとなる。

　こうした実践では、子どもたちが新たな出費なしに継続して創作を続けられるようにするために、必ずウェブ上の無料で使用できるソフトを用いる。困難な状況下にある子ほど、こうした創作ツールとの出会いの機会は貴重なものとなる。存在を知らないものには想像の余地もなく、何が可能なのかも知らないまま学習に遅れをとる結果になっている子は少なくない。『Inspire; Create（触発と創造）』のもたらす学びは、予測不可能な現代社会を生きる力を育むものと、鹿倉と Bertelli は考えている。

5　実践の計画と参加アーティスト

5-1　計画

　本実践では、参加者はアート作品を鑑賞したり、アーティスト自身から創作の背景について話を聞いたりして、そこで得た触発を利用して創作活動を行った。鹿倉と Bertelli は、参加者とアーティストの間の触媒となって、触発からの創造のきっかけをつくる役割を担った。創造の場で何が可能であるかが示されて初めて、触発は作用するのである。そこで、本ワークショップ（以下、WS）は以下の 5 段階に計画して行った。

① Bertelli と鹿倉による講義「世界にただ一つの楽器の作りかた」
② アーティストとの対話的な作品鑑賞
③ 参加者による楽器製作と音作り、伴奏リズムの作曲
④ 作品発表
⑤ まとめ

　この WS のねらいは、「参加者が作品を創り上げること」にあるのではない。触発から創作、互いの作品のパフォーマンスによる共有、そこに生じる新たな触発までの一連の過程の体験を参加者に提供することである。

5-2　参加アーティストの紹介

　本実践に参加した山本晶氏は、自身が見た風景をもとに、窓や建造物の構造、樹木、丘等、様々な形、光や影を鮮やかな色使いで画面上に再構成するようにして絵を描く画家である（詳細は 6 章と Column 5 参照）。

　本実践で参加者たちが鑑賞した山本氏の作品は、一つの画面に同時に多くの視点を介在させた表現や、ものとものの境界線の概念に触発された表現の近作が中心であった。作品 3 点を WS の会場に展示し、参加者が間近で見ることが出来るようにした。

⑥　ワークショップ実践の概要

6-1　世界に一つだけの楽器について

　参加者は、東京大学教育学部附属中等教育学校の1年生から6年生（15歳から18歳）
14名である。WSは同校の図書室で実施した。ラップトップコンピューター（以下、
PC）は同校のものを使用し、MakeyMakey、ワニ口クリップ、楽器制作用の段ボール、
アルミテープ等は筆者らが用意した。

　はじめに、Bertelliから、英国で実践しているSTEAM教育の活動について簡単な
講義を行った。続いて、MakeyMakeyの仕組みやどのような創作ができるかを、音
楽を用いながら説明した。参加生徒は直接MakeyMakeyに触れて、どのように音を
出せるか、導電性を利用し、二人組になって陰極と陽極を持ちハイタッチをして音を
出す活動等を行い、実践的にテクノロジーに慣れ親しんだ。その後、山本氏の作品鑑
賞にうつった。

6-2　作品鑑賞と制作楽器のパフォーマンス

　生徒たちには予備知識なしでまずは近くから作品を見てもらった。今回、山本氏が
持参した作品はすべて絵画であるが、不定形のキャンバス（いわゆるシェイプドキャ
ンバス）に描かれていた。山本氏は、なぜこのような形のキャンバスに絵を描いたの
かや、何に触発されて描いたのか等、制作にまつわる様々なエピソードを生徒たちに
説明した。具体的には、四角の画面を邪魔だと感じ、もっと自由に描けるのではない
かと考えたことがきっかけとなって描いたことや、キャンバスの色に自分がワクワク
したり反応したりと、自分の感情が動くこともある等の経験を話した。生徒たちはそ
れらの話を聴きながら、改めて山本氏の作品を鑑賞した。（図13-3参照）。

　次に、生徒たちに作品を見て思いついたことを自由に箇条書きにしてもらった。山
本氏は、机間巡視をしながら話を続け、生徒たちが言葉を紡ぐ手助けをした。以下は、
生徒たちの自由記述の抜粋である。生徒たちは、形や線、色や光について見たりイメー
ジしたことを書いていた。その一方で、「浮いている感じ」「潜水艦が動いているよう
に見える」「パシャパシャした感じ」等、絵から受ける印象や感覚についても書いて
いた。作品を観るだけでなく、山本氏本人から作品についての話を聞く中で、作品の

図13-3　自作品を前に説明を行う山本晶氏（筆者撮影）

外見的な特徴だけでなく、そこから自分なりにイメージを広げていった様子がうかがえる。

〈形について〉 形が凸凹、綿っぽい、モコモコしてる、形がそれぞれ違う、右はマリーゴールドで可愛い感じ
〈色について〉 緑をいろんな色で表している、似ている色が使われていて、緑とか青とかわざと白いところが残っているのかな、配色が好き、一番左が淡いから続きがありそう
〈線・空間・感覚について〉 線が空間みたい、全体的に浮いている感じ、漂っている、潜水艦とか動いているように見える、一番左はぼんやりしている、パシャパシャした感じ
〈光について〉 光が当たっている感じ、光に反射

　鑑賞の最終段階として、生徒からの質問に山本氏が答えながら鑑賞を深めていった。
　続いて、Bertelli は、作品の鑑賞を踏まえて段ボールで簡易的に組み立てた楽器と、Scratch で録音編集した音を披露し、音をどのように作ったのか、表現の意図、山本氏の作品にどのような影響を受けたのかを説明した。この時点での Bertelli の作品は完成されたものではない。あくまで生徒たちにどのような表現が可能であるかを伝え、その方法を案内する役割を担っている。身近にある素材（段ボール、色紙等）と導電性のある素材（ワニ口クリップ、アルミテープ）を組み合わせて「楽器に見えないデザイン」にすることを制作のポイントとして提示した（図13-4参照）。

図 13-4　Bertelli が楽器のアイデアをシェアする（筆者撮影）

6-3　作品制作の時間

　生徒たちは、まず段ボールで楽器のかたちを作るところから始めた。制作の途中、約30分ごとに5分間の新たなアイデアの提示を行った。約2時間半の制作時間のうちに行ったアイデアの提示は以下の通りである。

① Scratch での録音、保存の仕方
② 音のサンプリング（録音編集）の基本（アタック、繰り返し等）
③ MakeyMakey の Key の解説

④ プログラミングのコーディングの知識（Variables、If statement 等）
⑤ Soundtrap を用いたドラムループの作り方と即興の練習

　Scratch には既成の楽器音や効果音等が充実しており、それらを用いて音楽を簡単に作ることができる。しかし、今回使用した PC にはウェブカメラとマイクが搭載されていたので、出来るだけ録音編集機能（サンプリング）を用いて独自の音を作ることを勧めた。音をデータとして取り込むサンプリングの基礎を学ぶことは音楽表現と作曲の学習でもあり、音作りをいちから行うことで、生徒たちが作る楽器の独創性を深化させたいと考えた。結果的に既成の音を選択したとしても、録音とその検討を通して自分がどのような音が欲しいかを考えることにもなるだろう。また、作成したデータを適切な場所に保存する、そして用途に合わせて取り出す作業は、情報技術の活用には欠かせない基礎的なスキルである。

　MakeyMakey は、プログラムされたキーを USB ケーブルを通して PC に送る仕組みになっている。いわば小さなキーボードであり、そのプログラムを変更することも容易である。今回はプログラム変更は行わなかったが、その仕組みを学ぶことで Scratch 上に作った音を MakeyMakey でどのように作動させるか、それを自分の楽器の演奏にどう反映させるのかを解説した。Scratch 上のコードにおいては、同じ音からバリエーションを作りそれを Variables（変数）で整理し、If を用いた条件設定で制御する仕方等のアイデアを提示した。Scratch には日本語版設定もあるが、今回の実践では英語の設定のままでコードを作ることを勧めた。

　ドラムループを用いることで、即興パフォーマンスに一定したリズムを作ることができる。楽器の出す音が多様でも、リズムが保たれていれば、演奏に一貫性をもたせることが可能になる。ボディーパーカッションの活動で基礎となるリズムを学び、ソフトウェア上でパターンを使いながらその基本のループを打ち込んだ。それを応用して各自が好きなリズムやテンポで作曲を進めていった。

　こうしたアイデアやその方法を全員に説明しながら、参加者各自の進捗や表現したいことに助言するかたちで制作をサポートした。高学年の参加者はより冒険的で、音作りの際に自身の声を録音し逆回しや切り取り等の編集を行う、窓辺に PC を持って

図 13-5　（左）楽器のかたちを作る　（右）参加者の作品の一つ（筆者撮影）

行き風の音を録音する、図書室の蔵書を集めて素早くめくったり打ち合わせたりしながら音を探索する等の姿が見られた（図 13-5 参照）。

6-4　練習と発表

　自分の楽器（形と音）を作ったら、その次は練習の時間である。ドラムループに合わせた即興の練習を行った。Bertelli らは、随時机間巡視をしながら参加者の音楽を聴いて周り、適宜助言を行った。

　発表に際して、参加者各自は制作した楽器の紹介と、作曲の背景やどんな音をどのように編集したか等を説明しパフォーマンスを行った。パフォーマンスによる共有の時間を持つことによって、参加者が互いの作品を鑑賞する機会とするとともに、説明に際して自身の創作の経緯を振り返ることを意図している。

7　効果測定（アンケート調査）について

7-1　目的

　本ワークショップに参加したことで、外界からの触発、アートや表現に対する考え方や見方、鑑賞の態度等の側面がどのように変化するのかを検討することを目的に、参加者による効果測定を行った。

7-2　手続き

(1) アンケート回答者

　ワークショップ参加者 12 名（年齢 10 代、性別不問）。

(2) アンケート実施手順

　ワークショップの参加者に調査目的等の説明を行い、許諾が得られた人に、ワークショップが始まる前に事前アンケート、ワークショップ終了後に事後アンケートに回答してもらった。

(3) アンケートの尺度構成

　アンケートの項目は、次の 4 つの尺度を組み合わせて構成した。1.「触発尺度（5 項目、5 件法）」、2.「鑑賞態度尺度（2 因子構造、12 項目、5 件法）」、3.「開放性尺度（4 項目、5 件法）」、4.「自覚性尺度（4 項目、5 件法）」である。また、事後アンケートにワークショップの感想を尋ねる項目を設けた（4 項目、5 件法、表 13-1 参照）。なお、アンケートの尺度構成及び分析は第三著者が担当した（質問項目と分析方針の詳細については、第 5 章も参照して欲しい）。

表 13-1　ワークショップの感想項目の平均値と標準偏差（SD）

ワークショップの感想（4 項目、5 件法）	平均	SD
1. 作品を観るときの視点が広がったと思う	4.3	0.60
2. 表現することが好きになった	3.8	0.90
3. 表現したいという気持ちが強くなった	3.7	1.03
4. 表現には洗練されたテクニックや方法だけでなく、五感や感情等も大切だと感じた	4.2	0.90
項目全体	4.0	0.90

7-3　記録方法

　ワークショップ当日は、第三著者も参加して記録を行った。記録は参加者の邪魔にならないようにするため、活動内容をフィールドノートに記録する方法をとった。

⑧　ワークショップの効果の検討

8-1　ワークショップの感想の結果

　まず、ワークショップの感想を尋ねた項目の平均値と標準偏差を求めた（表 13-1）。項目への回答は 5 段階評定であり、全体で平均 4.0 であったことから、概ね高い評定値といえる。また、本ワークショップの参加者の回答の内、項目 1「作品を観るときの視点が広がったと思う」と項目 4「表現には洗練されたテクニックや方法だけではなく、五感や感情等も大切だと感じた」は比較的高い値（4.3 と 4.2）であったが、

表 13-2　ワークショップの感想（自由記述）

ID	感想（一部抜粋）
1	音というと楽器の音がすぐに思いつくけれど、日常的な音や人の声も加工したりすれば、面白い楽器になるんだなと思った。
2	芸術家って何も考えずに本能的に制作していると思っていたけれど、意外と意図的なんだと思った。
3	難しかったが、音を組み合わせるだけで音楽が作れると思うと、根本は単純なものなのかもと思った。
4	作曲することは天才しか出来ないわけではない。自分がどういう曲が好きなのかがよくわかった。
5	メロディのない音楽を作るのはすごく難しいと思った。スクラッチを使って音楽を作ったのが初めてだったので、大変だった。
6	絵を見てそこから得たインスピレーションを曲に反映させるというのが難しかった。テーマに対して、音楽という手段でどのようにアプローチして行けばいいのかわからなかった。
7	いい意味で何でもアリなんだと思った。求められていなくても OK！
8	今まで美術とか芸術とかって、他人に認められて、求められて成り立つものだと思っていたけれど、自分のために作るものもあると思いました。

項目2「表現することが好きになった」と項目3「表現したい気持ちが強くなった」についての値（3.8と3.7）はあまり高くなかった。このことから、今回の参加者は作品を観るときの自身の視点や表現技術に対する捉え方に変化を感じたものの、表現に対する動機づけには変化がないと感じていることが伺える。

　また、参加者の感想（自由記述）からも、本ワークショップは「楽しかった」「面白かった」だけではなく、音楽だけでなく、Scratch等のテクノロジーを用いることの難しさを感じると共に、自分だけの音楽を作り出せることやどのような表現も許容されることに発見の感覚を得ていたようである（表13-2参照）。ただし、鑑賞した作品からインスピレーションを受けて表現をすることは、やはり難しかったようだ。

8-2　ワークショップの事前事後比較

　次に、鑑賞の仕方や触発が、ワークショップを行う前（事前）と終了後（事後）でどのように変化したのかについて、アンケート結果を比較した。表13-3と図13-6は、アンケートで得られた4つの尺度得点（鑑賞態度尺度（比較鑑賞と推測鑑賞）、開放性尺度、触発尺度）の平均値を、事前と事後で比較できるようにしたものである。図表からわかるように、2つの鑑賞態度と開放性はわずかな増加しか示しておらず（0.3

表13-3　各尺度の事前と事後の α 係数・平均値・標準偏差（SD）・平均値の95% 信頼区間

尺度	α 係数	平均値	SD	平均値の95% 信頼区間	
				下限	上限
比較鑑賞	事前（.872）	3.5	0.85	2.93	4.01
	事後（.873）	3.8	0.72	3.34	4.30
推測鑑賞	事前（.835）	3.3	0.83	2.79	3.89
	事後（.933）	3.8	0.79	3.30	4.31
開放性	事前（.897）	3.3	1.07	2.66	4.01
	事後（.777）	4.0	0.75	3.55	4.50
触発	事前（.717）	3.8	0.73	3.36	4.28
	事後（.802）	3.8	0.77	3.26	4.29

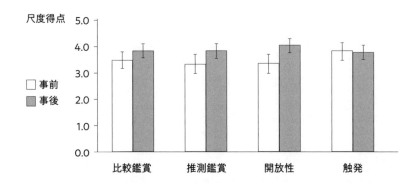

図 13-6　各尺度得点（事前と事後）の平均値の比較（エラーバーは標準誤差）

～ 0.7 ポイント）、触発も変化はなかったと考えられる。なお、参考のために尺度得点毎に事前事後の変化を比較することを目的に統計的仮説検定（対応のある t 検定・有意水準 5%、欠損値は変数毎に除去）を行ったところ、開放性のみ事後に有意な（意味のある）差があることが示された（$t(11) = 2.380$、$p = .037$、効果量 $d = 0.752$）。すなわち、ワークショップ後には、開放性の側面が高まったと考えられる。

⑨ まとめ

　今回、アーティストの作品の鑑賞からテクノロジーを用いて「世界に一つだけの楽器」を作った。楽器制作には身近な素材を用いて、導電性と電気回路を仕組みに用いるという点以外に物理的な制約はなく、始まりに決まった型もない。生徒たちの作品は、全て異なる形と音とリズムでできており、多様性の高い創作活動となった。この実践には、美術、作曲、録音、プログラミング、パフォーマンス、数学、コンピューターサイエンスといった多種多様な領域の学びが含まれている。

　英国における実践の際、鹿倉と Bertelli は学年ごとにカリキュラムにそって期待できる知識と技能を目安に計画する。実践時点での一般的な日本のカリキュラムでは、PC の使用の機会がかなり限られており、生徒たちのデジタルリテラシーのレベルに一貫性がなかった。結果として大半の参加者にはミュージックテクノロジーやプログラミングの活動は全く初めてで、そのために彼らはより多くのハードルを超えなくてはならなかった。こうした困難にもかかわらず、各自が機能する作品を仕上げられたのは、非常に有意義であったと言える。参加者たちは互いに協力しながら問題を解決し、自立した回復力で作品を仕上げた。こうした姿は英国での実践の中でも貴重で、短い時間での創造的活動としては成功であったと考える。

　今回の実践の課題は、参加者の年齢の幅が約 12 歳から 18 歳までと幅広く、また、時間と空間の制約があったことである。筆者らはアート鑑賞による触発から表現に繋げるには、「消化」の時間を要すると考える。はじめて出合うテクノロジーの「何ができるのか」を理解し、それで「何が作りたいか」という検討や探索の時間を設けるのは創造において重要である。アンケートのなかの自由記述においても参加者から、絵を見てそれを音に表現することに難しさを覚えたこと、Scratch を使うことやいちからの音作りということで苦労したことが述べられていた。こうした課題の解消のために、数日後または次の週といったかたちに、インプットの日と、アウトプットの日が別になる日程を設定することが必要であると考える。そして、年齢の幅が広すぎると、ある参加者には簡単すぎて、他の参加者には難しすぎるということが生じるために、実践の達成目標を定めにくい。幅は二学年までを基準に計画することが妥当と考える。

　Covid-19 の流行以来、英国は 2020 年 3 月から約半年間のロックダウンを実施し、

一部の例外を除いて各種の学校が全校休校になった。授業のオンラインへの移行が推奨された結果、鹿倉とBertelliもオンラインワークショップの開発を余儀なくされた。こうした際に、本実践で使用したソフトウェア等を用いた創作活動は汎用性が非常に高い。ScratchやSoundtrap等のウェブ上のソフトは、インターネットと端末さえあれば誰にでも創作活動が可能であり、リンクを介しての作品の共有も容易であるため、演奏という形でなくとも発表の機会を持つことができる。対面の必要がないことによって、普段から学校に通わず家庭での教育を選択している児童や生徒のプログラムへの参加が増えた。また自閉症等の他者との接触に困難を覚える子どもの保護者からは、彼らがこれまで他者との対面ではできなかった創作活動を、安心感を持って学べ、継続出来ているとの報告があった。

　アートとテクノロジーによる触発と創造の体験のなかで、子どもたちは楽しみながら知識や技能を自らの力に変えてゆく。プロジェクトを通して、試し、失敗し、問題を解決する経験は、目まぐるしく変化する時代に生きる力を育む活動であると鹿倉とBertelliは信じている。

（著者・企画：鹿倉由衣（1）・Enrico Bertelli（1）・横地早和子（2）
企画・実践担当：鹿倉由衣・Enrico Bertelli・山本晶（3）
所属等：（1）Conductive Music CIC、（2）東京未来大学、（3）画家）

［謝辞］今回のワークショップの実施に協力してくださった、東京大学教育学部附属中等教育学校の淺川俊彦先生、藤田航先生、そしてワークショップに参加してくださった生徒の皆さんに感謝申し上げます。

【引用文献】

Department for Education (2021). Model music curriculum: Key stage 1 to 3.

Department for Education (2014). National curriculum in England.

Leighton, S., & Mitchell, P. (2016). *A new STEAM age challenging the STEAM agenda in research*. The Culture Capital Exchange.

文部科学省（2017）.【音楽編】小学校学習指導要領解説　https://www.mext.go.jp/component/a_menu/education/micro_detail/__icsFiles/afieldfile/2019/03/18/1387017_007.pdf（2022年3月25日閲覧）

文部科学省（2017）.【音楽編】中学校学習指導要領解説　https://www.mext.go.jp/component/a_menu/education/micro_detail/__icsFiles/afieldfile/2019/03/18/1387018_006.pdf（2022年3月25日閲覧）

文部科学省 (2017). 小学校学習指導要領　https://www.mext.go.jp/a_menu/shotou/new-cs/youryou/syo/（2022年3月25日閲覧）

文部科学省（2020）. 令和元年度学校における教育の情報化の実態等に関する調査結果（概要）ttps://www.mext.go.jp/content/20201026-mxt_jogai01-00009573_1.pdf（2022年3月25日閲覧）

内閣府（2021）. 令和3年子供の生活状況調査の分析報告書　https://www8.cao.go.jp/kodomonohinkon/chousa/r03/pdf-index.html（2022年3月27日閲覧）

劉 麟玉・北條美香代・水野亜歴・淺川希洋志・福島 奏・村田花菜子（2021）. 音楽科教育におけるSTEAM教育の実践研究：「リトルビッツ」（littleBits）を用いた音楽づくり活動を通して　奈良

教育大学次世代教員養成センター研究紀要，169-175.

Schifter, L., Grindel, G., Schwartz, G., & Hehir, G.（2019）. *Students from low–income families and special education.* The Century Foundation.

遠山紗矢香・竹内勇剛（2018）. STEAM 教育としての協調的な音楽創作活動とその評価の提案：児童の自尊感情の変化に着目して　ヒューマンインターフェース学会論文誌，**20**, 392-412.

Yakman, G.（2008）. STEAM education: An overview of creating a model of integrative education. *In Pupils' attitudes towards technology (PATT-19) conference: Research on technology, innovation, design & engineering teaching*, Salt Lake City, Utah, USA.

Column 9

作詞ワークショップについて

浜田真理子（シンガーソングライター）

2021年の春、コロナ禍でライブの延期や中止が続いて落胆していたところに、毎年コンサートでお世話になっている地元の会館（しまね文化振興財団）からライブ以外にやりたいことがあれば協力しますと声をかけてもらったので、夏から秋にかけて作詞ワークショップを開催することにした。

それまで何度か作詞ワークショップは行っていたが、どれも地元以外の場所だった。福島では2013年、作家の古川日出男さん主催の文学の学校「ただようまなびや」で震災後の言葉を探すという試み。また大阪では2014年、福祉施設の職員のための音楽講座として、そして2017年には東京大学岡田猛先生のお誘いで、大学の地域貢献の講座として一般の方々を対象に行った。

わたし自身が作詞を始めたのは今から30年ほど前で、人前でのピアノ演奏や歌唱よりはずっと遅いスタートだった。なぜなら自分に作詞ができるとは思わず、作詞とはプロの作詞家や、空から言葉が降ってくるような天才にしかできないことだと思い込んでいたからだ。

それよりも多くの名曲をインプットすることが楽しく、自ら作詞をしてみようという気にならなかったこともある。

そのため音楽活動を初めてから何年間は自分のオリジナル作品がなかった。他者の歌を演奏し、覚え、模倣しているうちに、ある日急に自分でも作ってみようという気になった。その後自作の歌をライブで歌い、CDなどの作品を作ることを何年も続けてきて、作詞へのハードルは勝手に自分が作り上げていたものだとわかってきた。

今回のワークショップでは、特に初心者を中心として参加者を募った。作詞をしてみたいけれど手を出せないと感じている人、かつてのわたしのように高いハードルを心の中に持っている人を対象として、そのハードルを下げ、楽しさを感じてもらい、音楽を好きになってもらえるといいと思った。

さらに、この沈みがちなコロナ禍ならではの表現が出てくることへの期待もあった。

参加者は20代から70代の市民16名。昼間の開催だと年配の方の参加が多くなるので、若い方、学生さんや仕事をしている人も参加できるよう19時から21時の夜の開催とした。5回の講座を経て最終的に2曲作詞をし、そして最終日には朗読による発表という大まかな計画を立てた。

講座の初回では、まずわたしの自己紹介の後、参加者の自己紹介と参加動機も話してもらった。作詞は初体験という方が多かったが、中には自作の歌を作っている人もいた。若い時から詩作が趣味という方も二人ほどあった。

後半はわたしの作詞講座だ。詞が先か曲が先かで、詞先、曲先というが、現在のシンガーソングライターの中では曲先が主流なのだそうだ。わたしは昔ながらの詞先なので、ここではわたしのやり方で試行錯誤をしていつか自分のやり方を見つけて欲しい。

その他、テーマを決めることが大切で、その1曲で成し遂げたいミッションやストーリーを自分で設定するということを話した。それから既存の曲を例にあげて、そこに使われているテクニック（押韻やオノマトペや言葉づかいなど）について解説もした。

詩と詞の違いは、メロディがあるかないかである。目と耳の違いと言ってもいいかもしれない。読んで素敵だなと思ってもメロディに乗らなかったり、わかりにくかったりすることもある。歌詞の場合は、言葉の意味と同時に音も意識しなければならないので声を出して読んでみることは大切だ。

どんな歌を書きたいかといえば誰だっていい歌が書きたいだろう。わたしだってそうだ。では、「いい歌」ってなんだろう。参加者に問うと「共感」「自分の中にない新しいアイデア」などあるものがいい歌なのではと応えてくれた。

第二回は自分の好きな歌の歌詞を持ってくるという宿題を出す。創造の前には鑑賞が必要だ。持ち寄ってもらうことで、自分では絶対に選ばないような歌も知ることができる。参加者の年代差も大きいのでどんな歌が集まるか楽しみだった。

はたしてシンガーソングライターのものが多かった。スクリーンに映し出して読み、また朗読を通して語感も味わう。CDをかけて曲も聞いてみたりする。知っているつもりでいた歌詞をしっかり読んでみたら思い違いの解釈をしていることもあった。知らない曲を知ることが新鮮だったようで、この回は大変盛り上がった。70代の方があいみょんや、宇多田ヒカルの歌詞が新鮮だと言っていた。

第三回、第四回ともに作詞をしてみる。第三回では決められたテーマを元に書く。イメージがわきやすいように、あらかじめ人数分キーワードを作っておいた。「季節」「時間」「愛」「家族」「平和」などと書かれたカードを一人一枚ずつ引いてもらう。

いわゆる発注を受けて歌詞を書く場合、例えば映画の主題歌だとか、CMソングだとか、何かのテーマソングなどを作る時はこんな感じだ。対して第四回では、テーマは自由とした。自分の書きたいこと、好きなことを書いてみる。

書き上がると班の中で、まわし読みをして感想を言い合う。コロナ禍でマスク越し、プラスチックのボード越しではあったが和気藹々と楽しげだった。

第五回の発表会の日には各自が作詞した作品を演台で朗読してもらう。2曲は完成できなかったという人もあったし、この講座を開催している間に10曲書いた人もあった。発表後には、他の参加者の感想も聞く。

16名みな歌詞ができた。歌を作ってみたくてもどこからどんな風に手をつけたらいいかわからなかった人にとっては大きな初めの一歩だったと思う。

講評を求められるといつも困る。生まれて初めて作った作品にいいも悪いもあるだろうかと思ったりするからだ。それよりも0を1にしたというエネルギーに拍手をしたい気持ちになる。

ワークショップをしたからといって、翌日から劇的に何かが変わるということはない。例えればそれは地中深く花の種を植えるようなものだ。すぐに地上に芽を出すものもあれば、何年も経ってから急にぐっと伸びてくるものだってあるはずだ。

この講座を経て、作詞をより身近に感じてもらえたら嬉しい。そして実際に書く体験によって、他の楽曲に対するより深い理解と解釈ができるようになれば人生が楽しくなるのではないかと思う。

執筆者紹介

石黒　千晶 （編者） ·· Part1 ［1〜4章］、
　　　　　　　　　　　　　　　　　　　　　　　　　　　　　　Part2 ［1章、2章、9章］

横地早和子 （編者） ·· Part1 ［1〜4章］、
　　　　　　　　　　　　　　　　　　　　　　　　　　　　　　Part2 ［5〜7章、13章、Column 4、6］

岡田　　猛 （編者） ·· Part1 ［1〜4章］、
　　　　　　　　　　　　　　　　　　　　　　　　　　　　　　Part2 ［2〜7章、9章、10章、12章］

朝倉　由希 （公立小松大学国際文化交流学部 准教授）················ Part1 ［5章］

夏川真里奈 （株式会社 MIMIGURI アートエデュケーター）··········· Part2 ［1章、Column 1］

佐藤　　悠 （アーティスト、鑑賞プログラマー）··················· Part2 ［2章、Column 2］

蓬田　息吹 （東京大学大学院教育学研究科 博士後期課程）··········· Part2 ［3章］

王　　詩儁 （東京大学大学院教育学研究科 特任研究員）············· Part2 ［3章］

古藤　　陽 （東京大学大学院教育学研究科 博士後期課程）··········· Part2 ［4章］

清水　大地 （神戸大学大学院人間発達環境学研究科 人間発達専攻 助教）··· Part2 ［3章、4章］

杉浦　幸子 （武蔵野美術大学芸術文化学科 教授）················· Part2 ［Column 3］

竹川　宣彰 （現代アーティスト）······························· Part2 ［Column 4］

山本　　晶 （画家）··· Part2 ［Column 5］

篠原　猛史 （現代アーティスト）······························· Part2 ［Column 6］

髙木紀久子 （東京大学総合文化研究科・芸術創造連携研究機構・特任助教）··· Part2 ［8章］

高田由利子 （札幌大谷大学芸術学部音楽学科 教授）··············· Part2 ［8章］

中野　優子 （東京大学教育学研究科 教育学研究員）··············· Part2 ［9章］

Ｃ ュタツヤ （振付師・ダンサー）······························· Part2 ［Column 7］

林　　由夏 （Trinity Laban Conservatoire of Music and Dance 修士課程）··· Part2 ［10章］

尾竹　永子 （アーティスト）··································· Part2 ［Column 8］

古山　詞穂 （東京藝術大学大学院音楽研究科 博士後期課程）········· Part2 ［11章］

澤田　怜奈 （東京藝術大学大学院音楽研究科 修士課程修了）········· Part2 ［11章］

田舎片麻未 （愛知教育大学創造科学系音楽教育講座 助教）··········· Part2 ［11章］

三橋さゆり （埼玉大学教育学部 准教授）························· Part2 ［12章］

鹿倉　由衣 （Conductive Music CIC）·························· Part2 ［13章］

Enrico Bertelli （Conductive Music CIC）···················· Part2 ［13章］

浜田真理子 （シンガーソングライター）························· Part2 ［Column 9］

編者紹介

石黒千晶（いしぐろちあき）

聖心女子大学現代教養学部心理学科　専任講師　博士（教育学）

2017年、東京大学大学院教育学研究科総合教育科学専攻教育心理学コース博士課程学位取得

専門は認知科学、教育心理学。芸術文化を通した学びや創造性教育の研究を行っている。

横地早和子（よこちさわこ）

東京未来大学こども心理学部こども心理学科　准教授　博士（心理学）

2007年、名古屋大学大学院教育発達科学研究科博士課程後期修了

専門は心理学、認知科学。芸術家の熟達過程や創造のプロセスに関心がある。

［主要著書］

『創造するエキスパートたち』（共立出版、2020）

『実践知』（有斐閣、2012、共著担当：Expert6-3 芸術家）など

岡田　猛（おかだたけし）

東京大学大学院教育学研究科　教授　Ph.D. in Psychology

1994年、米国カーネギーメロン大学博士課程心理学専攻修了

専門は心理学、認知科学。創造性、特に芸術創造プロセスの解明や芸術創造性の教育支援に関心がある。

［主要編著書］

『触発するミュージアム：文化的公共空間の新たな可能性を求めて』（あいり出版、2016）

『*Multidisciplinary approaches to art learning and creativity: Fostering artistic exploration in formal and informal settings*』（Routledge、2020）など

触発するアート・コミュニケーション
創造のための鑑賞ワークショップのデザイン

2023 年 5 月 15 日　初版　第 1 刷　発行

定価はカバーに表示しています。

編　　者　　石黒　千晶
　　　　　　横地早和子
　　　　　　岡田　　猛

発 行 所　　（株）あいり出版
　　　　　　〒 600-9436　京都市下京区室町通松原下る
　　　　　　元両替町 259-1　ベラジオ五条烏丸 305
　　　　　　Tᴇʟ / Fax　075-344-4505　　　http//airpub.jp//

発 行 者　　石黒憲一

組版　上瀬奈緒子（綴水社）　印刷／製本　日本ハイコム（株）
©2023　ISBN978-4-86555-109-9 C3070　Printed in Japan